Victor Chocquet

Ami et collectionneur des impressionnistes

RENOIR, CÉZANNE, MONET, MANET

Sammlung

OSKAR REINHART
'AM RÖMERHOLZ'

Collection

OFFICE FÉDÉRAL DE LA CULTURE

Victor Chocquet

Ami et collectionneur des impressionnistes

RENOIR, CÉZANNE, MONET, MANET

Edité par Mariantonia Reinhard-Felice, Collection Oskar Reinhart « Am Römerholz », Winterthour
pour l'Office fédéral de la culture

Publication de la Confédération suisse, représentée par l'Office fédéral des constructions et de la logistique,
à l'occasion d'une exposition à la Collection Oskar Reinhart « Am Römerholz », Winterthour,
une institution de l'Office fédéral de la culture

Hirmer Verlag, Munich

PIERRE WARNER

Prêteurs

L'Office fédéral de la culture et la Collection Oskar Reinhart « Am Römerholz », Winterthour, remercient tous les prêteurs pour leur généreux soutien à notre projet :

Bâle, Kunstmuseum Basel, Kupferstichkabinett
Bernhard Mendes Bürgi
Christian Müller

Columbus, Columbus Museum of Art
Nannette V. Maciejunes
Dominique H. Vasseur

Copenhague, Ordrupgaard
Anne-Birgitte Fonsmark

Francfort-sur-le-Main, Städel Museum, Graphische Sammlung
Max Hollein
Jutta Schütt

Genève, Musée d'art et d'histoire de la Ville de Genève
Jean-Yves Marin
Laurence Madeline

Houston, The Museum of Fine Arts
Gary Tinterow
Edgar Peters Bowron

Karlsruhe, Staatliche Kunsthalle Karlsruhe
Pia Müller-Tamm
Alexander Eiling

Londres, galerie B. Weil Limited

Londres, The Courtauld Gallery
Ernst Vegelin
Karen Serres

Moscou, Musée d'État des beaux-arts Pouchkine
Marina Loshak

New York, The Metropolitan Museum of Art
Thomas P. Campbell
Susan A. Stein

New York, The Morgan Library & Museum
William M. Griswold
Jennifer Tonkovich

New York, The Museum of Modern Art
Glenn D. Lowry
Ann Temkin

Paris, Musée de l'Orangerie
Laurence des Cars

Paris, Musée d'Orsay
Guy Cogeval
Isabelle Cahn

Paris, Musée du Louvre, département des Arts graphiques
Jean-Luc Martinez
Xavier Salmon

Potsdam/Zurich, Nathan Fine Art

Richmond, Virginia Museum of Fine Arts
Alex Nyerges
Mitchell Merling

Saint-Pétersbourg, Musée d'État de l'Ermitage
Mikhail Piotrovsky

Stuttgart, Staatsgalerie Stuttgart
Christiane Lange
Christofer Conrad

Valence, Musée de Valence, Art et Archéologie
Hélène Moulin-Stanislas

Valence-sur-Baïse, Abbaye de Flaran, Collection Simonow
Michel Hue

Washington D.C., National Gallery of Art, Prints & Drawings
Earl A. Powell III
Andrew Robison

Collections Thyssen-Bornemisza

ainsi que des prêteurs privés qui ont préféré rester dans l'anonymat.

Schweizerische Eidgenossenschaft
Confédération suisse
Confederazione Svizzera
Confederaziun svizra

Département fédéral de l'intérieur
Office fédéral de la culture OFC

Avec une contribution de la Georg und Bertha Schwyzer-Winiker-Stiftung et de la Dr Werner Greminger-Stiftung

Table des matières

Préface et Remerciements

À l'occasion du cinquantenaire de la mort d'Oskar Reinhart (1885-1965), l'Office fédéral de la culture et la Collection Oskar Reinhart « Am Römerholz » organisent une exposition dédiée à la personnalité de Victor Chocquet (1821-1891). Chocquet et Reinhart : tous deux se sont révélés – à des périodes différentes – de grands collectionneurs de l'impressionnisme.

Très tôt déjà, Chocquet a su déceler dans Paris la portée de cette nouvelle peinture, à une époque où, d'une manière générale, elle était encore fortement rejetée. Son engagement en faveur d'une reconnaissance officielle de l'impressionnisme autour des années 1870 marque les tout premiers débuts de cet enthousiasme pour les modernes français, qui allait bientôt gagner de larges cercles de collectionneurs aux États-Unis et en Europe. Au sein de cette évolution qui produira ses effets jusque dans le courant du XXe siècle, le collectionneur Oskar Reinhart vient s'inscrire brillamment dès les années 1920, en y apportant une des dernières grandes contributions. Cet élan qui lie les deux amateurs d'art se concrétise dans notre collection au travers d'une peinture de Renoir, le *Portrait de Monsieur Chocquet.* L'œuvre occupe une place centrale dans la série de portraits de Victor Chocquet peints par Pierre-Auguste Renoir et Paul Cézanne. Ils témoignent sans conteste du rôle important que cet homme a joué auprès des impressionnistes, dont il sera l'un des premiers amis, mécènes et collectionneurs.

Cependant, au-delà de cette relation privilégiée entre les deux collections, d'autres raisons nous ont amenés à choisir Chocquet comme thème de l'exposition. Alors que d'importants collectionneurs s'étant risqués, comme lui, à faire l'acquisition d'œuvres impressionnistes à Paris dans les années 1870 – notamment le Dr Gachet (1828-1909) – se voyaient déjà honorés dans des expositions, cela n'a guère été le cas de Chocquet jusqu'ici. Pourtant, cet employé des douanes aux revenus peu élevés, est parvenu à constituer l'une des plus belles collections de tableaux des principaux représentants de l'impressionnisme, tels que Renoir, Monet et Cézanne. Elle comprenait en outre un ensemble notable de travaux d'Eugène Delacroix, et d'œuvres non moins remarquables de Gustave Courbet et d'Édouard Manet. Si Chocquet a acheté des tableaux qui comptent aujourd'hui parmi les icônes de l'impressionnisme, il a aussi acquis d'autres chefs-d'œuvre ainsi que des travaux comparativement plus modestes réalisés par les artistes qui lui étaient proches. Or parmi eux, ce sont les peintures davantage ébauchées qui révèlent plus nettement que les peintures élaborées la quête d'une nouvelle forme d'expression, raison pour laquelle Chocquet leur a probablement réservé une place de choix dans sa collection. De telles œuvres reflètent à l'évidence sa profonde compréhension et son engagement passionné en faveur de l'acceptation de ce style tout à fait révolutionnaire pour l'époque.

Julie Manet, fille de l'artiste Berthe Morisot, a commenté fort judicieusement dans son journal le profil de la Collection Chocquet : « Cette collection est une des plus jolies que j'aie vues, discrète en même temps que remplie de chefs-d'œuvre[1]. » C'est justement ce caractère discret qui a permis au Römerholz de choisir ce thème pour une exposition. En effet, l'interdiction de prêter des œuvres, à laquelle est soumise notre collection, ne permet aucun échange avec nos institutions partenaires et complique par là-même considérablement le prêt de pièces majeures. C'est la raison pour laquelle les trois peintures les plus célèbres de l'ancienne Collection Chocquet, *La Maison du pendu* au musée d'Orsay, Paris, et *Mardi gras* au musée Pouchkine, Moscou, toutes deux de Cézanne, ainsi que *La Seine à Asnières* de Renoir à la National Gallery, Londres, ne peuvent malheureusement pas être exposées à Winterthour, mais le catalogue ne manque pas de leur rendre hommage. Cependant, grâce à de généreux prêts provenant de collections muséales et privées, il a été possible de retracer au Römerholz toute la spécificité de la Collection Chocquet, à l'aide d'une impressionnante série de chefs-d'œuvre, notamment *Le Pont de Maincy* de Cézanne, provenant du musée d'Orsay, mais aussi d'exemples représentatifs de travaux plus modestes, si caractéristiques pour le collectionneur.

Par ailleurs, ce projet a été favorisé par l'existence de sources d'une exceptionnelle richesse, qui livrent toute une somme de renseignements sur la collection de Chocquet, sa personnalité et son rôle véritablement novateur. Dans ce contexte, les échanges épistolaires entre Chocquet et les artistes, de même que les témoignages de Georges Rivière, biographe de Renoir, et du marchand d'art Ambroise Vollard, se révèlent très fructueux ; de grandes parties de la collection sont documentées dans l'imposant catalogue paru en 1899 à l'occasion de la vente. John Rewald a été le premier à étudier attentivement ce matériel en 1969 et à dresser une image aussi précise que fascinante de Chocquet. Les recherches effectuées par Anne Distel, Arlette Sérullaz et Jayne Warman pour le catalogue de notre exposition, se soldent par bon nombre de découvertes surprenantes, qui contribuent à élargir et préciser nos connaissances.

Les nombreuses œuvres de Cézanne, qui constituent sans nul doute la spécificité de la Collection Chocquet dispersée en 1899, occupent donc également une place de choix dans notre exposition au Römerholz, le second pôle étant les œuvres de Delacroix : ce peintre romantique français, qui avait déclenché chez Chocquet une passion pour l'art, lui a ouvert les yeux sur la peinture moderne. Enfin, quelques toiles sélectionnées de Renoir, Monet et Manet représentent le troisième grand volet de la collection. Les œuvres choisies illustrent chaque fois particulièrement bien le rapport entre Chocquet et les artistes, ce qui se reflète notamment dans les portraits du collectionneur réalisés par Renoir et Cézanne, lesquels confèrent à l'exposition son principal accent.

En effet, aucun collectionneur n'a été aussi souvent portraituré que Chocquet. Pour la première fois depuis la dispersion de sa collection voilà plus de cent ans, l'exposition réunit un important ensemble de ces portraits, qui se voient ici confrontés plus directement que jamais.

Parallèlement aux portraits, dans le groupe d'œuvres de Cézanne, l'exposition accorde une large place aux tableaux qui ont vraisemblablement – ou même sûrement pour certains d'entre eux – fait partie des quatorze pièces que l'artiste a présentées à la troisième exposition des impressionnistes en 1877. Avec les portraits, ils constituent certainement les témoignages les plus anciens des relations entre les deux personnalités. Ces tableaux permettent aussi de découvrir un Cézanne *avant la lettre*, en révélant la transition stylistique de l'artiste, entre sa période « impressionniste » influencée par Pissarro, et son œuvre de maturité. Trois vues d'un verger devant une maison, que Cézanne a peintes à Hattenville en Normandie au cours d'une visite chez les Chocquet en 1882, attestent cette amitié qui se prolongera tardivement dans la vie du collectionneur. L'association de trois des quatre peintures traitant de ce thème s'accompagne de nouvelles conclusions, auxquelles ont abouti les recherches effectuées à l'occasion des préparatifs de l'exposition. Anne Distel est parvenue à identifier la maison de campagne restituée dans ces tableaux : tout porte à croire qu'il s'agit effectivement de la propriété des Chocquet à Hattenville. Une scène de baigneurs, que le collectionneur avait commandée un an avant sa mort à l'artiste pour la décoration d'un dessus-de-porte de son dernier domicile parisien rue Monsigny, vient parachever l'ensemble Cézanne dans cette présentation.

Anne Distel a également retrouvé l'inventaire détaillé de cette maison, qui avait été dressé en vue de la dispersion des biens mobiliers; disparu depuis les recherches de Rewald, il est entièrement publié pour la première fois dans le présent catalogue. Guidé pièce par pièce, le lecteur acquiert une image vivante et concrète de l'aménagement de la maison, de son mobilier et de l'accrochage, et par là-même du goût de ses habitants.

Un petit ensemble choisi parmi les nombreuses peintures de Delacroix qui se trouvaient dans la collection de Chocquet, révèle la passion de ce dernier pour cet artiste, et permet en même temps, à travers cette sélection, d'identifier ses engouements personnels : il privilégiait des œuvres de dimensions plus réduites, notamment les travaux sur papier. Leur qualité artistique prouve clairement qu'il savait compenser l'insuffisance de ses moyens financiers par sa compréhension profonde pour la bonne peinture. Chocquet affichait une nette préférence pour les paysages, notamment pour les marines, mais aussi pour les études de sujets africains et les grandes commandes décoratives de Delacroix ; les œuvres à thématique religieuse devaient plutôt satisfaire les penchants de son épouse. Le rôle de précurseur des modernes dévolu par Chocquet à Delacroix trouve dans l'exposition son expression au travers de la rencontre immédiate entre les œuvres de ce dernier et celles de Cézanne et de Manet.

Enfin, une importante nature morte aux fruits de Monet provenant du Metropolitan Museum of Art, New

York, illustre de manière exemplaire la relation avec ce champion de l'impressionnisme – relation également concrétisée dans l'exposition par des lettres originales.

L'exposition est présentée dans les pièces les plus intimes du musée, disposées autour des grandes salles, qui abritent la majeure partie du fonds Reinhart. Alors que Chocquet collectionnait exclusivement pour son propre plaisir et profitait de ses œuvres dans des espaces plutôt restreints, correspondant à ses moyens financiers assez succincts, Oskar Reinhart a associé sa passion pour l'art à des exigences muséales, qui se sont concrétisées par l'annexion d'une galerie de peintures à sa villa. Cependant, ces différences ne sauraient masquer la concordance fondamentale de la conception artistique sur laquelle reposent ces deux collections. Elles comportent les mêmes grandes figures de l'impressionnisme, notamment Renoir et Cézanne, tout en prenant en compte leurs précurseurs Delacroix, Courbet et Daumier, bien qu'avec une mise en valeur différenciée. Une peinture de la Collection Chocquet figurant sur chacune des cloisons intermédiaires devrait attirer l'attention à titre représentatif sur ces analogies, et sert de transition entre le fonds Reinhart dans les grandes salles, et les acquisitions de Chocquet dans les petits espaces réservés à l'exposition, sans gêner l'unité des deux ensembles.

L'Office fédéral de la culture et la direction de la Collection Oskar Reinhart « Am Römerholz » tiennent à exprimer tout d'abord leur profonde gratitude au musée d'Orsay à Paris, notamment à Guy Cogeval, son directeur, au Metropolitan Museum of Art et au Museum of Modern Art à New York, au Columbus Museum of Art, ainsi qu'au Virginia Museum of Art à Richmond. Ces institutions, très sensibles à notre projet, ont étayé la substance de cette exposition en prêtant d'importantes œuvres de Cézanne et Monet. Nos remerciements vont également à tous les autres prêteurs, qui ont mis à notre disposition des trésors provenant de leurs collections. Ils sont énumérés et remerciés dans une liste à part.

Nous adressons également tous nos remerciements aux co-auteurs du catalogue, Anne Distel, Anne Forray-Carlier, Inken Freudenberg, Kerstin Richter, Arlette Sérullaz et Jayne Warman pour les recherches intenses et fructueuses qu'elles ont effectuées sur le thème fascinant de cette exposition. Nous aimerions souligner à cette occasion l'inestimable collaboration d'Anne Distel, dont les exceptionnelles connaissances sur les collectionneurs de l'impressionnisme nous ont été extrêmement bénéfiques pour la préparation de la présente manifestation.

Le Römerholz remercie vivement l'Office fédéral de la culture, sa directrice Isabelle Chassot et Monsieur Urs Staub, ancien chef de la Section musées et collections, responsable de la Collection « Am Römerholz » dans le cadre de l'Office fédéral de la culture. Ayant pris sa retraite peu de temps avant l'ouverture de notre exposition, il s'est engagé durant de nombreuses années en faveur des intérêts du musée. Sans son précieux concours, bien des projets n'auraient pu voir le jour, et notamment cette exposition. Nous sommes aussi reconnaissants envers son successeur ad interim, Benno Widmer, qui a su nous appuyer avec une grande compréhension dans la réalisation de notre exposition.

Nous souhaiterions également remercier la Georg et Bertha Schwyzer-Winiker-Stiftung, Zurich, ainsi que la Dr Werner Greminger-Stiftung, Winterthour, et leurs responsables pour leur généreux soutien financier à l'exposition.

Kerstin Richter, notre collaboratrice scientifique, et Verena Schmid, assistante administrative, à laquelle nous devons le parfait déroulement du mouvement des prêts, ont contribué avec un engagement sans failles à la réalisation du projet au Römerholz. Nous apprécions également l'efficacité de Bertalan Bozsanyi, de Myles Metzer et d'Ulrich Weilenmann pour toutes les questions ayant trait à la technique et à la sécurité. En ce qui concerne les dossiers de presse, Maria Larsson nous a été d'une aide précieuse. Comme à l'accoutumée, les restaurateurs Peter Berkes, Hanspeter Marty et Olivier Masson se sont occupés des prêts avec un grand professionnalisme. Nous saluons ici les compétences de Neeser & Müller de Bâle, qui ont assuré la conception graphique du catalogue. Nous tenons de plus à souligner l'exceptionnelle contribution de Harry Joelson de Winterthour, à la rédaction des textes du catalogue français, à laquelle a aussi participé Martine Passelaigue de Paris. Nous remercions également Françoise Senger de Genève, qui a assuré avec une grande sensibilité la traduction française des articles allemands et anglais du catalogue. Je suis particulièrement heureuse que la publication de notre exposition paraisse chez Hirmer Verlag à Munich, et remercie l'éditeur Jürgen Kleidt pour sa précieuse collaboration.

En ce qui concerne divers domaines spécifiques, les personnes suivantes nous ont éclairés de leurs conseils avisés et ont su nous épauler par leurs interventions efficaces :

Kunstmuseum Basel, Kupferstichkabinett : Margareta Leuthardt ; Collections des Musées d'art et d'histoire de la Ville de Genève : Pierre-André Lienhard ; Musée des lettres et manuscrits, Paris : Isabelle Testu ; Museum of Modern

Art, New York : Cora Rosevear ; Musée de l'Orangerie, Paris : Marie-Paule Vial ; Musée d'Orsay, Paris : Caroline Mathieu ; Musée du Louvre, Paris, département des Arts graphiques : Marie-Pierre Salé ; Musée d'État des beaux-arts Pouchkine, Moscou : Inna Orn, Irina Nikiforova, Alexander Petukov.

Bibliothèque nationale de France, département des Estampes et de la Photographie : Valérie Sueur-Hermel ; Office fédéral de la culture : Beat Kurt, Anne Weibel ; Office fédéral des constructions et de la logistique : Daniel Koller, Pascal Leopizzi ; Ambassade de Suisse à Moscou : Christine Honegger-Zolotukhin ; Christie's Zurich : Bertold Müller, Adele Zahn-Bodmer ; Commission du Vieux Paris ; Consulat général de Suisse à Saint-Pétersbourg : Michel Faillettaz ; OmniArte, Zurich : Maria de Peverelli ; Sotheby's New York : Charles Moffett, Takako Nagasawa ; Collection Oskar Reinhart « Am Römerholz », Winterthour : Elsbeth Preiss, Irene Moser, Anna Böhler.

François Becuwe ; Augustin de Butler ; Christian Cambier ; Christian et Valérie Chocquet ; Jérôme Conquy ; Guy-Patrice Dauberville ; Alexis Donetzkoff ; Flavie Durand-Ruel, Paul-Louis Durand-Ruel ; Isabelle Gaetan ; Didier J. Gaufreteau ; Stéphane Guégan ; Jean Henry ; Ludovic et Sylvie Ermel ; Henri Lutun ; Daniel Marchesseau ; Julien Mathorel ; Jean-François Mayer ; Harald Müller ; Monique Nonne ; François Pareja ; Sylvie Patry ; Maître Dominique Perrine et Patricia Boutin ; Andreas Sonderegger ; galerie Talabardon et Gautier ; Annie de Wambrechies ; Stéphanie Zuellig.

Mariantonia Reinhard-Felice

1 Elle a formulé cette observation pendant l'exposition de la collection avant la vente de 1899 chez Georges Petit à Paris. Inscription du 29 juin 1899, Manet 1979, p. 236.

M. Chocquet

Monsieur Chocquet a été un admirateur de la première heure des peintres impressionnistes. A l'époque qui paraît aujourd'hui si lointaine – tant le goût et les jugements ont changé – où les peintres impressionnistes débutaient au milieu des railleries, M. Chocquet s'était personnellement senti séduit par eux. Il était allé à eux sans attendre, à la première vue de leurs œuvres.

Il ne s'était point trouvé riche en entrant dans la vie. Il avait dû, pour vivre, devenir employé au Ministère des Finances.

Il habitait, après 1870, un petit appartement au haut d'une maison de la rue de Rivoli, ayant vue sur le jardin des Tuileries. Ce logis était tout rempli de vieux meubles, et de dessins et de tableaux bordés de jolis cadres en bois sculpté. On y reconnaissait le raffinement de l'homme de goût qui, sans avoir beaucoup d'argent à dépenser, sait, à force de recherches et de persévérance, se composer un intérieur adapté à sa manière d'être.

M. Chocquet, dans sa jeunesse, s'était épris de la peinture de Delacroix. Au moment où Delacroix était encore généralement dédaigné, il avait donc pu acquérir un ensemble de ses œuvres. L'homme qui avait si bien commencé, en allant d'instinct à Delacroix, est ensuite allé de même, d'instinct, aux impressionnistes. Il les aimait tous, mais les trois pour lesquels il avait eu surtout un goût d'élection, qui était devenu la source d'un chaud dévouement, étaient Mme Berthe Morizot [sic], Renoir et Cézanne.

Il fallait le voir, au premier rang, toutes les fois que les impressionnistes trouvaient occasion de montrer leurs œuvres au public, aux expositions ou aux ventes. Il devenait une sorte d'apôtre. Il prenait, les uns après les autres, les visiteurs qu'il connaissait et s'insinuait auprès de beaucoup d'autres, pour chercher à les pénétrer de sa conviction et leur faire partager son admiration et son plaisir. C'était un rôle ingrat à cette époque des débuts, car on ne recueillait guère que des sourires ou des railleries. Le public avait alors son siège fait; il blâmait toujours, avant même de regarder. M. Chocquet ne se rebutait point. Je me rappelle l'avoir vu s'efforcer de gagner ainsi les critiques connus, tels qu'Albert Wolff et des artistes hostiles, venus par simple esprit de dénigrement.

C'était, vers 1878, un homme maigre et élancé, avec un front découvert, sur lequel se relevaient des cheveux blancs. Il était d'une politesse parfaite et d'une grande modestie.

Il n'émettait jamais son opinion qu'avec simplicité et dans les formes les plus déférentes. De la sorte, il avait réussi à se faire écouter par beaucoup de gens qui, à cette époque, n'eussent toléré d'aucun autre l'éloge des peintres de la *nouvelle école. On ne pouvait s'empêcher de se laisser captiver par cet homme si courtois, si modeste, et qui cependant trouvait des accents chaleureux pour faire valoir des considérations désintéressées sur les choses d'art et soutenir de jeunes artistes, alors presque universellement combattus.*

M. Chocquet s'était fait ainsi un renom et lorsqu'il apparaissait, on se plaisait à l'attaquer sur son sujet favori. Il était toujours prêt. Il avait toujours le mot, lorsqu'il s'agissait des peintres ses amis. Il était surtout infatigable au sujet de Cézanne, qu'il mettait au tout premier rang. Et comme la peinture de Cézanne, par son côté de grandeur et de tragédie, était précisément celle qui excitait alors le plus d'opposition, beaucoup s'amusaient de l'enthousiasme de M. Chocquet, qui leur paraissait quelque chose comme une douce folie.

Parmi le groupe d'amateurs, d'amis, de critiques, que les impressionnistes avaient, après quelques années, réuni autour d'eux, M. Chocquet jouissait d'une affection générale. Sa figure bienveillante, sa foi communicative, son ardeur de propagande, en faisaient l'homme que tous aimaient à rencontrer.

La fortune lui échut sur le tard. L'employé du Ministère des Finances devint, par héritage, propriétaire d'une maison à Paris et de terres en Normandie. Il n'en éprouva aucune joie. Il était trop vieux pour changer son genre de vie. Il avait perdu une fille unique encore jeune. Il ne s'était jamais consolé de ce malheur, et la fortune, dont il ne savait que faire et qu'il n'avait plus l'espoir de laisser à un des siens, lui parut sans charmes. Il a continué à vivre jusqu'à la fin, modeste dans ses habitudes et épris surtout des choses d'art.

Tous ceux qui ont connu M. Chocquet, aiment à se le rappeler. Et je suis personnellement reconnaissant de l'occasion qui m'est ici donnée, d'évoquer, pour ses vieux amis, la physionomie de cet homme si bon, d'un goût si sûr et si délicat.

Théodore Duret

Préface du catalogue de la vente effectuée à la galerie Georges Petit après le décès de Madame Chocquet en 1899 (vente Chocquet Petit, p. 5-8).

Sous le charme de l'impressionnisme – Victor Chocquet et Oskar Reinhart

Mariantonia Reinhard-Felice

En 1924, alors qu'il venait d'acheter le *Portrait de Monsieur Chocquet* peint par Renoir (fig. 2, cat. 9), Oskar Reinhart convia ses amis au Ritz, à Paris, pour fêter avec lui sa nouvelle acquisition. Lorsqu'il les reçut ensuite dans sa villa « Am Römerholz » pour leur montrer sa collection, il leur fit voir d'emblée ce « portrait d'un fou par un fou[1] ». L'expression vient d'Edgar Degas qui commenta par ces mots la peinture, à l'occasion de la prévente de la Collection Chocquet en 1899[2]. L'anecdote révèle toute la sympathie et l'admiration que Reinhart éprouvait non seulement pour Renoir, mais aussi pour Chocquet, dans le portrait duquel il semble avoir reconnu certaines affinités électives. Les écrits laissés par Oskar Reinhart ne fournissent que peu d'éléments permettant de définir ce lien affectif qu'il avait dû ressentir ici. Voilà qui ne saurait pour autant nous dissuader de vouloir déceler une telle communion d'esprit, bien que nous puissions seulement l'envisager sous un angle historique, sans aucun rapport avec l'approche de l'art purement esthétique qui guida le collectionneur.

La reconstitution de la Collection de Chocquet et de ses activités repose sur divers documents : il convient de citer tout d'abord le catalogue de la vente à la galerie Georges Petit en 1899 (fig. 11)[3], mais aussi les publications de la correspondance du collectionneur avec des artistes qui faisaient partie de son entourage proche (voir l'essai d'Anne Distel, surtout p. 55-60). L'étude résolument novatrice de John Rewald[4] demeure fondamentale pour l'analyse de cet abondant matériel, dont Anne Distel a pu préciser et considérablement enrichir les résultats grâce aux recherches qu'elle a entreprises pour le présent catalogue.

C'est sur cette base qu'il est possible d'établir des parallèles entre les deux collections, qui ont pourtant vu le jour à bien des années d'intervalle : si Chocquet constitua la sienne entre 1875 et 1891, Oskar Reinhart réunit l'essentiel de sa collection « Am Römerholz » au début des années 1920.

Des collectionneurs mus par des aspirations communes

Guidés par leur amour pour la peinture, Chocquet et Reinhart furent d'abord et avant tout séduits par les impressionnistes français. Tous deux privilégièrent Renoir et Cézanne[5], dont les œuvres sont beaucoup plus nombreuses que celles de Manet et de Monet dans leur collection respective. De même que Reinhart par la suite[6], Chocquet se montra d'emblée plus distant envers d'autres représentants de ce mouvement artistique, tels Pissarro et Sisley par exemple, dont il ne possédait que quelques œuvres isolées. Du reste, dans les deux ensembles, les Pissarro appartiennent à la phase impressionniste de l'artiste, alors que ses tableaux pointillistes n'ont pas été pris en considération (voir l'essai d'Anne Distel, p. 59-60). Une telle réserve à l'égard d'un style avant-gardiste de la part d'un collectionneur comme Chocquet, qui fut pourtant l'un des premiers à s'enthousiasmer pour les modernes et des peintres encore méconnus, ne peut s'expliquer que par une question de goût personnel. Certes, Chocquet resta fidèle à « ses » artistes et renonça aux représentants d'autres tendances du moment qui l'emportaient sur l'impressionnisme, tel Van Gogh par exemple, auquel s'intéressaient déjà des collectionneurs contemporains comme le Docteur Gachet[7]. Mais le soutien qu'il apporta à Cézanne dans sa quête acharnée d'un nouveau mode d'expression, ainsi que l'admiration qu'il éprouvait pour ses œuvres de maturité montrent bien son ouverture d'esprit à l'égard des modernes. L'approche d'Oskar Reinhart est tout autre : il ne cherchait pas à suivre les positions artistiques de son temps. C'est ainsi que son ensemble de peintures françaises s'arrête au seuil des modernes classiques, avec un portrait des débuts de Picasso.

Les deux collectionneurs se sont également intéressés aux précurseurs de l'impressionnisme, misant ici sur des noms comme Delacroix, Courbet et Daumier. Mais en fait, chacun d'eux leur accordait une importance différente : alors que Chocquet avait privilégié la peinture de Delacroix, qui avait déclenché sa passion pour l'art, Reinhart réserva une place prépondérante à l'œuvre de Daumier. Cependant, tous deux présentèrent en parallèle les œuvres de ces artistes et celles des mêmes impressionnistes dans leurs domiciles respectifs. Le grand salon du rez-de-chaussée de la maison de Victor Chocquet au 7, rue Monsigny, dernière adresse parisienne du collectionneur (voir inventaire, p. 207-249), abritait des tableaux de Renoir – dont les portraits de Monsieur et Madame Chocquet étaient les plus représentatifs

Fig. 1 Victor Chocquet, portrait photographique disparu, photographie originale de Pierre Warner, Paris, reproduction d'après Andersen 1967, fig. 5

Fig. 2 Pierre-Auguste Renoir, *Portrait de Monsieur Chocquet*, 1875-1876, huile sur toile, 46 × 36 cm, Collection Oskar Reinhart « Am Römerholz », Winterthour

Fig. 3 Eugène Delacroix, *Ovide chez les Scythes*, vers 1855, mine de plomb sur papier, anciennement propriété de Werner Reinhart, frère d'Oskar Reinhart, Kunstmuseum Basel, Kupferstichkabinett

(fig. 48, cat. 8) –, des Monet et des Cézanne, mais aussi quelques œuvres de Courbet et de Delacroix. Dans le petit salon du premier étage, avec fenêtre sur rue, Delacroix, qui occupait ici la place d'honneur, voisinait avec Renoir (voir inventaire, p. 233). Ce face-à-face des deux artistes renvoie directement à la remarque de Renoir à propos de sa première rencontre avec Chocquet : « Il avait bien voulu trouver à mes toiles quelque ressemblance avec les œuvres de Delacroix, son dieu[8]. » Cette association présente une analogie évidente avec une ancienne présentation de la collection « Am Römerholz » (fig. 10). Selon certaines informations transmises oralement, Oskar Reinhart avait également placé lors d'un de ses derniers arrangements, le *Portrait de Monsieur Chocquet* de Renoir (cat. 9) à côté d'un Delacroix dans la salle nord de la galerie de peintures.[9] Ces rapprochements, délibérément choisis, permettent d'identifier le regard que les deux collectionneurs portaient sur Delacroix en partant de la perspective des modernes – point de vue qui n'en souligne que mieux le caractère novateur de la peinture de l'artiste.

Comme en attestent l'inventaire de la rue Monsigny et la seconde vente de sa collection en 1899 à l'Hôtel Drouot, Chocquet avait aussi acquis quelques peintures de maîtres anciens. Il n'est que de citer *Vieillard en buste, mains jointes* (une « peinture de l'Ecole de Ribera » ; voir inventaire, p. 234), un retable attribué à Rubens (*Vierge, Jésus et saint Joseph* ; voir inventaire, p. 242)[10], ainsi qu'une feuille gravée, *Sainte famille d'après Raphaël* (voir inventaire, p. 244). Les deux premières œuvres illustrent bien l'intérêt nouveau que suscitaient les peintures espagnoles et flamandes – et notamment Rubens – dans le Paris de la seconde moitié du XIXe siècle. Il s'agit-là d'une perception de l'art ancien imprégnée de l'expérience des modernes : critiques, artistes et collectionneurs confondus découvraient et analysaient dans la peinture des maîtres anciens non pas tant son importance historique, mais bien plutôt ses acquis picturaux, qui, de leur point de vue, avaient ouvert la voie au réalisme, au naturalisme et à l'impressionnisme, et marqué par là même l'origine de la peinture moderne. Notamment Rubens et Delacroix – le second s'étant beaucoup penché sur le premier – occupent ici une position centrale.[11] Lorsque Chocquet accroche sur les murs de sa chambre à coucher, rue Monsigny, une œuvre dans le style de Rubens, des tableaux de Delacroix et un Monet (voir inventaire, p. 242-244), il montre bien qu'il a procédé à ses acquisitions d'art ancien et d'œuvres pré-impressionnistes du XIXᵉ siècle avec ce regard rétrospectif sur l'histoire de l'art, propagé par les critiques de son époque.

Si la relation entre art ancien et art moderne ne semble avoir été que ponctuellement esquissée par Chocquet dans sa collection, elle apparaît beaucoup plus nettement dans l'association de la peinture moderne et de l'intérieur historisant de ses domiciles parisiens. L'inventaire du 7, rue Monsigny et le catalogue de la vente à la galerie Petit, tout comme les portraits de Chocquet et de son épouse qui représentent le couple à son ancienne adresse, 198 rue de Rivoli (fig. 47, cat. 8, 16, 17), révèlent de toute évidence la passion du collectionneur pour le mobilier français du XVIIIᵉ siècle (voir Anne Forray-Carlier, p. 109-113). De même, Oskar Reinhart n'hésita pas à mêler l'art ancien et un art plus récent lorsqu'il conçut des salles historisantes pour sa collection. Il s'enthousiasmait non seulement pour le XVIIIᵉ siècle (fig. 7) mais également pour la Renaissance. Néanmoins, à la différence de Chocquet, Reinhart ne décorait ses pièces de style qu'avec des œuvres de l'époque correspondante, ce qui dénote un penchant relativement plus marqué pour les maîtres anciens. C'est dans les salles plus sobres d'une galerie de peinture qui ne témoigne d'aucun élément

Fig. 4 Oskar Reinhart, portrait photographique, dédicace datant de juin 1945, photographie Foto Bettina, Zurich, Winterthurer Bibliotheken, Studienbibliothek

Fig. 5 Paul Cézanne, *Le Plat de pommes*, vers 1877, huile sur toile, 46 × 55,2 cm, The Metropolitan Museum of Art, New York, The Walter H. and Leonore Annenberg Collection

historisant (fig. 10) qu'il suscitait le dialogue entre art ancien et art moderne.

Deux collections qui portent chacune leur empreinte personnelle

Mais il existe aussi des différences notables entre les attitudes de Victor Chocquet et d'Oskar Reinhart. Lorsque dans les années 1870, Chocquet cherchait à se rapprocher de Renoir, de Monet et notamment de Cézanne, et qu'il défendait ces artistes avec conviction, non seulement en contribuant à propager leurs œuvres, mais en les soutenant par ses achats, ceux-ci étaient encore à peine connus. Dans ses *Mémoires*, Paul Durand-Ruel constate à juste titre : « M. Chocquet, un de mes amis et une des rares personnes dont la vue des œuvres de la nouvelle École exposée dans mes galeries avait ouvert les yeux[12]. » En revanche, lorsque Reinhart découvre l'impressionnisme, la reconnaissance internationale de ce mouvement jadis révolutionnaire est désormais un fait accompli. Même si Chocquet fréquentait régulièrement les salles des ventes et suivait de près l'émergence du milieu des marchands et des galeries à Paris, il commandait et achetait directement des œuvres aux artistes avec lesquels il s'était lié d'amitié, et dont il recevait d'ailleurs aussi des cadeaux. Par contre, Oskar Reinhart acquit des œuvres de ces mêmes artistes en se tournant exclusivement vers le marché de l'art, ou vers les collections impressionnistes qui s'étaient constituées parallèlement à celle de Chocquet, voire peu après[13]. Les peintres qui avaient suscité un véritable enthousiasme chez

Fig. 6 Paul Cézanne, *Compotier, pommes et miche de pain*, 1879-1880, huile sur toile, 55,1 × 74,4 cm
Collection Oskar Reinhart « Am Römerholz », Winterthour

Chocquet, et dont ce dernier était devenu l'intime, étaient déjà morts ou décédèrent – Cézanne (en 1906), Renoir (en 1919) et Monet (en 1926) – lorsqu'entre la fin des années 1910 et le début des années 1920, Oskar Reinhart leur voua tout son intérêt[14]. L'accès aux œuvres des impressionnistes, devenus désormais « historiques », impliquait une position sociale élevée, dont Chocquet, à l'inverse de Reinhart, ne jouissait pas. Si le simple fonctionnaire des douanes à Paris pouvait encore s'offrir avec ses modestes revenus des toiles impressionnistes proposées à bas prix à son époque, celles-ci avaient déjà atteint des montants élevés sur le marché de l'art durant les années où Oskar Reinhart constituait sa collection d'impressionnistes, et n'étaient abordables pour le négociant de Winterthour qu'en raison de sa prospérité.

D'autres différences significatives apparaissent entre Chocquet et Reinhart lorsqu'on compare les œuvres qu'ils ont sélectionnées chez les mêmes artistes. L'inventaire des biens que possédait Chocquet rue Monsigny et le catalogue de la vente à la galerie Petit révèlent un amateur d'art qui se laisse guider par son intuition, par ses sensations du moment. Ses propres mots d'ailleurs le confirment : « Je n'ai pas besoin qu'on m'explique pourquoi et comment je dois aimer la peinture[15]. » En revanche, Oskar Reinhart préparait ses achats de façon méthodique. Il recherchait des œuvres de peintres qui correspondaient à ses goûts artistiques, marqués avant tout par sa prédilection pour l'harmonie de la forme classique. Chocquet possédait de Paul Cézanne, l'artiste dont il était le plus proche, de petites œuvres esquissées

Fig. 7 Salon Louis XVI à la villa « Am Römerholz », Winterthour, photographie anonyme, vers 1925-1930, Winterthurer Bibliotheken, Studienbibliothek

bien que précisément composées, comme *Tigre, d'après Barye* (fig. 59) ou *Baigneurs au repos* (cat. 14), mais aussi des peintures de grand format, plus importantes et davantage travaillées, comme *Le Plat de pommes* (fig. 5), *Le Pont de Maincy* (cat. 23) ou *Mardi gras* (fig. 39). En revanche, la collection de Reinhart ne comprend exclusivement que des chefs-d'œuvre de Cézanne, parfaitement équilibrés et aboutis, tels que *Compotier, pommes et miche de pain* (fig. 6) ou *Le Château Noir*[16].

Une différence similaire entre les deux collectionneurs distingue leur politique d'achat : si la démarche du collectionneur Victor Chocquet révèle un éclectisme et un certain sens de l'expérimentation, Oskar Reinhart adopte, quant à lui, une stratégie parfaitement ciblée. Chocquet collectionnait uniquement pour son propre plaisir, alors que Reinhart

Fig. 8 Fauteuil de style Louis XVI provenant de la propriété d'Oskar Reinhart, Collection Oskar Reinhart « Am Römerholz », Winterthour

avait associé sa passion personnelle pour l'art à un projet avoué d'enrichir de ses trésors les musées de son pays. Ces intentions différentes se retrouvent aussi dans l'aménagement de leurs demeures respectives : si Chocquet avait concentré une partie des œuvres maîtresses de sa collection dans la pièce la plus représentative – bien qu'encore très privée – du rez-de-chaussée de sa maison (voir inventaire, p. 207-249), Oskar Reinhart fit construire en 1925 pour ses chefs-d'œuvre une imposante galerie de peintures (fig. 10), qui lui permettait une approche esthétique et spirituelle de l'art, tout en concrétisant ses objectifs muséaux.

Néanmoins, les différences que l'on observe ici ne reflètent pas pour autant des conceptions artistiques fondamentalement opposées. Elles sont plutôt révélatrices du goût personnel des collectionneurs, tout en dépendant de leurs moyens financiers, et de l'époque où ces collections se sont constituées.

Dès lors qu'on replace ces deux personnalités dans le contexte de la réception de l'impressionnisme, on perçoit clairement l'importance de Chocquet pour la genèse de la collection d'Oskar Reinhart. À Paris, l'engagement pionnier de Victor Chocquet en faveur de l'impressionnisme n'était pas un cas isolé. Toute une série de collectionneurs de sa génération partageaient les mêmes vues, dont Jean Dollfus (1823-1911), dans la collection duquel les maîtres anciens jouèrent toutfois un rôle plus important, comme chez Reinhart par la suite. On pourrait également citer certains représentants des générations suivantes, comme les frères Rouart,

Fig. 9 Paul Cézanne, *Portrait de Victor Chocquet assis*, 1877, huile sur toile, 45,7 × 38,1 cm, Columbus Museum of Art, Columbus, Ohio, acquisition Howald Fund

Fig. 10 Grande salle de la galerie de peinture, annexe à la villa « Am Römerholz » ; au-dessus et à droite de la cheminée : Renoir, *Nature morte, arum et fleurs*, Géricault, *Le Fou monomane du commandement militaire*, Delacroix, *Épisode de la guerre en Grèce*, photographie Hermann Linck, Winterthour, vers 1950, archives de la Collection Oskar Reinhart « Am Römerholz », Winterthour

Henri (1833-1912) et Alexis (1839-1911)[17]. Les grands collectionneurs de l'impressionnisme qui sont apparus au tournant du XXe siècle en Europe et aux États-Unis, viennent s'inscrire dans cette tradition française. On dénombre parmi eux les époux Louisine W. (1855-1929) et Henry O. Havemeyer (1855-1929) à New York, Max Liebermann (1847-1935) à Berlin et Marczell von Nemes (1866-1930) à Budapest, qui jouent un rôle de passerelle entre Victor Chocquet et Oskar Reinhart.

Dans le modèle de collection de ce dernier, qui devait s'affirmer au début des années 1920, l'exemple de Chocquet connut ses ultimes feux. Si son élan marque le début d'une longue et influente culture de la collection, il trouve sa glorieuse conclusion chez Oskar Reinhart.

L'activité du collectionneur de Winterthour correspond à un aboutissement, mais elle doit aussi être comprise comme un nouveau départ. Durant les années décisives pour Reinhart, la plupart de ces anciennes collections s'étaient dissoutes, ce qui facilita d'ailleurs le commerce des œuvres impressionnistes. En exploitant intelligemment les conjonctions favorables qui en découlèrent, Reinhart fut à même de poursuivre un modèle de collection qui ne s'est perpétué que dans de rares cas[18].

Monsieur Chocquet, hôte de marque au Römerholz

La renaissance conceptuelle de la Collection Chocquet au sein de la collection des peintures françaises d'Oskar Reinhart se concrétise par des acquisitions, mais aussi par le désir de ce dernier d'acheter des œuvres ayant appartenu à ce grand précurseur et pionnier. Il s'agit de peintures de Renoir et de Cézanne, parmi lesquels on dénombre deux portraits significatifs de Chocquet. En 1924, Reinhart se rendit à Paris pour voir la collection privée de Georges Durand-Ruel (1866-1931), le fils du marchand Paul Durand-Ruel qui avait bien connu Chocquet[19]. Lors de la vente de la Collection Chocquet en 1899, ce fut l'un des acheteurs les plus importants (voir l'essai d'Anne Distel, p. 67). Dans la chambre à coucher de Durand-Ruel, des œuvres célèbres de Degas et Renoir éveillèrent l'attention d'Oskar Reinhart, notamment le *Portrait de Monsieur Chocquet* peint par Renoir (fig. 2, cat. 9), qu'il consigna sous le terme de desiderata dans son calepin : « Chez Georges Durand-Ruel, dans sa coll. privée. Desiderata. Degas *Deux repasseuses*. Degas *Courses*. Renoir *Femme endormie. Buste*. (ch. à coucher, à droite du lit) Renoir *Chocquet*[20]. » Reinhart devait connaître cette peinture au moins depuis l'exposition d'art français des XIXe et XXe siècles, qui avait eu lieu au Kunsthaus de Zurich en 1917[21]. Si l'on associe cette hypothèse à la politique d'achat de Reinhart, que l'on sait plutôt ciblée, on peut supposer qu'il a regardé cette œuvre chez Durand-Ruel avec l'intention de l'acheter, comme le laisse d'ailleurs entendre le terme de « Desiderata ». Il était sans cesse à la recherche d'œuvres exceptionnelles des artistes qu'il voulait voir figurer dans sa collection. Dès qu'il en avait dépisté une, il suivait résolument sa trace et attendait patiemment que l'occasion se présente pour l'acheter. Mais cette fois, Reinhart parvint assez rapidement à son but : en 1925, Durand-Ruel lui vendit le *Portrait de Monsieur Chocquet* peint par Renoir, pour 35 000 dollars, montant nettement plus élevé que celui qu'avait dû payer son père en son temps (voir cat. 9). Cette somme importante se justifiait certainement par la qualité remarquable de l'œuvre, que Durand-Ruel évoque d'ailleurs dans un courrier qu'il adresse à Reinhart : « Je n'ai pas à vous faire l'éloge du tableau, qui est tout à fait exceptionnel dans l'œuvre de Renoir, une vraie pièce de Musée[22]. » Cependant, la seule fortune d'Oskar Reinhart n'explique pas le succès de cet achat. Encore fallait-il que le collectionneur ait un œil sûr pour déceler la qualité de telles œuvres, et qu'il sache où les trouver, mais aussi qu'il soit suffisamment fin stratège pour finaliser la transaction.

La comparaison avec la seule photographie que l'on connaisse du collectionneur (fig. 1[23]) souligne l'extraordinaire expressivité de ce portrait. Contrairement à la photographie, Chocquet porte sur la peinture de Renoir un veston bleu léger, ressemblant à une blouse, dont on distingue à peine les revers. Cette tenue sans prétention pourrait bien correspondre à un vêtement de travail (voir cat. 9). Aucune cravate ne vient parer ou fermer le col de sa chemise blanche, et le tissu tombe mollement, laissant transparaître la minceur de son corps. Le visage a l'air osseux, et la barbe peu soignée. Quant à ses cheveux blancs vaporeux, s'élevant autour de sa tête, ils luisent dans une lumière bleuâtre. Le portrait de Renoir, qui, dans son évocation du personnage, va bien au-delà du caractère officiel de la photographie, fait écho à la description que Théodore Duret avait donnée de Chocquet : « C'était, vers 1878, un homme maigre et élancé, avec un front découvert, sur lequel se relevaient des cheveux blancs. Il était d'une politesse parfaite et d'une grande modestie[24]. » Renoir a probablement livré ici une description quelque peu outrancière de la physionomie de Chocquet, ce qui pourrait expliquer le violent refus dont ce portrait a fait l'objet lors de la deuxième Exposition des impressionnistes (voir cat. 9). Mais alors que les commentaires moqueurs de l'époque jetaient un éclairage négatif sur le caractère excessif de cette évocation, c'est au contraire de cette manière que Renoir est parvenu à dégager l'essence même du personnage, telle qu'elle ressort principalement de la fixité et de l'intensité du regard, au travers duquel s'expriment vision et connaissance.

Si Chocquet fait figure d'original de par sa position de simple employé des douanes dans un cercle de collectionneurs généralement fortunés, tel le Comte Armand Doria par exemple, son regard pour la peinture moderne, selon l'expression judicieuse de Paul Durand-Ruel, supporte aisément toute comparaison. Sa compréhension envers les impressionnistes et leur nouvelle approche artistique, encore largement décriée, semble percer dans son léger sourire plein de finesse, de même que dans ses yeux scrutateurs, qui cherchent moins le contact avec le spectateur qu'avec Renoir à son travail. La tension entre l'apparence pour le

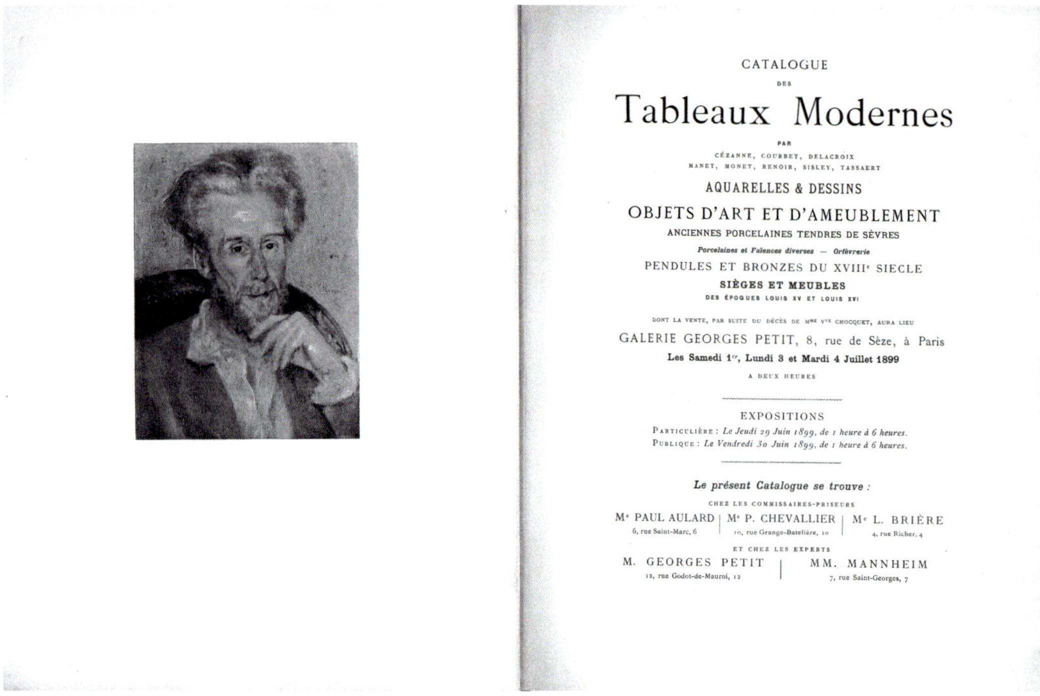

CATALOGUE

DES

Tableaux Modernes

PAR

CÉZANNE, COURBET, DELACROIX
MANET, MONET, RENOIR, SISLEY, TASSAERT

AQUARELLES & DESSINS

OBJETS D'ART ET D'AMEUBLEMENT

ANCIENNES PORCELAINES TENDRES DE SÈVRES

Porcelaines et Faïences diverses — Orfèvrerie

PENDULES ET BRONZES DU XVIIIe SIECLE

SIÈGES ET MEUBLES

DES ÉPOQUES LOUIS XV ET LOUIS XVI

DONT LA VENTE, PAR SUITE DU DÉCÈS DE Mme Vve CHOCQUET, AURA LIEU

GALERIE GEORGES PETIT, 8, rue de Sèze, à Paris

Les Samedi 1er, Lundi 3 et Mardi 4 Juillet 1899

A DEUX HEURES

EXPOSITIONS

PARTICULIÈRE : *Le Jeudi 29 Juin 1899, de 1 heure à 6 heures.*
PUBLIQUE : *Le Vendredi 30 Juin 1899, de 1 heure à 6 heures.*

Le présent Catalogue se trouve :

CHEZ LES COMMISSAIRES-PRISEURS

Me PAUL AULARD, 6, rue Saint-Marc, 6 | Me P. CHEVALLIER, 10, rue Grange-Batelière, 10 | Me L. BRIÈRE, 4, rue Richer, 4

ET CHEZ LES EXPERTS

M. GEORGES PETIT, 12, rue Godot-de-Mauroi, 12 | MM. MANNHEIM, 7, rue Saint-Georges, 7

Fig. 11 Catalogue de la vente de la Collection Chocquet, galerie Georges Petit, Paris, juillet 1899 ; page de titre et frontispice avec reproduction du *Portrait de Monsieur Chocquet*, peint par Renoir (cat. 9)

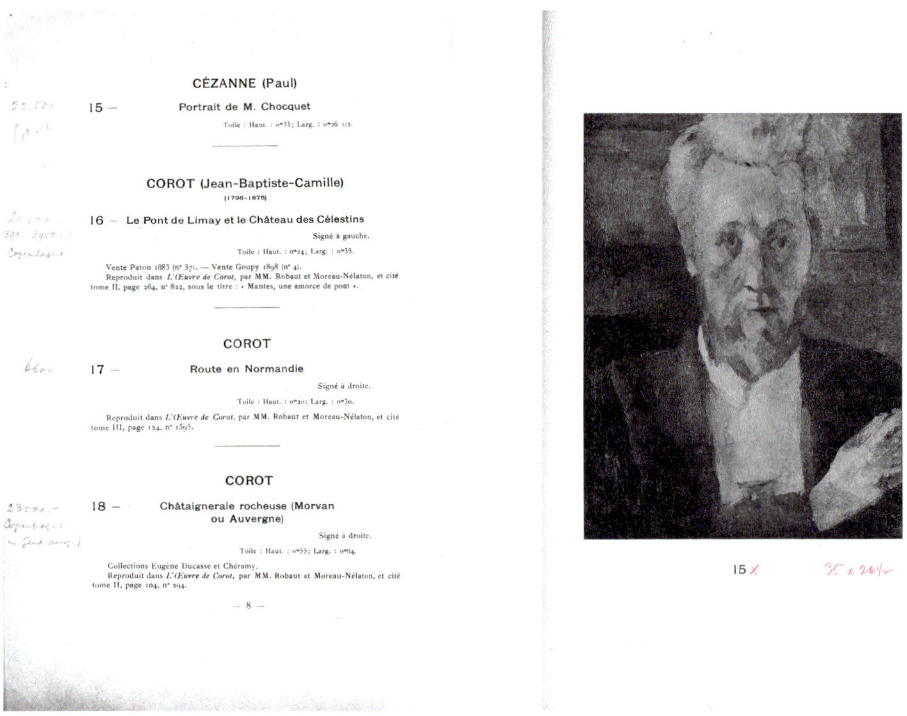

CÉZANNE (Paul)

15 — **Portrait de M. Chocquet**

Toile : Haut. : 0m35; Larg. : 0m26 1/2.

COROT (Jean-Baptiste-Camille)

(1796-1875)

16 — **Le Pont de Limay et le Château des Célestins**

Signé à gauche.

Toile : Haut. : 0m24; Larg. : 0m35.

Vente Paton 1883 (n° 37). — Vente Goupy 1898 (n° 4).
Reproduit dans *L'Œuvre de Corot*, par MM. Robaut et Moreau-Nélaton, et cité tome II, page 264, n° 822, sous le titre : « Mantes, une amorce de pont ».

COROT

17 — **Route en Normandie**

Signé à droite.

Toile : Haut. : 0m20; Larg. : 0m30.

Reproduit dans *L'Œuvre de Corot*, par MM. Robaut et Moreau-Nélaton, et cité tome III, page 124, n° 1595.

COROT

18 — **Châtaigneraie rocheuse (Morvan ou Auvergne)**

Signé à droite.

Toile : Haut. : 0m55; Larg. : 0m84.

Collections Eugène Ducasse et Chéramy.
Reproduit dans *L'Œuvre de Corot*, par MM. Robaut et Moreau-Nélaton, et cité tome II, page 104, n° 294.

— 8 —

15

Fig. 12 Catalogue de la vente de la Collection Degas, galerie Georges Petit, Paris, 26/27 mars 1918 ; p. 8 avec n° 15, « Cézanne (Paul) *Portrait de Monsieur Chocquet* », et p. 21 avec reproduction du n° 15 (cat. 16)

Fig. 13 Paul Cézanne, *Portrait de l'artiste*, 1879-1880, huile sur toile, 33,7 × 24,7 cm, Collection Oskar Reinhart « Am Römerholz », Winterthour

Fig. 14 Extrait de *Life Magazine*, décembre 1958, annoté de la main d'Oskar Reinhart, archives de la Collection Oskar Reinhart « Am Römerholz », Winterthour

moins singulière de Chocquet et sa dimension spirituelle et intellectuelle s'inscrit pleinement dans le commentaire pertinent de Degas qui définit ce tableau comme « le portrait d'un fou par un fou ». L'idée romantique de la folie du génie artistique résonnerait-elle ici ? Quoi qu'il en soit, cette formule s'applique parfaitement à notre *Portrait de Monsieur* Chocquet peint par Renoir et non à un portrait réalisé par Cézanne, comme on l'a parfois prétendu[25].

En juin 1899, Julie Manet, la fille de Berthe Morisot, se rendit à la galerie Petit pour examiner les œuvres de la Collection Chocquet. Puis elle consigna ses impressions dans son journal, et voici ce qui la frappa tout d'abord : « Un délicieux portrait de Choquet peint par M. Renoir montre l'être fin qu'il devait être[26]. » En suite elle rapporte une conversation avec Degas et le collectionneur Ernest Rouart : « Nous parlons du portrait de Choquet par M. Renoir, Ernest le trouve très beau. [...] Degas [...] regrette d'avoir manqué le portrait de Choquet : "le portrait d'un fou par un fou", dit-il, il l'aime énormément. Durand-Ruel ne l'a acheté que 3.500 [...][27] » Ce sont les uniques passages du journal de Julie Manet qui mentionnent un portrait de Chocquet. Et seul le nom de Renoir émerge dans ce contexte. Ni Julie Manet ni ses amis ne font allusion à un portrait du collectionneur peint par Cézanne. Si le catalogue de la vente ne cite pas le *Portrait de Monsieur Chocquet*, en revanche, une reproduction bien visible du tableau constitue le sujet du frontispice (fig. 11). De plus, il est attesté que Durand-Ruel, l'acquéreur du « portrait d'un fou par un fou » cité par Julie Manet dans son

Fig. 15 Pierre-Auguste Renoir, *Confidences*, vers 1876-1878, huile sur toile, 61,5 × 50,5 cm, Collection Oskar Reinhart « Am Römerholz », Winterthour

journal, a effectivement acquis à la vente chez Georges Petit le portrait de Chocquet par Renoir, qui se trouve aujourd'hui dans la Collection « Am Römerholz »[28]. Renoir avait encore réalisé un autre portrait de Chocquet, qui a été également racheté par Durand-Ruel (fig. 48). Cependant, de même que les portraits du collectionneur par Cézanne, il n'a pas été dispersé chez Petit, mais bien lors d'une deuxième vente de la Collection Chocquet à l'Hôtel Drouot[29]. Le *Portrait de Monsieur Chocquet* réalisé par Renoir qui figure dans notre collection est donc sans aucun doute celui qui a été commenté par Degas avec tant de pertinence.

On imagine bien la déception de Degas lorsqu'il vit ce tableau lui échapper au moment de la vente. Néamoins, avec le *Portrait de Victor Chocquet (buste)* par Cézanne (fig. 61, cat. 16), qu'il avait acheté chez Vollard en 1896[30], l'artiste possédait déjà une représentation valable de Chocquet. Oskar Reinhart aurait presque pu réaliser le souhait de Degas de posséder les deux portraits de Chocquet, celui de Renoir et celui de Cézanne ! En effet, en 1918, il demanda à Charles Montag, peintre de Winterthour et courtier en art, d'essayer d'obtenir le portrait de Cézanne lors de la vente de la Collection Degas à la galerie Petit (fig. 12)[31]. Son affinité pour Chocquet en tant que collectionneur de l'impressionnisme a dû jouer un rôle. Mais Reinhart, qui avait une prédilection pour les portraits, a sûrement aussi été fasciné par la profondeur psychologique du personnage, qui a dû lui rendre ce tableau si séduisant. Il retrouva d'ailleurs cette même qualité dans le superbe autoportrait de Cézanne (fig. 13) qu'il finit par acheter à cette vente[32].

Les écrits laissés par Oskar Reinhart témoignent de son intérêt pour une autre œuvre majeure de la Collection Chocquet : *Le Bal du Moulin de la Galette* (fig. 29), version plus petite du célèbre tableau éponyme de Renoir au musée d'Orsay, que l'artiste a peut-être peinte à la demande de Chocquet (voir l'essai d'Anne Distel, p. 55, et inventaire, p. 219). En comparaison avec toute une série d'autres œuvres qui lui avaient été proposées, Reinhart a souligné en 1936 la qualité particulière de cette toile : « Georges Seligmann Paris était ici aujourd'hui & a apporté des photos, mais rien de marquant pour autant. Il a parlé d'une esquisse pour le "Moulin de la Galette" que possède un Américain & qu'il veut éventuellement vendre. [...] On en demanderait 300 000 dollars[33] !! » Apparemment, il resta hanté par cette œuvre et n'eut de cesse que d'en suivre la trace. En décembre 1958, il découpa une reproduction en couleur de cette peinture dans le magazine américain *Life*, qu'il colla, assortie de son commentaire, dans un carnet (fig. 14)[34]. Oskar Reinhart a-t-il tenté d'accéder à cette composition harmonieuse qui correspondait si bien à ses exigences de qualité et à ses goûts classiques ? Le prix demandé, sans doute trop élevé pour lui – comme le suggèrent les deux points d'exclamation dans ses notes de 1936 –, l'aura finalement dissuadé d'entreprendre des démarches plus poussées[35].

Ce tableau aurait assurément enrichi l'ensemble, au demeurant magnifique, des œuvres de Renoir dans la Collection Oskar Reinhart « Am Römerholz » (fig. 15), et encore renforcé le lien avec Chocquet. Mais le regard aiguisé de ce dernier dans le portrait de Renoir est d'une telle expressivité qu'il suffit déjà pour illustrer puissamment ce lien, et inspirer une exposition consacrée à ce mécène et collectionneur en avance sur son temps.

1 Information transmise oralement en 2012 par Stéphanie Zuellig, la fille des amis en question, appartenant à la famille Walter Stünzi (1891-1975)

2 Manet 1979, p. 237

3 Voir bibliographie, vente Chocquet Petit.

4 Rewald 1969

5 À propos de la réception de Renoir en Suisse, voir Gloor 2014

6 Reinhard-Felice 2003, n° 131, 132

7 Voir cat. expo. Paris/New York/Amsterdam 1999.

8 Vollard 1919, p. 77

9 L'accrochage initial d'Oskar Reinhart n'est que partiellement conservé et documenté. Cette information nous a été transmise en 1997 par Lisbeth Stähelin, la première conservatrice de la collection, qu'Oskar Reinhart avait lui-même engagée.

10 Nous remercions Anne Distel d'avoir signalé la possibilité d'identifier ce tableau attribué à Rubens dans l'inventaire de la rue Monsigny avec une copie de Rubens de la main de Delacroix, que détenait Chocquet : vente Chocquet Petit, n° 67 : Delacroix (d'après Rubens), « *L'Enfant à la pomme* ».

11 Voir Wilhelm Drost, « Ästhetischer Sinn und historischer Blick im Widerstreit », et Alexis Joachimides, « Das Museum und die Enthistorisierung der Kunstgeschichte », in Reinhard-Felice 2014, p. 12-23 et p. 40-48.

12 Paul Durand-Ruel, *Mémoires*, Archives Durand-Ruel, Paris ; Durand-Ruel 2014, p. 118. Je remercie Flavie Durand-Ruel d'avoir mentionné cette source récemment publiée.

13 Signalons ici, à titre d'exemple, l'achat du *Portrait de l'artiste* de Cézanne et *Le Départ du bateau pour Folkestone* de Manet de la Collection Edgar Degas lors de la vente de celle-ci en 1918 à la galerie Georges Petit à Paris (Reinhard-Felice 2003, n° 143, 136 ; vente Degas 1918, n° 11, 72), ou l'achat en 1924 du *Portrait de Monsieur Chocquet* de Renoir (cat. 9) dans la collection privée du marchand d'art Paul Durand-Ruel après le décès de celui-ci (voir note 28 à ce propos).

14 Voir à ce sujet Mariantonia Reinhard-Felice, « Oskar Reinhart – kultivierter Eigensinn mit internationalem Horizont », in Reinhard-Felice 2014, p. 132-151, notamment p. 136-137

15 Fels 1925a, p. 15, cité in Rewald 1969, p. 56. ; voir l'essai de Jayne Warman, p. 108.

16 Reinhard-Felice 2003, n° 146, 144

17 À propos de ces cercles de collectionneurs, voir Anne Distel, « Die ersten Sammler der Impressionisten (1874-1914) und was sie uns gelehrt haben », in Reinhard-Felice 2014, p. 24-31

18 *Ibid.*

19 Cahier de notices 7, Paris, décembre 1924, archives de la Collection Oskar Reinhart « Am Römerholz », Winterthour (abrégé ACOR par la suite)

20 *Ibid.*

21 Cat. expo. Zurich 1917, n° 18

22 Georges Durand-Ruel à Oskar Reinhart, le 30 avril 1925, ACOR

23 L'original a disparu. La photographie a été publiée pour la première fois in Perruchot 1961, fig. 31. Rewald l'avait vue dans les papiers de Cézanne (Rewald 1969, fig. 29 ; Rewald 1985, fig. 84).

24 Vente Chocquet Petit, p. 6 (voir p. 12).

25 Cette identification a été proposée par Anne Dumas (Dumas 1997, p. 49).

26 Manet 1979, p. 236, note du 29 juin 1899

27 Manet 1979, p. 237, note du 1er juillet 1899

28 Sous le n° 106, une vingtaine d'œuvres non spécifiées individuellement ont été mises aux enchères lors de la vente Chocquet Petit. Dans l'exemplaire du « Résumé du catalogue des tableaux modernes [...] », ayant appartenu au collectionneur Isaac de Camondo, ce numéro collectif (« 106 – Sous ce numéro seront vendus environ vingt tableaux non catalogués ») est annoté à la main et comprend des précisions pour chaque cas individuel, ainsi que les prix atteints. En première position figure : « Renoir / 3.500 Portrait de Mr: Choquet [sic] » (Paris, Bibliothèque centrale des musées nationaux). Le procès-verbal de la vente consigne également (sous la référence 94) que le numéro concerné contient un portrait d'homme acheté justement à ce prix par Durand-Ruel : « 106 *Un portrait d'homme* [à] Mr Durand Ruel 3.500 » (Washington, D.C., National Gallery of Art, Gallery Archives, 43b3.2 BOX 68. FOLDER 68-11. CHOCQUET INVENTAIRE YVETOT [sic : cote erronée, en réalité : procès-verbal de la vente Chocquet Petit]). Le prix noté correspond à celui que Julie Manet indique pour le portrait de Chocquet par Renoir acquis par Durand-Ruel. Ces données du procès-verbal sont confirmées par la facture (disparue) de la vente de Maître Aulard à Durand-Ruel, où figure le n° « 106 *port. d'homme* 3.500 F ». Durand-Ruel ajouta ici de sa main son n° de « stock » 5.362 ainsi que le n° de « photo » 1.372 (voir fig. 45). De fait, le *Portrait de Monsieur Chocquet* dans la Collection Oskar Reinhart « Am Römerholz » porte ces deux numéros au dos, sur le châssis (Reinhard-Felice 2003, n° 122, p. 440). L'identification proposée par Rewald 1969, p. 86-87, se confirme donc pleinement.

29 Voir références bibliographiques sous vente Chocquet Drouot ainsi que l'essai d'Anne Distel, p. 50.

30 Voir l'essai d'Anne Distel, p. 60 et note 131.

31 Oskar Reinhart à Charles Montag, le 8 mars 1918, ACOR. Dans l'exemplaire que Reinhart détenait du catalogue de la vente, le portrait est marqué d'une grande croix rouge (fig. 12, vente Degas 1918, n° 15).

32 Vente Degas 1918, n° 11 ; Reinhard-Felice 2003, n° 143

33 Cahier de notes 51, vol. 1, p. 8, ACOR. « Georges Seligmann Paris war heute hier & brachte Photos, jedoch kein einziges bedeutendes Stück. Er sprach von der Skizze zum "Moulin de la Galette" die ein Amerikaner besitzt & event. verkaufen will. [...] Man hätte 300 000 Dollar verlangt !! »

34 Le commentaire est le suivant : « A RENOIR worth $400,000 has been promised to museum by U.S. Ambassador to Britain John Hay Whitney. Depicting the Montmartre cafe Moulin de la Galette, it is early version of the famous Renoir that hangs in Louvre. » (*Life Magazine*, décembre 1958). « Un RENOIR d'une valeur de $ 400 000 a été promis au musée par l'ambassadeur américain en Grande-Bretagne John Hay Whitney. Il montre le Moulin de la Galette à Montmartre et c'est une version antérieure du fameux Renoir accroché au Louvre. » Cahier de notes 61, p. 12, ACOR

35 *Le Bal du Moulin de la Galette* de Renoir, à 10 500 francs, était en 1899 déjà l'œuvre la plus chère à la vente de la Collection Chocquet à la galerie Petit (voir l'essai d'Anne Distel, p. 66). La toile a été vendue le 17 mai 1990 pour 78,1 millions de dollars chez Sotheby's, New York, à l'entrepreneur japonais Saitō Ryōei. À la mort de celui-ci, elle fut rachetée en 1997 pour 50 millions de dollars par une personne anonyme qui ne fut malheureusement pas disposée à prêter la toile pour notre exposition.

Victor Chocquet – « le plus grand collectionneur français depuis les rois[1] »

Anne Distel

Les impressionnistes en 1878

En 1878, Paris accueille le monde entier pour une exposition universelle. Théodore Duret, critique et ami d'Édouard Manet, acquis de longue date aux nouveaux courants artistiques, rédige une petite brochure enthousiaste intitulée *Les peintres impressionnistes*. Comme il n'y a pas, cette année-là, de manifestation de ce groupe de peintres baptisés par dérision « Impressionnistes » à l'occasion de leur première exposition en 1874 (une expérience renouvelée en 1876 et 1877), c'est une manière de rappeler à tous leur existence et leur combat pour une « nouvelle peinture ». Claude Monet, Pierre-Auguste Renoir, Camille Pissarro, Alfred Sisley et Berthe Morisot font chacun l'objet d'un chapitre qui définit leur personnalité au sein du groupe, alors que Cézanne n'est que cité en postface. Selon Duret, « il faut que le public qui rit si fort en regardant les Impressionnistes, s'étonne encore davantage ! – cette peinture s'achète[2]. » Il énumère, outre lui-même, ceux qui se risquent déjà à acheter des œuvres impressionnistes : « M. M. d'Auriac [sic, désignant probablement le comte Doria], Etienne Baudry, de Belio [sic], Charpentier, Choquet [sic], Deudon, Dollfus, Faure, Murer, de Rasty[3] ». Si Étienne Baudry, un ami de Duret, a finalement peu compté ultérieurement, la liste alphabétique des autres amateurs, dont les noms se retrouvent aussi parmi ceux des prêteurs mentionnés aux catalogues des trois premières expositions impressionnistes, constitue une sorte de générique des mécènes du mouvement. Ils appartiennent à des milieux divers. Georges de Bellio (1828-1894) est un Roumain fixé à Paris, qui pratique l'homéopathie ; Georges Charpentier (1846-1905) est l'éditeur de Flaubert, de Zola et des naturalistes ; le portrait par Renoir de son épouse et de ses enfants (New York, The Metropolitan Museum of Art), exposé au Salon de 1879, va lancer l'artiste ; Charles Deudon (1832-1914), héritier de mines d'argent au Pays de Galles, est un ami de Manet ; Jean Dollfus (1823-1911) appartient à la grande dynastie d'industriels du textile Dollfus Mieg ; le comte Armand Doria (1824-1896), propriétaire terrien, se rattache à l'aristocratie ; le baryton Jean-Baptiste Faure (1830-1914) est une des stars lyriques internationales de son époque ; ses portraits par Manet font la joie des caricaturistes ; Constantin de Rasty (1840-1923), un autre Roumain vivant à Paris, est un ami de Georges de Bellio. Si les amateurs énumérés jusqu'ici sont sinon riches, du moins aisés, Eugène Meunier dit Murer (1841-1906), qui ne vit ni de sa peinture ni de sa plume, activités également pratiquées sans grand succès, est pâtissier-traiteur. « Choquet », enfin, en réalité Victor Chocquet (1821-1891), a été un modeste fonctionnaire, employé de l'administration des douanes à Paris, récemment retraité[4]. C'est lui qui fait l'objet de l'étude qui suit.

Si Duret écorche son nom, c'est probablement parce qu'il ne le connaît pas encore très bien et qu'il se réfère au catalogue de l'exposition de 1876, qui est aussi erroné en désignant « Choquet » comme le prêteur de plusieurs peintures, très critiquées, de Monet, Pissarro et Renoir. Parmi celles-ci, un portrait de l'amateur par Renoir fixe les traits de son visage, celui d'un homme d'âge mûr, maigre, osseux, auréolé d'une masse de cheveux gris, un regard un peu voilé (fig. 34, cat. 9). Un quart de siècle plus tard et presque dix ans après la mort de Chocquet, Duret évoquera plus longuement le collectionneur dans un texte chaleureux (reproduit ici p. 12-13) qui préface le catalogue de la vente après le décès de la veuve de l'amateur, à Paris, galerie Georges Petit, les 1er, 3 et 4 juillet 1899.

Grâce au témoignage de Duret et à l'important catalogue illustré de cette vente, qui donne une idée précise de l'étendue de sa collection, grâce aussi à ses portraits par Renoir et Cézanne (fig. 48, 65, 73, 75, 76b, cat. 9, 15, 16, 17, 20, 21), Victor Chocquet est, de tous les amateurs de cette génération, celui qui a été le moins oublié. Claude Monet[5], Pierre-Auguste Renoir – ce dernier par l'entremise de son ami et biographe Georges Rivière ainsi que par celle d'Ambroise Vollard[6] – ont aussi contribué à perpétuer le souvenir d'un homme éminemment sympathique, sincère et désintéressé dans son soutien aux artistes. Ces témoignages firent de Chocquet un personnage quasi légendaire, et il fallut attendre la publication par Jules Joëts, en 1935, des lettres adressées à l'amateur par Delacroix, Cézanne, Renoir et Monet ainsi que l'étude remarquable et pionnière de John Rewald, *Cézanne and Chocquet*, parue en 1969, pour avoir une idée plus exacte de la personnalité de Chocquet[7].

Un personnage de roman en 1886

En réalité, la légende a commencé de son vivant. En effet, Émile Zola, ami d'enfance de Cézanne et bien introduit dans le milieu des artistes en tant que critique influent de l'avant-garde autour d'Édouard Manet, s'est certainement inspiré de Chocquet pour imaginer un des personnages de son roman *L'Œuvre*, publié en 1886 par Georges Charpentier. Pour accompagner son héros le peintre Claude Lantier, associant le souvenir de Manet, Monet et Cézanne, Zola a créé le parangon de l'amateur de l'artiste méconnu. Ce personnage mineur, évoqué dès le troisième chapitre, réapparaît au chapitre huit qui lui donne un nom : « M. Hue, un ancien chef de bureau, n'était malheureusement pas assez riche pour acheter toujours, et il ne pouvait que se lamenter sur l'aveuglement du public, qui laissait une fois de plus le génie mourir de faim ; car lui, convaincu, frappé par la grâce dès le premier coup d'œil, avait choisi les œuvres les plus rudes, qu'il pendait à côté de ses Delacroix, en leur prophétisant une fortune égale[8] » ; au chapitre neuf, quand Claude est en train de sombrer dans la misère et le désespoir, M. Hue est désormais le seul à lui acheter encore, au prix de sacrifices financiers, « la toile délirante, qu'il pendait à côté de ses tableaux de maîtres[9] ». « Ancien chef de bureau », « petit bourgeois » aux moyens restreints mais passionné de peinture, admirateur de Delacroix mais aussi amateur d'un Lantier, Victor Chocquet est bien reconnaissable. Même les circonstances de la rencontre initiale avec M. Hue, un concert populaire, trouvent une source dans la personnalité de Chocquet. On compte en effet pas moins de trois pianos dans son héritage, ainsi qu'un phonographe ; de plus, un billet de Renoir recommandant à son amateur un concert « chez Lamoureux (Eden) » suggère son intérêt pour la musique française contemporaine et Wagner, défendus par le chef d'orchestre Charles Lamoureux au début des années 1880[10]. On peut s'étonner que son nom ne soit pas mentionné dans les minutieux « carnets d'enquêtes » où Zola rassemblait sa documentation pour *Les Rougon-Macquart*. La raison en est probablement que le romancier et critique d'art n'avait en effet pas besoin de solliciter des informateurs pour créer ce comparse, car il avait vraisemblablement rencontré lui-même ce personnage hors du commun alors qu'il préparait ses articles à propos de l'exposition impressionniste de 1876 déjà évoquée. De plus, Paul Cézanne ne pouvait manquer de lui avoir parlé de celui qui était alors son principal et presque unique amateur[11]. Mais en dehors de cette fiction, dont on ignore ce qu'en a pensé l'intéressé, que nous livrent les documents ?

Victor Chocquet, commis principal, administration des douanes

Guillaume Victor Chocquet naît à Lille le 19 décembre 1821, dans une famille de 13 enfants, dont 11 atteignirent l'âge adulte. Son père, Adrien-Joseph Chocquet (1777-1851 ; fig. 17), également né à Lille, est fabricant de fil retors. La résidence des Chocquet, un immeuble sans faste combinant la filature et l'habitation de la famille, existe toujours dans le vieux Lille, 25-27 rue Jean-Jacques Rousseau (anciennement rue de l'Abbaye de Loos ; fig. 18). Chocquet père est toujours désigné comme fabricant de fil, puis comme négociant ; c'est donc un homme vivant de son industrie et non un « propriétaire »

Fig. 16 Paul Cézanne, *Portrait de Victor Chocquet assis*, 1877, huile sur toile, 45,7 × 38,1 cm, Columbus Museum of Art, Columbus, Ohio, acquisition Howald Fund (cat. 17)

rentier[12]. La situation relativement aisée de son père a permis à Victor Chocquet de faire des études correctes mais courtes. À une situation dans l'industrie ou le négoce, le jeune Chocquet préfère le service de l'État ; il entre donc très jeune dans l'administration comme employé de bureau et y fera carrière[13].

La fiche détaillant les états de services de Victor Chocquet au ministère des Finances, à l'administration centrale des douanes, expose en quelques lignes le médiocre parcours du fonctionnaire. Quittant sa ville natale, il est admis comme « surnuméraire » à Dunkerque le 8 septembre 1842 (il a donc 20 ans et a vraisemblablement échappé au service militaire) ; il est muté à Paris, en administration centrale, et promu commis en juin 1844 avec 800 francs d'appointements annuels ; il progresse ensuite lentement jusqu'au grade de commis principal en janvier 1867, avec 4 000 francs d'appointements. Puis, plus rien et la mention : « Retraité le 1er juin 1877[14] ». Il a 56 ans.

Fig. 17 Adrien Joseph Chocquet, père de Victor Chocquet, portrait miniature anonyme, non daté, collection particulière

Un mariage bourgeois

Le 20 juin 1857, Victor Chocquet épouse, à la mairie du 1er arrondissement de Paris, Augustine Marie Caroline Buisson, qui a tout juste 20 ans. Les archives des notaires de la famille Buisson fournissent une foule de renseignements sur la jeune fille, encore mineure, et ses parents. Pour résumer de volumineuses minutes, la mariée, née le 27 mars 1837 à Nonant (Orne), est la fille unique d'Eugène Alexandre Charles Buisson (1812-1865) et d'Armande Julienne Buisson (1815-1882), son épouse (et lointaine parente). Les deux parents de la future Madame Chocquet ont hérité de biens fonciers considérables : son père, à Clichy-la-Garenne, dans la banlieue parisienne, et à Nonant-le-Pin, dans l'Orne ; sa mère (née aussi à Nonant), en Normandie, à Hattenville, près d'Yvetot (Seine-Maritime). Malheureusement, Alexandre Buisson, avocat, qui fit partie du conseil municipal de Paris, a surtout été un affairiste malheureux, qui d'hypothèque en hypothèque a finalement dû aliéner tous ses biens, et aussi perdu, peut-être à cause de cela, son épouse, dont il est séparé depuis 1847. La donation qu'il avait consentie à sa fille, le 17 février 1847, pour assurer son éducation au très chic couvent des Oiseaux, à Paris, rue de Sèvres, prévoyait le versement intégral de 25 000 francs, soit à la majorité de la jeune fille, soit à l'occasion de son mariage, s'il avait lieu auparavant et, en attendant, des intérêts de cette somme. Or, lors du mariage de la jeune fille avec Victor Chocquet, dix ans plus tard, il n'est plus question de cette donation et c'est Madame Buisson mère qui constitue à sa fille une rente annuelle de 1 000 francs garantie par un capital de 20 000 francs. Le contrat de mariage des époux Chocquet préserve les droits de la future épouse notamment sur les biens dont elle viendrait à hériter, sachant que sa mère conserve un patrimoine considérable et intact[15].

Beaucoup plus jeune que son mari, la future Madame Chocquet, Marie (son prénom usuel), passe presque directement du couvent au statut d'épouse, ayant brièvement résidé auprès de sa mère. Victor Chocquet appréciait cependant son beau-père, même ruiné, écrivant notamment, après le décès de ce dernier à Paris le 28 mars 1865 : « C'était un homme instruit, libéral, généreux, trop généreux peut-être [...] Marie a beaucoup de chagrin et moi aussi[16]. » Les époux doivent donc se contenter du salaire de Victor Chocquet, 2 400 francs annuels à cette époque, augmentés, semble-t-il, de revenus de loyers d'immeubles à Lille[17] et de la rente de Marie. Tout cela explique le caractère modeste du logement qu'ils vont habiter pour de longues années, au cinquième

Fig. 18 25-27 rue Jean-Jacques Rousseau à Lille, où se trouvaient les locaux d'habitation et les ateliers de fabrication de la famille Adrien Chocquet

étage (celui aussi des domestiques) d'un immeuble, 198 rue de Rivoli (fig. 19), à deux pas du ministère où travaille Chocquet ; outre une chambre et cuisine sur cour, son unique salon et la chambre à coucher ouvrent par trois fenêtres pourvues de balcons, sur la rue de Rivoli, offrant une vue splendide sur le jardin des Tuileries (fig. 20)[18].

C'est là que naît le 7 mai 1861 leur fille Marie Sophie ; le chef et le sous-chef de bureau de Victor Chocquet, Jean Baptiste Nicolas Hadol, 63 ans, chevalier de la Légion d'honneur et Henry Bacquès, 37 ans, lui font l'amitié de l'accompagner à la mairie pour déclarer la naissance. La petite fille est baptisée à l'église voisine de Saint-Roch, le 1er juin, mais meurt prématurément à Lille, le 14 octobre 1865[19]. Le couple n'eut pas d'autre enfant et cette disparition constitua sans doute le grand drame de cette famille : une dizaine d'années après, les parents demanderont à Renoir de peindre une effigie de cette enfant, probablement d'après photographie[20] (fig. 23).

En dehors de ce deuil, rien de notable dans la vie des Chocquet, si ce n'est qu'ils sont à Paris, rue de Rivoli, en décembre 1870 pendant le siège de la capitale par les troupes prussiennes : Madame Buisson mère leur adresse alors un message par pigeon voyageur pour dire son inquiétude, mais on ignore s'ils étaient encore là lors des incendies par les Communards, quelques mois plus tard, du Louvre et des Tuileries juste en face de leur appartement[21].

À partir de janvier 1867, la carrière de Victor Chocquet, qui était parvenu dès 1862 au grade de commis principal, marque le pas. Tandis que son collègue et contemporain Henry Bacquès (celui-là même qui était témoin lors de la naissance de Marie Sophie) devient chef de bureau en avril 1874 (avec 6 000 francs d'appointements) et est fait chevalier de la Légion d'honneur en 1878[22], Victor Chocquet, lui, n'obtient plus aucune promotion jusqu'à sa retraite, sur sa demande, le 1er juin 1877. L'ami de Renoir, Georges Rivière, qui rapporte aussi avec amusement l'attitude volontiers frondeuse d'un fonctionnaire peu respectueux de sa hiérarchie, attribue cette anomalie au fait que Chocquet, trop attaché à Paris, aurait refusé une nomination en province, clé d'une promotion éventuelle[23]. C'est possible, mais il semble aussi que, déprimé, Chocquet ait pris en grippe ses occupations bureaucratiques répétitives, en un temps (les années 1876 et 1877) où il s'était déjà engagé en faveur des impressionnistes, trouvant ainsi un exutoire à son ennui. Une des rares lettres connues de Madame Chocquet, adressée en date du 20 juin 1877 à une sœur de son mari à Lille, alors que celui-ci attendait la liquidation de sa pension, souligne que depuis un certain temps Victor « était souffrant, très dégoûté de son affreuse boutique, et vraiment tout à fait au bout de son rouleau… » Elle poursuit que, privés du salaire de son mari, « Nous voici donc maintenant réduits à de bien petites ressources, et ce qu'il y a de pénible pour nous, c'est que ma mère n'a pas l'air de s'en douter le moins du monde. […] J'ai reçu une lettre d'elle par laquelle elle nous engage à aller passer l'été près d'elle à Yvetot, mais cela ne sourit guère à Victor » – une indication sur les relations du gendre et de sa belle-mère[24]. On comprend que dans un ménage qui devait compter, la passion de collectionneur de Victor Chocquet ait

Fig. 19 Premier domicile parisien de Marie et Victor Chocquet, 198 rue de Rivoli à Paris

Fig. 20 Vue d'une fenêtre du 198 rue de Rivoli sur le Jardin des Tuileries à Paris

pu effrayer l'épouse la plus indulgente. De plus, et les anecdotes ne manquent pas en ce sens, Madame Chocquet semble être demeurée étrangère à cette passion[25] ! Selon Jean Renoir, le cinéaste et fils du peintre, Chocquet aurait bénéficié de l'appui d'un mystérieux protecteur qui serait intervenu pour faire excuser les écarts ou le manque d'assiduité du commis de bureau[26]. John Rewald a probablement raison d'avoir suggéré qu'il s'agissait de l'oncle de Madame Chocquet et député Augustin François Buisson (1812-1876), décédé le 19 novembre 1876, donc quelques mois avant la demande de mise à la retraite de Chocquet[27].

Une fortune normande en héritage

Une fois retraité et libre de son temps, Victor Chocquet peut alors visiter longuement les expositions, fréquenter l'hôtel des ventes, les brocanteurs, et se consacrer à ses collections dans l'appartement de la rue de Rivoli, « tout rempli de vieux meubles, et de dessins et de tableaux bordés de jolis cadres en bois sculpté », qu'a évoqué Théodore Duret[28]. Mais avant d'aborder dans le détail cet aspect de son existence qui nous importe le plus, signalons les derniers grands points connus de sa biographie.

Madame Buisson mère semble avoir été une femme avisée en affaires et, lorsqu'elle décède, âgée seulement de 66 ans, à Yvetot, le 24 mars 1882, elle laisse un patrimoine foncier considérable à Yvetot, près de Rouen, ainsi que dans le village voisin d'Hattenville. Après la disparition de ses parents, elle avait aussi hérité de son frère célibataire, Augustin François Buisson, avocat et député, le protecteur présumé de Victor Chocquet évoqué précédemment. Madame Chocquet (avec son époux) devient propriétaire à son tour d'une maison imposante à Yvetot, où avaient résidé ensemble sa mère et son oncle, d'une maison de plaisance à Hattenville et de plusieurs fermes, également à Hattenville et dans les hameaux voisins, assurant d'importants revenus, ainsi que d'une maison à Fécamp[29]. Le critique et romancier Edmond

Fig. 21 Claude Monet, *Les Tuileries*, 1876, huile sur toile, 54 × 73 cm, Musée Marmottan Monet, Paris

Duranty était donc dans le vrai quand il écrivait à Émile Zola, à l'été 1877 ou 1878, après la faillite et mise aux enchères publiques de la collection d'un des tout premiers collectionneurs des impressionnistes, le négociant Ernest Hoschedé (1837-1891), volontairement passé sous silence par Duret dans la brochure citée en tête de cet essai : « La catastrophe d'Hoschedé troublera évidemment le camp de nos amis intransigeants [ainsi se désignaient aussi alors les impressionnistes], mais ils regagnent des chances du côté de Chocquet dont la femme, m'a-t-on dit, aura un jour cinquante mille livres de rentes. » Et d'ajouter plein d'espoir en cet amateur potentiel : « Voilà le moment de commencer à lui faire la cour et à lui en faire voir de toutes les couleurs », avant d'évoquer Cézanne[30].

Après cet héritage, le couple Chocquet semble avoir résidé longuement en Normandie. Des descriptions minutieuses de leurs biens mobiliers, lors des inventaires après le décès de Madame Chocquet, donnent une idée de leur train de vie. La grande maison d'Yvetot, sur la Place de l'Église, avec son mobilier d'acajou, probablement hérité de la famille Buisson, ses tableaux, peut-être aussi hérités mais en tout cas non identifiés, son argenterie, dont les initiales rappellent plusieurs générations de dames Buisson (y compris une dame Pécuchet, que Flaubert n'aurait pas désavouée !), ses deux pianos, dont un Erard en palissandre, un phonographe et ses rouleaux, une charrette anglaise et une Victoria à quatre roues dans la remise, respire l'aisance, bien que la jument, dans l'écurie, soit déclarée « hors d'âge » en 1899. La

Fig. 22a Pierre-Auguste Renoir, *Liseuse (Madame Chocquet lisant)*, 1875, huile sur toile, 65 × 53 cm, collection particulière

Fig. 22b Pierre-Auguste Renoir, *À la fenêtre (Portrait de Madame Chocquet)*, 1876, huile sur toile, 67,5 × 54,5 cm, Musée d'État des beaux-arts Pouchkine, Moscou

description de la chambre de Madame Chocquet suggère son sens du confort cossu et sa piété : « Un lit Empire en acajou, un prie-Dieu, un bureau Empire en acajou, un Christ en ivoire de Lefèbvre [le grand artisan de Dieppe contemporain], une Vierge de Notre-Dame des Victoires en terre peinte, Saint Joseph, Notre-Dame de Lourdes en métal nickelé, gravure ancienne Jésus, Marie, Joseph encadrée, pendule Sauvage à Paris[31] », des vitrines avec livres de prières, porcelaines, groupe de Sèvres, des tentures en reps rouge – rien ne suggérant donc des goûts avant-gardistes. Il y a plusieurs bibliothèques dans la maison ; au rez-de-chaussée, les recueils de *Jurisprudence Dalloz*, des *Lois et Décrets 1785-1870* ou la collection du *Journal du Palais* de 1791 à 1869 proviennent sans doute de l'héritage de l'oncle Buisson, respectueusement conservé. En revanche, dans la chambre principale, celle qui renferme les *Œuvres complètes* de Voltaire, *L'Histoire de la Révolution française* par Thiers ou le *Théâtre* de Casimir Delavigne, un Normand infiniment célèbre à cette époque, ainsi que les *Lettres de Mme de Sévigné* et les œuvres religieuses de Mgr Henry Bolo, traitant de l'éducation des jeunes filles, reflètent probablement les goûts des époux Chocquet. Il est sûr cependant que *La Vie de N. S. Jésus Christ*, illustrée par James Tissot et parue en 1896, avait été acquise par Madame Chocquet[32].

Les Chocquet disposent aussi d'une maison de campagne à Hattenville. Encore habitée par Madame Chocquet au moment de sa mort, alors que les fermes sont louées à des exploitants, elle est précisément décrite dans les minutes

Fig. 23 Pierre-Auguste Renoir, *Les Petits* ou *Portraits de Marie-Sophie Chocquet*, 1876, huile sur toile, 39 × 47,5 cm, localisation inconnue

notariales comme une « belle maison de maître genre chalet » indubitablement « moderne » et tranchant, par son style, avec le reste des édifices ruraux (fig. 24). Probablement édifiée par le député Augustin François Buisson, elle comprend au rez-de-chaussée, sur cave, une cuisine, un salon, une salle à manger, au premier étage, trois chambres et cabinet d'aisance et au-dessus un grenier avec deux mansardes ; elle est complétée par des bâtiments bas comprenant « cuisine, cellier, trois chambres, ancien atelier de tisserand, remise, écurie, buanderie et arrière-cuisine, jardin anglais et jardin légumier et verger le tout contenant après arpentage 36 a 13 ca ». Un autre bâtiment, de construction récente, à usage de remise, écurie et sellerie avec grenier au-dessus dans lequel sont aménagées deux mansardes. Le mobilier est plus simple qu'à Yvetot ou Paris mais l'argenterie ne fait pas défaut. Grâce à ces détails et à l'aide irremplaçable et éclairée de Jean-François Mayer, maire d'Hattenville, il a été possible d'identifier la maison que viennent de restaurer ses propriétaires, Madame et Monsieur Sylvie et Ludovic Ermel[33] (fig. 25). Cette découverte est d'autant plus heureuse qu'il s'agit, sans aucun doute, de la maison où Cézanne, accompagné de sa femme et de son fils, est venu en villégiature, y peignant notamment, sur un fond végétal, le portrait de son ami et amateur (fig. 65) ainsi que des vues de vergers laissant entrevoir d'indistinctes constructions, odes d'un Provençal à la verdure normande (cat. 24, 25, 26). Victor Chocquet, nouveau propriétaire terrien, y a fait des plantations pour lesquelles Cézanne lui souhaite réussite dans une lettre de mai 1886[34].

Par ailleurs, en véritable notable provincial, sans doute sur l'avis de sa femme, Chocquet multiplie les acquisitions immobilières ou procède à des améliorations des immeubles, ainsi que le rappellent les minutes notariales[35].

Une demeure parisienne pour la Collection Chocquet

Toutefois la décision la plus significative du couple est l'achat d'un immeuble à Paris, 7 rue Monsigny, dans le 2e arrondissement, le 22 mars 1890, pour la somme considérable de 150 000 francs (dont 100 000 francs payés comptant)[36]. Située entre l'Opéra et le Palais-Royal, en face du théâtre des Bouffes-Parisiens, cette ancienne maison de ville (hôtel particulier est un bien grand mot pour ce bâtiment très simple) de trois étages, plus des combles, comptant chacun trois fenêtres sur rue, avec une petite cour à l'arrière, devient la résidence parisienne des Chocquet[37] (fig. 26, 27). Elle permet au collectionneur d'installer ses possessions, meubles, porcelaines, dessins et tableaux, dont on se demande comment elles pouvaient tenir auparavant dans le tout petit appartement de la rue de Rivoli. Ceci suggère d'ailleurs qu'une partie importante avait probablement été acquise plus récemment, jusqu'à justifier un déménagement. Un écho de cette installation nous est parvenu sous forme d'une lettre de Madame Cézanne à Madame Chocquet, datée du 1er août 1890[38] : « Vous devez être très occupée de votre hôtel car ce n'est pas une petite affaire que de faire réparer et aménager quatre étages. J'espère que ce sera promptement fait et que vous pourrez vous installer très prochainement. Je pense que vous y serez très bien et que vous ne regretterez pas trop la peine que cela donne. [...] Monsieur Chocquet doit être très occupé de tous ses tableaux, meubles et jolis bibelots. » L'installation est sans doute plus ou moins achevée courant août, car les Chocquet s'assurent contre l'incendie les 21 et 28 août. Victor Chocquet est loin de sous-estimer la valeur de ses collections : si l'immeuble est assuré à hauteur de 100 000 francs, les objets mobiliers, argenterie et bijoux sont comptés pour 75 000 francs, et les tableaux, objets d'art, gravures, pastels, aquarelles, bronzes, porcelaines rares pour 100 000 francs[39]. L'inventaire des biens dressé après le décès de Madame Chocquet nous donne une idée de cet intérieur[40] (fig. 30).

Sans entrer dans le détail de cet inventaire – que l'on retrouvera dans le tableau en annexe (p. 207-249) reconstituant la collection –, on peut cependant en rappeler les grands traits. Au rez-de-chaussée, où se trouve la cuisine, un vestibule donne accès à un grand salon sur la rue servant aussi de salle à manger ; le mobilier est mélangé, du style Henri II au Louis XVI, avec une vitrine de porcelaines de Sèvres ; cette pièce fait office de galerie de tableaux avec plus de cent peintures (certaines petites ou sans cadre) : Cézanne et les impressionnistes y sont majoritaires, même si Delacroix, Courbet et Tassaert sont également représentés. Il y a là notamment les portraits des maîtres de maison par Renoir (fig. 48, cat. 8), celui de Chocquet assis (fig. 16, cat. 17) et de Chocquet en blanc (fig. 65), tous deux par Cézanne, la petite version du *Bal du Moulin de la Galette* (fig. 29), des paysages de Monet, Sisley, Pissarro. Au premier étage, un vestibule est dominé par *Mardi gras* de Cézanne (fig. 39) et *La Seine à Asnières* de Renoir (fig. 31). De là, on passe dans un grand salon, dont les meubles surtout Louis XV et Louis XVI répondent à une grande vitrine de porcelaines et faïences diverses ; moins de tableaux qu'au rez-de-chaussée mais, autour de Manet, *Monet peignant dans son atelier* (fig. 33), rien que des impressionnistes, dont probablement le *Portrait de Monsieur Chocquet* par Renoir (fig. 34, cat. 9). C'est là que se trouve le piano droit Érard en palissandre. Il y a aussi trois bronzes de Barye. Un petit salon, au même étage, toujours abondamment meublé et pourvu d'une vitrine, est majoritairement dédié à Delacroix. Une pièce sur cour est consacrée aux œuvres sur papier, moins exposées à la lumière. Le deuxième étage est celui des chambres à coucher, dont la plus grande, sur la rue, abrite des Delacroix mais aussi un portrait de jeune fille par Renoir, sans doute la petite fille disparue, dont le berceau est toujours là, au grenier. Au troisième étage, quelques tableaux encore « par et attribués à Cézanne » note l'expert, à côté de la chambre de domestique et de sa cuisine attenante. Il y a aussi des livres, « environ quatre-vingt-six volumes de littérature moderne, romans (Théophile Gautier, Jules Champfleury, Albéric Segond, Charles Dickens, Georges Sand, Alphonse Karr, Alphonse de Lamartine) et brochures diverses » et « cinquante-huit volumes reliés (œuvres d'Alfred de Musset, Michelet, théâtre de Labiche, Rabelais et ouvrages divers) », dont on ne sait s'ils reflètent les goûts de Victor Chocquet ou de son épouse. On est surpris de n'y trouver ni Flaubert, ni Zola et ses amis naturalistes, ni de poésie plus moderne que celle de Lamartine, mais qui sait ce que renfermait la rubrique « ouvrages divers ».

Georges Rivière rapporte la déception de l'amateur d'être privé de sa vue sur les Tuileries, après son déménagement dans cette grande maison sombre que n'arrivent pas à égayer les visiteurs attirés par la collection[41]. Victor Chocquet,

Fig. 24 Vue de la propriété de la famille Chocquet à Hattenville : *Chalet du Hattentot*, carte postale historique, non datée, photographie anonyme

de toute façon, ne profite guère de sa nouvelle résidence : il y meurt quelques mois plus tard, le 7 avril 1891. Le décès, à 69 ans, de cet homme discret ne passe pas inaperçu. Claude Monet s'empresse d'adresser une lettre de condoléances à sa veuve, le 15 avril 1891 : « J'ai appris à connaître la bonté et la haute intelligence de votre mari et n'oublierai jamais ce qu'il a été pour moi et mes amis dans de durs moments[42]. » Renoir, parti travailler dans le Midi, au Lavandou, écrit lui aussi, le 20 avril[43]. Mais aucune missive de Cézanne n'est connue. Victor Chocquet fut inhumé à Yvetot mais, comme l'avait déjà noté John Rewald, sa sépulture, tombée en déshérence, n'a pas été préservée[44].

Veuve, Madame Chocquet n'a probablement rien changé rue Monsigny, au moins par respect pour la mémoire de son mari, à défaut d'une réelle appréciation des toiles qui y étaient rassemblées. Encore jeune, elle n'avait en outre aucun besoin d'argent qui l'aurait poussée à vendre ; d'ailleurs, en 1891, la valeur vénale de la collection commençait à peine à se conforter. Les marchands n'ont probablement fait aucune démarche auprès d'elle : Durand-Ruel, pourvu d'un vaste stock, ne cherchait pas encore à l'augmenter ; Tanguy avait autant de Cézanne qu'il en pouvait vendre ; Théo van Gogh venait de mourir ; les frères Bernheim Jeune commençaient seulement à s'intéresser à l'impressionnisme et Vollard n'avait pas encore ouvert sa galerie. Fait significatif, Chocquet n'est pas mentionné dans la longue préface par Arsène Alexandre du catalogue de la grande rétrospective Renoir qui a lieu chez Durand-Ruel au printemps 1892, et Madame Chocquet n'y prête aucune œuvre. Esseulée dans cette grande maison colonisée par les collections de feu son mari, Madame Chocquet semble n'y avoir que peu résidé, préférant se replier en Normandie. En revanche, elle déploie une activité considérable à Yvetot, gérant ses fermes, achetant et vendant des propriétés immobilières : sa dernière acquisition, le 18 février 1899, d'une ferme à Hattenville, ne sera réglée que par sa succession, car elle décède subitement à son tour, à Yvetot, le 28 mars 1899, à l'âge de 62 ans[45].

Sans doute pour remplacer l'enfant qu'ils avaient jadis perdue, les époux Chocquet avaient recueilli une petite fille prénommée Marie[46]. Madame Cézanne, dans la lettre citée

Fig. 25 L'ancienne propriété de la famille Chocquet à Hattenville

du 1er août 1890, demandait déjà des nouvelles de cette enfant : « Nous vous prions aussi de bien embrasser la petite Marie qui doit être bien sage, nous n'en doutons pas et qui sait bien lire[47]. » Nous reparlerons plus longuement de cette jeune fille, Marie Beaudoin (souvent orthographié aussi Baudouin), à l'occasion de l'examen du règlement de la succession de Madame Chocquet.

« La maison déserte »

Le 29 mars 1899, Maître Lanfranc Léon Lefrançois, notaire à Yvetot, et son clerc, agissant en tant qu'amis de la défunte, viennent déclarer à la mairie d'Yvetot le décès d'Augustine Marie Caroline Buisson, veuve de Victor Chocquet, rentière, morte la veille à son domicile, rue de Caudebec, à Yvetot[48]. Maître Lefrançois, également notaire de Madame Vve Chocquet, comme l'avait été son prédécesseur Maître Augé, interviendra ensuite dans le règlement de la succession de son amie et cliente[49]. La nouvelle de ce décès parvient rapidement à Paris car, dès le 29 mars, les scellés sont apposés par le juge de paix du 2e arrondissement au 7 rue Monsigny, commis à la garde de l'inspecteur commissaire de police du quartier, Henri Breton. Le 1er avril, un administrateur judiciaire auprès du Tribunal civil de la Seine, Paul Émile Gustave Marcellier, est nommé administrateur provisoire de la succession de Madame Chocquet ; il charge Maître Félix Huguenot, notaire à Paris, de procéder à l'inventaire des biens, rue Monsigny, avec l'assistance d'un commissaire-priseur parisien, Maître Lucien Brière, et de son expert, Jacques Bottolier Lasquin, en raison de la présence d'un important mobilier et d'une collection d'œuvres d'art. Ces formalités découlent de la difficulté, en l'absence de testament connu, de savoir qui sont les héritiers de Madame Chocquet, sachant aussi que celle-ci « avait auprès d'elle depuis nombre d'années une enfant élevée par ses soins et dont elle pourrait avoir fait son héritière par testament[50] ». Des discussions s'élèvent aussi à propos de la définition du domicile exact de la défunte à Paris, ou à Yvetot, ou même à Hattenville, qui détermine la manière dont la succession doit être réglée. L'inventaire parisien entrepris par Maître Huguenot du contenu de l'immeuble rue Monsigny, commencé le 4 avril,

Fig. 26 Rue Monsigny à Paris, où se trouvait l'ancienne résidence de Victor Chocquet

est interrompu à la demande d'un des héritiers déclarés de Madame Chocquet, un cousin, Ernest Charles Follin. Il est repris le 15 avril et se poursuit, les 17, 18, 19 avril pour le mobilier ; les papiers sont classés et analysés les 20, 21, 22, 24 avril et l'inventaire est clos le 26 avril. Aucun testament en bonne et due forme n'est trouvé. Seul un brouillon non signé suggère ce qu'auraient pu être les intentions de Madame Chocquet qui avait écrit : « Projet de testament : je déshérite toute ma famille sauf les dispositions suivantes : j'institue pour mes deux légataires universels 1° Mme Vve Henri Giffard, la femme de mon défunt fermier », sans désigner son second légataire, probablement la jeune Marie Beaudoin, cette enfant recueillie par Madame Chocquet et âgée de 14 ans au moment du décès de sa bienfaitrice[51]. Ce document ne pouvant être considéré comme un testament, ce sont dix cousins au sixième degré pour la ligne paternelle et deux cousins au cinquième degré pour la ligne maternelle qui sont déclarés héritiers de Madame Vve Chocquet. Cette famille fort éloignée de la défunte, d'où ses intentions testamentaires, constitue un étonnant mélange d'hommes et de femmes, dont deux religieuses, de condition modeste, ouvriers, domestiques ou artisans, plusieurs quasi analphabètes, qui, excepté probablement Ernest Charles Follin, précédemment cité, n'avaient évidemment aucune idée de la nature de leur héritage[52]. Cette situation insolite fournit de la copie à la presse parisienne. Le journal *Le Matin* du 9 juin 1899 titre en première page « La maison déserte » (fig. 28), faisant allusion à la maison de la rue Monsigny, et conte la supposée histoire de Chocquet, employé devenu riche et possesseur d'une collection d'impressionnistes et d'un millier de porcelaines, ayant épousé « son ancienne femme de ménage » et adopté une petite fille ; les héritiers, lointains parents, sont « l'un débardeur à Rouen, l'autre porteur aux Halles à Paris ; celui-ci ouvrier des quais du Havre ; il y a aussi une bonne, une blanchisseuse et un tueur de cafards ». Le chiffre d'un million est avancé comme valeur des collections

Fig. 27 Seconde et dernière résidence parisienne de Marie et Victor Chocquet, 7 rue Monsigny à Paris

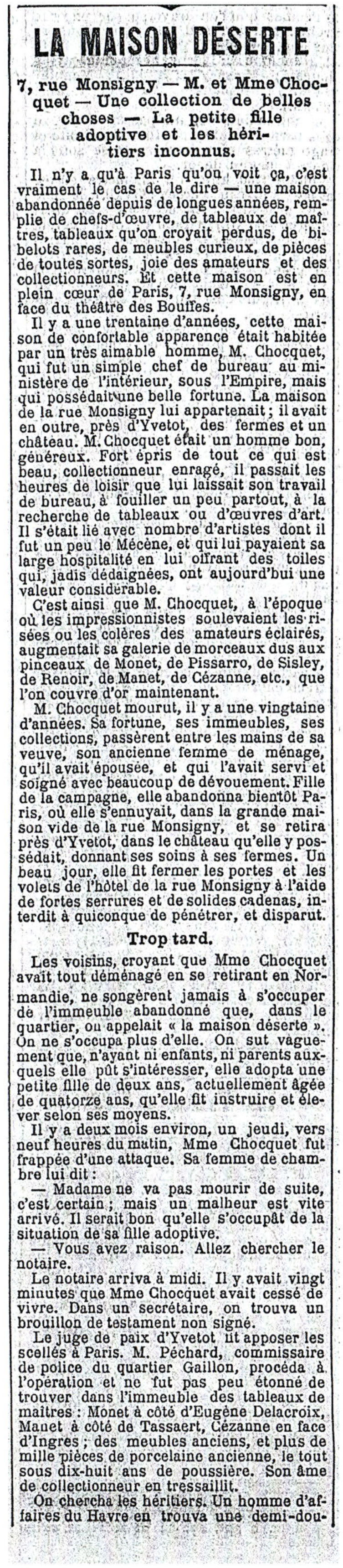

LA MAISON DÉSERTE

7, rue Monsigny — M. et Mme Chocquet — Une collection de belles choses — La petite fille adoptive et les héritiers inconnus.

Il n'y a qu'à Paris qu'on voit ça, c'est vraiment le cas de le dire — une maison abandonnée depuis de longues années, remplie de chefs-d'œuvre, de tableaux de maîtres, tableaux qu'on croyait perdus, de bibelots rares, de meubles curieux, de pièces de toutes sortes, joie des amateurs et des collectionneurs. Et cette maison est en plein cœur de Paris, 7, rue Monsigny, en face du théâtre des Bouffes.

Il y a une trentaine d'années, cette maison de confortable apparence était habitée par un très aimable homme, M. Chocquet, qui fut un simple chef de bureau au ministère de l'intérieur, sous l'Empire, mais qui possédait une belle fortune. La maison de la rue Monsigny lui appartenait; il avait en outre, près d'Yvetot, des fermes et un château. M. Chocquet était un homme bon, généreux. Fort épris de tout ce qui est beau, collectionneur enragé, il passait les heures de loisir que lui laissait son travail de bureau, à fouiller un peu partout, à la recherche de tableaux ou d'œuvres d'art. Il s'était lié avec nombre d'artistes dont il fut un peu le Mécène, et qui lui payaient sa large hospitalité en lui offrant des toiles qui, jadis dédaignées, ont aujourd'hui une valeur considérable.

C'est ainsi que M. Chocquet, à l'époque où les impressionnistes soulevaient les risées ou les colères des amateurs éclairés, augmentait sa galerie de morceaux dus aux pinceaux de Monet, de Pissarro, de Sisley, de Renoir, de Manet, de Cézanne, etc., que l'on couvre d'or maintenant.

M. Chocquet mourut, il y a une vingtaine d'années. Sa fortune, ses immeubles, ses collections, passèrent entre les mains de sa veuve, son ancienne femme de ménage, qu'il avait épousée, et qui l'avait servi et soigné avec beaucoup de dévouement. Fille de la campagne, elle abandonna bientôt Paris, où elle s'ennuyait, dans la grande maison vide de la rue Monsigny, et se retira près d'Yvetot, dans le château qu'elle y possédait, donnant ses soins à ses fermes. Un beau jour, elle fit fermer les portes et les volets de l'hôtel de la rue Monsigny à l'aide de fortes serrures et de solides cadenas, interdit à quiconque de pénétrer, et disparut.

Trop tard.

Les voisins, croyant que Mme Chocquet avait tout déménagé en se retirant en Normandie, ne songèrent jamais à s'occuper de l'immeuble abandonné que, dans le quartier, on appelait « la maison déserte ». On ne s'occupa plus d'elle. On sut vaguement que, n'ayant ni enfants, ni parents auxquels elle pût s'intéresser, elle adopta une petite fille de deux ans, actuellement âgée de quatorze ans, qu'elle fit instruire et élever selon ses moyens.

Il y a deux mois environ, un jeudi, vers neuf heures du matin, Mme Chocquet fut frappée d'une attaque. Sa femme de chambre lui dit :

— Madame ne va pas mourir de suite, c'est certain; mais un malheur est vite arrivé. Il serait bon qu'elle s'occupât de la situation de sa fille adoptive.

— Vous avez raison. Allez chercher le notaire.

Le notaire arriva à midi. Il y avait vingt minutes que Mme Chocquet avait cessé de vivre. Dans un secrétaire, on trouva un brouillon de testament non signé.

Le juge de paix d'Yvetot fit apposer les scellés à Paris. M. Péchard, commissaire de police du quartier Gaillon, procéda à l'opération et ne fut pas peu étonné de trouver dans l'immeuble des tableaux de maîtres : Monet à côté d'Eugène Delacroix, Manet à côté de Tassaert, Cézanne en face d'Ingres ; des meubles anciens, et plus de mille pièces de porcelaine ancienne, le tout sous dix-huit ans de poussière. Son âme de collectionneur en tressaillit.

On chercha les héritiers. Un homme d'affaires du Havre en trouva une demi-dou-

Fig. 28 « La Maison déserte », article in *Le Matin*, 9 juin 1899, 1ère édition selon « MM Bernheim et Lasquin », annonçant la vente chez Georges Petit pour le 25 juin. Le journaliste finit par un plaidoyer en faveur de la petite fille choyée par Madame Chocquet, rendue brutalement à ses parents biologiques démunis. Mais *Le Matin* doit insérer, le 14 juin 1899, une lettre d'un Docteur Chocquet d'Armentières[53], qui rétablit la vérité sur les époux Chocquet, puis, le 1er juillet 1899, celle de Maître Lefrançois, notaire à Yvetot, qui s'était aussi senti accusé de légèreté dans son office et demanda une rectification. Pour avoir compulsé ses minutes, nous pouvons confirmer qu'il fit preuve de la plus méticuleuse conscience professionnelle.

Maître Lefrançois se charge donc de la liquidation des biens mobiliers et immobiliers sis principalement à Yvetot et Hattenville, et son collègue parisien, Maître Félix Huguenot, de ceux de Paris. Nous n'entrerons pas dans le détail des biens mobiliers en Normandie, déjà évoqués précédemment. Les inventaires après le décès de Madame Vve Chocquet ont lieu à Yvetot, les 2, 8, 9, 15, 17, 22, 23 juin et 13 octobre 1899[54]. Un fait surprenant est la découverte, dans une simple commode, de la somme de 38 560 francs en billets et en pièces d'or (703 pièces de 20 francs !) et 2 000 francs dans d'autres endroits. Madame Chocquet n'avait au moins pas peur de se faire égorger pour son argent gardé à la maison comme nous le content tant de faits divers de l'époque ! Maître Paul Léon Marie Godefroy, commissaire-priseur à Yvetot, disperse le mobilier de la résidence de Madame Vve Chocquet, rue de Caudebec, les 10, 11, 12, 17, 18, 19 et 20 juillet 1899. La vente bénéficie d'une importante publicité, y compris dans les journaux parisiens ; un catalogue est imprimé et la seule durée de l'opération donne une idée de l'abondance des biens considérés, incluant jusqu'aux objets de ménage les plus humbles, même si le rythme plus relâché des ventes campagnardes y fut pour quelque chose. Cette vente produit 34 830,95 francs[55]. Comme l'avait déjà observé John Rewald, il semble que quelques tableaux trouvés à Yvetot aient été envoyés à Paris pour être joints aux ventes parisiennes. Toutefois il est peut-être resté sur place, à Yvetot, au moins un Cézanne ancien, un *Paysage de rochers*, réapparu brièvement lors de la vente Blot à Paris (Hôtel Drouot, 23 avril 1937, n° 51)[56]. Ambroise Vollard, dont on connaît l'habileté à pister des œuvres de Cézanne ou des impressionnistes, chez des concierges ou des ventes publiques échappant à l'attention des autres marchands, d'ailleurs se rendit à Yvetot (peut-être sur une suggestion de Cézanne) au moment des ventes en Normandie, mais il n'a pas, semble-t-il, consigné d'achat précis à cette occasion[57]. Le mobilier plus modeste d'Hattenville est dispersé sur place par un huissier, Maître Votte, pour 3 786,65 francs[58].

Les biens immobiliers, maisons, terrains, fermes, vergers sont répartis sur plusieurs communes, Yvetot, Fauville (Hattenville), Offranville, Valmont et Fécamp. Ils sont regroupés en 23 lots qui sont vendus aux enchères, à la bougie, dans une salle de l'hôtel de ville d'Yvetot, en présence des héritiers (ou de leur mandataire), le 25 octobre 1899, rapportant la somme de 275 825 francs. Toutes ces ventes locales et leur produit considérable ont sans doute fait grand effet à Yvetot, surtout si on songe que la liquidation des biens mobiliers et immobiliers parisiens rapporta encore davantage, portant l'actif total de la succession à presque un million et demi de francs[59].

Il reste encore à évoquer Marie Beaudoin, cette adolescente confrontée, sans préparation, à un bouleversement total de sa vie. Dans le préambule du compromis intervenu le 27 septembre 1900 entre le père de la jeune fille mineure et les héritiers de Madame Vve Chocquet qui acceptèrent de constituer un capital inaliénable, au seul profit de Marie Beaudoin, de 20 000 francs devant être placés en rente d'État à 3 %, afin de subvenir à ses besoins et à son éducation jusqu'à l'âge de 25 ans, sa situation est ainsi évoquée : « Madame Buisson, veuve Chocquet avait recueilli chez elle dans le courant de l'année 1890 Louise Marie Mélanie Baudoin [sic] alors âgée de six ans, issue du mariage de M. et Mme Louis Séraphin Baudoin. Depuis cette époque, cette enfant avait trouvé des soins et des égards maternels auprès de Mme Vve Chocquet qui la traitait comme son enfant et la faisait instruire au couvent des dames d'Ernemont à Yvetot. Mme Chocquet disait et répétait à tous qu'elle laisserait à la mineure Baudoin à son décès une situation qui la mettrait à l'abri du besoin et conformant à ses actes et paroles faisait donner à Marie Baudoin une éducation qui ne convenait qu'aux personnes fortunées mais qui ne pouvait que nuire à une jeune fille pauvre. [...] Dans cette situation, Séraphin Baudoin, père de ladite mineure [...] intente près le tribunal civil de première instance d'Yvetot contre les héritiers [de Mme Chocquet] une demande en responsabilité dans les termes de l'article 1382 du code civil du dommage causé à ladite mineure du fait de Mme Chocquet. Dans un but humanitaire, mais sans toutefois reconnaître le bien-fondé de la demande de M. Baudoin, les héritiers de Mme Chocquet [...] ont offert à M. Baudoin et à ladite mineure, Marie Baudoin, la donation qui va suivre [ici le détail des participations des

Fig. 29 Pierre-Auguste Renoir, *Le Bal du Moulin de la Galette* (petite version), 1876, huile sur toile, 78 × 114 cm, collection particulière

héritiers et du service de la rente mentionnée ci-dessus]. » En contrepartie, le père de Marie renonçait à toute action en justice[60]. N'ayant pas quitté la région de Rouen, Marie s'est éteinte à Darnétal le 14 février 1961, sans avoir fait entendre sa voix[61].

Si la partie normande de l'héritage nous importe pour situer le couple Chocquet dans la société contemporaine, c'est bien évidemment la collection d'œuvres d'art abritée dans la maison du 7 de la rue Monsigny qui fait l'objet principal de cette étude.

L'inventaire parisien de la Collection Chocquet

Pour évaluer cette collection, nous disposons de plusieurs documents se complétant. Le premier document, que nous devons à l'obligeance de Maître Perinne, notaire à Paris, successeur de Maître Félix Huguenot, est l'inventaire (fig. 30) après le décès de Madame Vve Chocquet, fait, comme nous l'avons vu, en avril 1899. Nous en donnons une transcription en annexe (p. 207-249), car ce document est le plus révélateur, pièce par pièce, de l'intérieur que s'était créé Victor Chocquet[62]. Il fut rédigé par des professionnels, un commissaire-priseur, Maître Brière, assisté de l'expert Lasquin[63]. Destiné à protéger éventuellement les droits d'une mineure, il fut exhaustif, jusqu'à la dernière petite cuillère, et précis, comme en témoigne le relevé des signatures des peintures. Mais, comme tout document de ce genre, il laisse à désirer, puisqu'il se borne, comme c'était l'usage, à une énumération sommaire, omettant notamment les dimensions des œuvres ou meubles.

Le plus accessible des documents demeure le luxueux catalogue de la vente (fig. 32), comportant des descriptions des œuvres et des planches d'illustrations reproduisant nombre de peintures et œuvres graphiques, des *Tableaux Modernes par Cézanne, Courbet, Delacroix, Manet, Monet, Renoir, Sisley, Tassaert, Aquarelles & dessins […], dont la vente, par suite du décès de Mme Vve Chocquet,* eut lieu à Paris les samedi 1er, lundi 3 et mardi 4 juillet 1899, dans les locaux de la galerie Georges Petit, 8 rue de Sèze à Paris, dans le quartier central de la Madeleine. Il faut remarquer la diligence de l'équipe Petit à produire notices et reproductions dans un temps record et traitant Cézanne sur le même pied que Delacroix.

Grâce aux recherches de John Rewald, nous disposons, en complément du catalogue imprimé, d'une copie dactylographiée moderne du procès-verbal de la vente indiquant les acquéreurs, les prix d'adjudication et, surtout, désignant les tableaux non catalogués – regroupés sous un n° 106 non détaillé du catalogue imprimé[64]. Ce procès-verbal est d'ailleurs largement reflété dans les résultats des ventes publiés à l'époque, notamment dans la *Gazette de l'Hôtel Drouot* et plusieurs catalogues de vente annotés[65].

4 Avril 1899
Inventaire
après le décès
de Madame Veuve Chocquet
Etude de Me HUGUENOT, Notaire
Rue La Boëtie, 50, à Paris

Fig. 30 Page de titre de l'inventaire après décès de Madame Chocquet, 4 avril 1899, archives de Maître Perinne, Paris

Une comparaison entre l'inventaire après décès de Madame Chocquet (fig. 30) et le catalogue de la vente à la galerie Georges Petit (fig. 32) fait tout de suite apparaître que certaines pièces portées à l'inventaire ne se retrouvent pas au catalogue de la vente (voir tableau en annexe). En effet, l'attention s'est toujours portée sur la vente de prestige de la galerie Petit, et sur les ventes d'Yvetot, mais les historiens, y compris John Rewald, n'ont pas prêté attention à la seconde vente parisienne de la succession de Madame Chocquet qui eut lieu à l'Hôtel Drouot, salle 6, le 5 juillet 1899. Pourtant dûment annoncée dans la *Gazette de l'Hôtel Drouot*[66] et le *New York Herald (European Edition)* repris par *Le Matin*[67], elle dispersait le reste des possessions de Madame Chocquet « mobilier meublant, piano d'Erard, meubles à tous usages, vaisselle, rideaux, tentures, carpettes, literie et objets divers, vins en bouteilles », mentionnées dans l'inventaire mais indignes de la galerie Petit. En revanche, notre curiosité demeure inassouvie quant aux « tableaux modernes, études et esquisses, paysages, figures, sujets de genre », également annoncés en tête de l'encart de publicité. Le chroniqueur du quotidien parisien *Le Matin*, en date du 5 juin 1899 (repris dans les mêmes termes dans l'édition parisienne du *New York Herald*), a beau affirmer que : « À la salle 6, on vendra les meubles courants et les tableaux les moins importants de la succession Chocquet. Je n'ai vu, hier, à l'exposition qui en a été faite, qu'un portrait de M. Chocquet, par Renoir, qui valût la peine d'être mentionné. Tout le reste ne comprend que des meubles d'usage et des esquisses ou études, pour la plupart sans aucune valeur », on ne peut cependant que déplorer l'absence de catalogue. En l'absence aussi du procès-verbal de cette vente, nous devons nous contenter de savoir que Durand-Ruel y acheta trois peintures, vendues sous un numéro global 4 (donc probablement en début de vente comme c'est encore l'usage dans les ventes mixtes), trois portraits qui sont clairement identifiés, dans les archives du marchand, comme le petit *Portrait de Victor Chocquet assis* de Cézanne (fig. 16, cat. 17), le *Portrait de Victor Chocquet* « en blanc » aussi par Cézanne (fig. 65) et le *Portrait de Victor Chocquet* par Renoir, devant l'esquisse de Delacroix (fig. 48), celui-là même signalé dans *Le Matin* ; il les paya respectivement, selon le bordereau d'adjudication, 450, 360 et 1 400 francs sans commission[68].

Durand-Ruel n'a pas été le seul à profiter des prix dérisoires de la « petite vente » Chocquet : Vollard consigne

Fig. 31 Pierre-Auguste Renoir, *La Seine à Asnières*, vers 1879, huile sur toile, 71 × 92 cm, The National Gallery, Londres

aussi acheter à cette vente, pour un montant total de 1 349,80 francs à « l'hôtel », le 5 juillet[69]. Peu après, il vend à Bernheim Jeune, le 13 juillet, « 1 Cézanne *Tête de Chocquet* 182,50 F. » ; il y a donc fort à parier que ce Cézanne, pour un tel montant qui suggère l'adjudication publique, faisait partie de ses emplettes à la vente de l'Hôtel Drouot. En réalité, en retranchant des listes de l'inventaire après décès les tableaux connus par le catalogue Petit, on peut avoir une idée du nombre des tableaux bradés à l'Hôtel Drouot dont tous ne furent pas achetés par Durand-Ruel et Vollard[70].

Munis de ces listes, l'exercice d'identification des tableaux est possible, en raison de la relative précision des notices et des reproductions du catalogue de vente, facilité aussi par l'existence de catalogues raisonnés des artistes en question ; en revanche, celui portant sur les meubles et objets d'art, dont les descriptions sont peu précises, demeure spéculatif comme le montre par ailleurs l'étude d'Anne Forray-Carlier. De même, les trois bronzes de Barye consignés à l'inventaire ne peuvent être identifiés avec certitude.

Ces listes combinées donnent la mesure de la collection de tableaux de Chocquet : 35 Cézanne, 1 ou 2 Corot,

8 Courbet, 1 Daumier, 3 Dehodencq, 24 Delacroix (quelques-uns considérés depuis comme copies), 5 Manet, 11 Monet, 3 Berthe Morisot, 1 Pissarro, 15 Renoir, 1 Sisley, 5 Tassaert, chiffres approximatifs qui ne tiennent pas compte d'œuvres sans nom d'auteur désigné dans l'inventaire et, par conséquent, non identifiées. Ce décompte n'inclut pas non plus la centaine de pastels, dessins et aquarelles des mêmes artistes mais, notons-le, aucune estampe.

On remarque, en premier lieu, que les œuvres antérieures au XIXe siècle sont très peu nombreuses. Anonymes ou attribuées, elles seront pratiquement toutes exclues de la vente Petit et probablement insignifiantes. La majorité des artistes sont contemporains de l'amateur, mais présentés au milieu d'un mobilier d'usage délibérément « ancien », de la Renaissance au Premier Empire.

Delacroix est à l'honneur, complété, si l'on peut dire, par des peintures sentimentales d'Octave Tassaert, bien oublié de nos jours, mais que les amateurs de la fin du XIXe siècle n'hésitaient pas à comparer à Delacroix, et par des scènes exotiques dues au pinceau énergique d'Alfred Dehodencq.

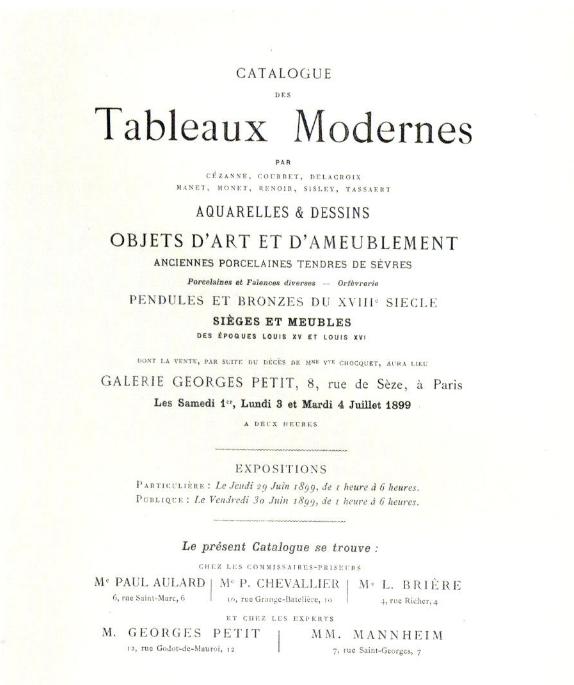

CATALOGUE

DES

Tableaux Modernes

PAR

CÉZANNE, COURBET, DELACROIX
MANET, MONET, RENOIR, SISLEY, TASSAERT

AQUARELLES & DESSINS

OBJETS D'ART ET D'AMEUBLEMENT

ANCIENNES PORCELAINES TENDRES DE SÈVRES

Porcelaines et Faïences diverses — Orfèvrerie

PENDULES ET BRONZES DU XVIIIe SIECLE

SIÈGES ET MEUBLES

DES ÉPOQUES LOUIS XV ET LOUIS XVI

DONT LA VENTE, PAR SUITE DU DÉCÈS DE Mme Vve CHOCQUET, AURA LIEU

GALERIE GEORGES PETIT, 8, rue de Sèze, à Paris

Les Samedi 1er, Lundi 3 et Mardi 4 Juillet 1899

A DEUX HEURES

EXPOSITIONS

PARTICULIÈRE : *Le Jeudi 29 Juin 1899, de 1 heure à 6 heures.*
PUBLIQUE : *Le Vendredi 30 Juin 1899, de 1 heure à 6 heures.*

Le présent Catalogue se trouve :

CHEZ LES COMMISSAIRES-PRISEURS

Me PAUL AULARD, 6, rue Saint-Marc, 6 | Me P. CHEVALLIER, 10, rue Grange-Batelière, 10 | Me L. BRIÈRE, 4, rue Richer, 4

ET CHEZ LES EXPERTS

M. GEORGES PETIT, 12, rue Godot-de-Mauroi, 12 | MM. MANNHEIM, 7, rue Saint-Georges, 7

Fig. 32 Page de titre du catalogue de la vente de la Collection Chocquet, galerie Georges Petit, Paris, juillet 1899

Corot (mais il s'agit d'œuvres mineures), Courbet, avec plusieurs œuvres significatives, Daumier, avec une rare peinture, représentent aussi un pan indépendant de la peinture française contemporaine libérée de l'académisme. Ces artistes, comme Delacroix, ont souvent servi à attirer les amateurs vers l'impressionnisme. En revanche, l'École de 1830 et les peintres de Barbizon (sauf un seul petit Diaz), également présents dans les premières collections impressionnistes, sont absents du choix de Chocquet, peut-être, en partie, pour des raisons financières, car il s'agissait de peinture à la mode et chère dans les années 1860. Les « pré-impressionnistes » consacrés, Eugène Boudin et Johan Barthold Jongkind ne sont pas non plus représentés.

Mais c'est la présence massive de Cézanne qui constitue l'originalité de cet ensemble, surtout si l'on considère qu'il s'agit en réalité d'un état arrêté en 1891, date de la mort de Victor Chocquet. Personne alors ne connaît le maître d'Aix-en-Provence, sauf ses amis peintres et critiques et quelques rares amateurs, comme le comte Doria, Théodore Duret (il y avait trois Cézanne dans la vente qu'il fit en 1894), Georges de Bellio ou Eugène Murer et son ami le Dr Paul Gachet, qui n'en ont chacun que quelques-uns. La première exposition qui lui fut consacrée, par Ambroise Vollard, n'eut lieu qu'en 1895. Et rappelons que Durand-Ruel dut faire demander au Dr Gachet des renseignements sur l'artiste en 1897[71]. Vollard, succédant au « père Tanguy », le petit marchand de la rue Clauzel, mort en 1894, est le seul à vendre régulièrement des œuvres de Cézanne, élargissant ainsi rapidement le cercle de ses amateurs mais ne faisant pas encore monter les prix au-delà de quelques centaines de francs.

Manet et le groupe impressionniste forment enfin le troisième point fort de la collection. Mais Chocquet a écarté de son choix son compatriote lillois, Carolus-Duran (1837-1917), pourtant lié à Manet et Monet à ses débuts, n'hésitant pas, selon une anecdote rapportée par Renoir, à feindre d'ignorer jusqu'à son nom[72].

Comment Victor Chocquet, indubitablement original et sélectif dans ses choix pour son époque, a-t-il rassemblé cette collection ?

Quelques éléments sur la constitution de la Collection Chocquet

Il faut admettre d'emblée que nous sommes assez démunis pour répondre à cette question. En raison des circonstances

Fig. 33 Édouard Manet, *Monet peignant dans son atelier*, 1874, huile sur toile, 80 × 98 cm, Bayerische Staatsgemäldesammlungen, Munich

de la disparition de Madame Chocquet, sans famille proche, aucun papier personnel relatif aux achats du collectionneur ne nous est parvenu : pas de carnet, pas de liasse de factures ou de bordereaux de la salle des ventes. Chocquet avait cependant tout de même attribué, en 1890 comme nous l'avons vu, la valeur de 100 000 francs à ses collections artistiques afin de les assurer. C'est une somme non négligeable, mais la vente en 1899 rapportera plus de quatre fois plus. Bien que bureaucrate exercé, il ne semble pas s'être beaucoup soucié d'établir un catalogue, même sommaire, de ses collections. La réponse qu'il fait à propos de ses Delacroix, le 15 novembre 1874, au critique Philippe Burty, qui préparait un livre sur Delacroix et l'édition de la correspondance de l'artiste, est significative : « Je vous donnerai avec plaisir les renseignements que j'ai sur la vente Delacroix [ayant égaré le sien, Burty avait demandé à lui emprunter son exemplaire annoté du catalogue de la vente Delacroix] mais je vous engage à faire vous-même quand et bon vous semblera la liste de mes dessins aquarelles et peintures persuadé que vous ferez cela avec plus de méthode et de discernement que moi[73]. » Mais, au cours du même échange, nous comprenons que Chocquet, ou son épouse, avait pris copie d'une lettre de Delacroix communiquée par le fils d'un amateur. Il y eut donc certainement des documents précieux dont nous ne pouvons que regretter la disparition. Une partie de sa correspondance sauvée par un parent de Victor Chocquet, le Dr Chocquet, d'Armentières – le même qui avait relevé les errances du journaliste du *Matin* après la mort de Madame Chocquet –, fut largement publiée par Jules Joëts en 1935 et exploitée par John Rewald avant sa dispersion.

Victor Chocquet a probablement entamé sa carrière de collectionneur, jeune encore, peu après 1850. Qui lui donna l'exemple ou le conseilla, nous l'ignorons. Comme l'ont déjà souligné ses biographes – et même Zola –, la première passion de l'amateur fut pour Delacroix. Chocquet eut au moins un contact épistolaire direct avec Delacroix, peu avant la disparition de l'artiste, pour lui commander un portrait – de lui-même et/ou de sa jeune épouse ? –, après la naissance de leur petite fille ; Delacroix, arguant de sa mauvaise vue, déclina courtoisement cette requête, le 14 mars 1862[74]. Chocquet comptera aussi parmi les fidèles amateurs du maître sollicités pour l'exposition commémorative organisée en 1864[75]. Ayant ainsi rappelé la préséance de Delacroix dans la Collection Chocquet, nous laisserons à Arlette Sérullaz le soin de développer cet aspect, pour aborder l'autre point fort déjà relevé par Théodore Duret dans sa préface au catalogue de la vente de la succession de Madame Vve Chocquet, la présence d'œuvres de Cézanne, Manet et des impressionnistes.

L'histoire de la rencontre de Chocquet avec Renoir, Cézanne et Monet a été diversement contée. Toutefois, pour Monet, comme pour Renoir, il semble que l'occasion en ait été la vente de peintures par Monet, Berthe Morisot, Renoir et Sisley organisée à Paris, à l'Hôtel Drouot, le 24 mars 1875, bien que le nom de Chocquet soit absent du procès-verbal consignant le nom des acheteurs[76]. En revanche, la préface élogieuse du catalogue de cette vente était due à Philippe Burty, que Chocquet connaissait à cause de leur intérêt commun pour Delacroix. Renoir confia à Vollard que « M. Chocquet était entré par hasard à l'hôtel Drouot

Fig. 34 Pierre-Auguste Renoir, *Portrait de Monsieur Chocquet*, 1875-1876, huile sur toile, 46 × 36 cm, Collection Oskar Reinhart « Am Römerholz », Winterthour (cat. 9)

pendant l'exposition de nos tableaux. Il avait bien voulu trouver à mes toiles quelque ressemblance avec les œuvres de Delacroix, son dieu. Le soir même de cette vente, il m'écrivit toutes sortes de compliments de ma peinture, en me demandant si je consentirais à faire le portrait de Madame Chocquet ; j'acceptai son offre aussitôt. [Chocquet lui demanda d'inclure dans le portrait une étude de Delacroix qu'il possédait car, disait-il], "Je veux vous avoir ensemble, vous et Delacroix[77]." » Chocquet était indubitablement un habitué de la salle des ventes et connu comme tel : un écho du *Journal des beaux-arts* de Bruxelles faisant la revue d'une des grandes ventes parisiennes de l'époque, la première vente Laurent-Richard du 7 avril 1873, le cite parmi le public des « premiers amateurs français[78] » ; sa présence à l'Hôtel Drouot en mars 1875 n'a donc rien d'impossible puisque nous savons aussi que le fonctionnaire des douanes « protégé » prenait sans doute ses aises avec les heures de bureau ! Le *Portrait de Madame Chocquet, en blanc* par Renoir, avec en arrière-plan l'étude de Delacroix (cat. 8), porte bien la date de 1875[79]. Quant aux deux portraits que fit Renoir de son amateur (cat. 9, fig. 34, 38), ils ne sont pas datés mais furent exposés à la deuxième exposition du groupe impressionniste en 1876. *Liseuse (Madame Chocquet lisant)*[80] (fig. 22a), *À la fenêtre (Portrait de Madame Chocquet en pied)*[81] (fig. 22b), sont également des portraits, ayant pour modèle Madame Chocquet, et furent aussi exposés en 1876. L'étude de têtes de petite fille, connue sous le titre *Les Petits* ou *Portraits de Marie-Sophie Chocquet*[82] (fig. 23), ainsi que le « *Portrait de fillette, debout, en bleu* », non réapparu depuis la vente de 1899, sont vraisemblablement des effigies de la petite Sophie Chocquet prématurément disparue, également présentées en 1876. En revanche, nous ignorons comment sont entrés dans sa collection d'autres Renoir, non des moindres, comme la petite version du *Bal du Moulin de la Galette*[83] (fig. 29), peut-être une commande spéciale de Chocquet qui avait pu voir en 1876 la première version, maintenant au musée d'Orsay, acquise par Gustave Caillebotte, ou la célèbre *Seine à Asnières*[84] (fig. 31) ou encore *Alphonsine Fournaise (À la Grenouillère)*, 1879[85] (fig. 35). Un seul tout petit nu, *Jeune fille au bain (Naïade)*[86] (coll. part.) et trois paysages dont *Sur la falaise (Pourville)*, 1879[87] (coll. part.) complètent cet ensemble. De tous les Renoir de Chocquet, le plus tardif que nous ayons identifié est le pastel *Portrait de Cézanne* (fig. 66a), daté de 1880, prêté d'ailleurs par Chocquet à la rétrospective consacrée à Renoir par Durand-Ruel en 1883[88]. Pourtant, après cette date, des lettres dont l'intimité est tempérée par le « Cher Monsieur Chocquet » qui les introduit, témoignent encore de leurs rapports cordiaux. Chocquet a invité Renoir en Normandie, mais le peintre, retenu par un portrait, a remis cette excursion[89]. En revanche, un mot adressé le 2 août 1889 par Renoir à Monet, en train d'organiser la souscription destinée à acheter l'*Olympia* de Manet pour l'offrir à l'État français, suggère que Renoir et Chocquet n'étaient plus en relations suivies, au contraire de Cézanne, puisque Renoir fait la recommandation suivante : « Cézanne est à Paris. Tu pourrais peut-être lui écrire pour le père Chocquet. Ils se voient souvent[90]. » Il est possible que Chocquet, jadis enthousiasmé par le peintre du *Bal du Moulin de la Galette*, n'ait pas apprécié, comme d'autres amateurs, y compris son marchand Durand-Ruel, l'évolution marquée de son style dans sa période « ingresque », celle des *Grandes baigneuses*, 1887 (Philadelphie, Philadelphia Museum of Art). Ou, plus simplement, ayant déjà de nombreux Renoir, il ne se souciait pas de payer des prix relativement élevés pour des œuvres que le peintre, enfin sorti de ses difficultés financières, pouvait placer ailleurs. Mais il continuait cependant de défendre Renoir, puisqu'il semble s'entremettre pour le faire inviter aux expositions liées à l'Exposition universelle de 1889, à l'encontre d'ailleurs du désir de l'intéressé, d'où, peut-être, aussi un refroidissement de leurs relations[91]. Mais il est certain qu'à cette époque toute la sollicitude de Chocquet s'était reportée sur Cézanne qu'il convainquit, lui, d'exposer *La Maison du pendu, Auvers-sur-Oise* à l'Exposition universelle de 1889 (fig. 56).

Pour préciser l'origine des liens entre Chocquet et Cézanne, ce sont encore les souvenirs de Renoir qui nous guident : « Vous dirai-je qu'aussitôt que je connus M. Chocquet, je pensais à lui faire acheter un Cézanne. Je le conduisis donc chez le père Tanguy [le seul marchand alors à montrer des Cézanne], où il prit une petite *Étude de Nus*[92]. Il était ravi de son acquisition. – "Comme cela fera bien entre un Delacroix et un Courbet[93] !" » Delacroix semble, en effet, avoir constitué un premier terrain d'entente entre les deux hommes, ce que Cézanne confirmera lui-même plus tard, en 1886, dans une lettre à son amateur où il affirme que « Delacroix a servi d'intermédiaire entre vous et moi[94] ». Mais Renoir eut un rôle décisif. Le peintre Maurice Denis, qui rendit visite à Renoir aux Collettes, à Cagnes-sur-Mer, au début de l'année 1906[95], s'est fait l'écho du souvenir des manœuvres naïves de Renoir et de l'amateur pour faire accepter la peinture de Cézanne à Madame Chocquet, épouse indulgente mais ne partageant pas la ferveur prosélyte de son mari. Enfin, une lettre de Monet, qui invite Chocquet (que lui-même ne semble pas encore avoir rencontré) à déjeuner à Argenteuil, avec Cézanne, au début de février 1876[96], confirme que Cézanne connaissait déjà Chocquet à cette date. La correspondance entre les deux hommes[97] est ininterrompue jusqu'à la mort de Chocquet et révèle leur amitié réciproque (et celle de leurs épouses). Chocquet a d'ailleurs été l'auteur involontaire de la « gaffe » qui a révélé au père de Cézanne l'existence d'Hortense Fiquet, la compagne de l'artiste, et de leur enfant[98]. En dépit de circonlocutions guindées, de formules de politesse conventionnelles, Cézanne y laisse entrevoir, contre son habitude, un peu de lui-même et surtout son attachement et son respect pour son mécène. Leur dialogue se fonde sur la peinture, comme le met en évidence une lettre souvent citée de Cézanne à Pissarro où il évoque longuement son travail à l'Estaque, près de Marseille, au cours de l'été 1876, « J'ai commencé deux petits motifs où il y a la mer pour Monsieur Chocquet, qui m'en avait parlé. – C'est comme une carte à jouer. Des toits rouges sur la mer bleue[99]. » (Voir fig. 58.)

Jayne Warman reprend par ailleurs en détail l'analyse des œuvres de Cézanne au sein de la Collection Chocquet, et ne seront rappelés ici que les grands traits de cet ensemble unique dans le contexte des collections de l'époque. Malgré les recherches minutieuses de John Rewald, et avec l'exception du petit tableau de *Baigneuses [« Étude de nus »]* (cat. 13), évoqué plus haut, il n'est pas possible de savoir quand Chocquet a acquis ses Cézanne, achetés ou donnés par l'artiste. John Rewald a soigneusement passé en revue les Cézanne présents à la vente de 1899 et a souligné, suivant en cela Theodore Reff, que nombre d'entre eux, remarquables par une voyante signature en rouge inhabituelle chez le peintre, ont été présentés à l'exposition impressionniste de 1877, sans nom de prêteur, mais ont fait partie de la Collection Chocquet[100], une hypothèse retenue également par Richard Brettell[101]. Outre le désormais célèbre *Portrait de Victor Chocquet [« Tête d'homme (Étude) »]* (cat. 15), figuraient entre autres *Les Pêcheurs – Journée de juillet* (fig. 36), plusieurs paysages et natures mortes dont *Un dessert* (fig. 63), dont les accessoires luxueux évoquent peut-être l'intérieur des Chocquet, *Le Plat de pommes* (fig. 5), *Fleurs dans un vase* (cat. 18)[102]. Il est impossible de savoir si, en 1877, Chocquet en était déjà propriétaire – et avait évité de paraître nommément comme plusieurs autres prêteurs désignés par leurs seules initiales (Gustave Caillebotte, Henri Rouart ou Ernest Hoschedé par exemple) – ou s'il en fit l'acquisition après coup. Il est en revanche certain qu'à cette date Chocquet est le plus important amateur de Cézanne, les autres – Caillebotte, le comte Doria, le Dr Gachet, Théodore Duret – n'en possédant que quelques-uns, comme les vieux amis du peintre, Zola en tête. La violence inouïe des critiques à l'égard des œuvres de Cézanne touche aussi de plein fouet son amateur même si la « *Tête d'homme* » (cat. 15) prudemment qualifiée d'« *Étude* » n'est pas désignée clairement comme son portrait. Être comparé à un assassin, même en chocolat, un « Billoir en chocolat » ou, pour varier, à un « Moyaux », meurtrier de sa petite fille[103], ne peut laisser insensible. Pourtant, comme le soulignait Théodore Duret dans sa préface de la vente de 1899 (voir p. 12-13), ou Georges Rivière[104], Chocquet, présent aux expositions, persistait à défendre avec rigueur et courtoisie celui qu'il « mettait au tout premier rang[105] », Cézanne. Il est même probable que l'« ami » que cite Georges Rivière dans un article de 1877 soit Chocquet, plutôt que Renoir. Qui d'autre, alors, pouvait écrire que Cézanne appartenait « à la race des géants », ajoutant : « si le présent ne lui rend pas justice, l'avenir saura le classer parmi ses pairs à côté des demi-dieux de l'art[106] » ? Les portraits de Chocquet par Cézanne, tout autant que ceux par Renoir, ont fixé durablement l'image de l'amateur. Outre la « *Tête d'homme (Étude)* » ridiculisée par la critique en 1877, le *Portrait de Victor Chocquet assis* (fig. 16, cat. 17), évoquant son intérieur, le *Portrait de Victor Chocquet* « en blanc » (fig. 65), peint dans la verdure à Hattenville, peu avant la mort de Chocquet, qui tous ont appartenu au modèle, il faut rappeler l'étude de tête ayant appartenu à Edgar Degas (cat. 16). Il existe aussi une série intrigante d'effigies déclinées à partir d'une photographie nous montrant un homme beaucoup plus jeune (voir cat. 20, 21)[107]. Les séjours de Cézanne chez les Chocquet à Hattenville, à partir de 1882, attestés par le fils de Cézanne, par Duret et par Georges Rivière, ainsi que les peintures de verger normand qu'ils ont inspirées, ne sont cependant pas datés avec précision[108]. Étant donné l'étroitesse des liens entre Chocquet et Cézanne, on peut s'étonner qu'aucun portrait de Madame Chocquet par Cézanne ne nous soit parvenu. Peut-être Cézanne, laissant à Renoir le portrait féminin, n'a-t-il pas voulu rivaliser avec son ami ? Peut-être que Madame Chocquet, peu attirée par la peinture de Cézanne, n'avait pas envie d'être accusée de provoquer des fausses couches par sa seule image ou d'évoquer un cadavre de la Morgue comme le prétendaient de fins critiques[109]. Pourtant, on peut se demander si la « *Figure de femme, Étude d'après nature* », figurant dans le catalogue de l'exposition impressionniste de

Fig. 35 Pierre-Auguste Renoir, *Alphonsine Fournaise (À la Grenouillère)*, 1879, huile sur toile, 73,5 × 93 cm, Musée d'Orsay, Paris

1877, ne serait pas Marie Chocquet. Elle est mentionnée en effet avant la « *Tête d'homme (Étude)* » (cat. 15), un portrait de Chocquet, dans une liste d'œuvres de Cézanne lui ayant appartenu. Malheureusement, aucune œuvre connue de Cézanne ne peut en être rapprochée avec certitude[110].

Il est certain que Cézanne est resté en contact étroit avec Chocquet jusqu'au décès de celui-ci en 1891, comme en témoignent sa correspondance et la présence dans sa collection du splendide *Mardi gras* de 1888 (fig. 39) et de deux peintures de l'artiste, d'un format très particulier laissant penser qu'ils étaient prévus comme dessus-de-porte : *La Vasque au paon* et *La Barque et les baigneurs* (cat. 27). Ces deux panneaux décoratifs, dont le style suggère une date d'exécution autour de 1890, semblent bien avoir été peints pour la résidence rue Monsigny, peu avant la mort de Chocquet[111]. Le silence que Cézanne observe au moment de la dispersion de la collection de son ancien amateur en 1899 – si ce n'est une allusion aux œuvres de Delacroix qu'elle renfermait et rapportée par Vollard, dont Cézanne faisait alors le portrait –, est peut-être l'expression de son désarroi devant ce qui pouvait lui apparaître comme une lamentable braderie de souvenirs[112]. Cézanne, écrivant à Monet le 1er novembre 1894,

Fig. 36 Paul Cézanne, *Les Pêcheurs – Journée de juillet*, vers 1875, huile sur toile, 54,5 × 81,5 cm, The Metropolitan Museum of Art, New York

évoquait d'ailleurs encore « le regretté Monsieur Chocquet[113] ». John Rewald a également raison d'attirer l'attention sur une petite toile de Cézanne, maintenant au musée Granet, à Aix-en-Provence (dépôt du musée d'Orsay, Paris), intitulée *L'Apothéose de Delacroix* (voir cat. 30, 31, 32 ; fig. 81b, 82), à propos de laquelle le peintre indiqua à Émile Bernard qu'il y avait représenté Chocquet invoquant Delacroix aux côtés de Monet, Pissarro et de lui-même[114]. Le rapprochement des noms de Chocquet et de Cézanne demeure cependant aujourd'hui un des nœuds sensibles de l'histoire de l'art de la fin du XIXe siècle.

Nous en savons bien moins sur les relations entre Chocquet et Berthe Morisot, qui se sont peut-être bornées à leur rencontre lors de l'exposition de 1876. L'œuvre la plus importante de cette artiste dans la Collection Chocquet, *Jeune femme au miroir* (fig. 37), y a peut-être figuré sous le titre *La Toilette* et sans nom de prêteur[115]. Berthe Morisot, belle-sœur de Manet, ne pouvait avoir ignoré par ailleurs que Chocquet avait acheté un Manet important pour 1 150 francs, *Monet peignant dans son atelier* (fig. 33), à la vente posthume de l'atelier Manet en 1884. Chocquet demeure cependant mesuré si on le compare à son contemporain, le musicien Emmanuel Chabrier, dont la femme vient aussi de toucher un héritage, et qui paie, à cette même vente, 5 850 francs (hors frais) pour *Le Bar aux Folies-Bergère* (Londres, Courtauld Institute Galleries). Il n'est pas sûr que Chocquet ait personnellement connu Manet, d'autant que les autres œuvres de Manet de sa collection sont passées par d'autres mains avant lui[116]. Le nom de Chocquet ne semble figurer ni dans la liste de ceux qui assistèrent aux obsèques du peintre en 1883, ni dans celle des convives du banquet organisé à sa mémoire, en février 1885, après la rétrospective posthume de son

Fig. 37 Berthe Morisot, *Jeune femme au miroir,* huile sur toile, 54 × 45 cm, Courtesy galerie Hopkins, Paris

œuvre de 1884[117]. Plus tard, il ne figura pas non plus parmi les souscripteurs rassemblés par Claude Monet pour acheter l'*Olympia* de Manet et l'offrir à l'État en 1890.

Nous restons pareillement dans le domaine des hypothèses en ce qui concerne Sisley. Sisley ayant participé à la vente impressionniste de 1875 et étant un exposant régulier aux manifestations du groupe, il est tout à fait possible que Chocquet lui ait fait des achats directs mais jusqu'ici non documentés. Une seule peinture de Sisley, *La Seine à Billancourt,* 1877 (fig. 38)[118], se retrouve à la vente chez Georges Petit en 1899. Le catalogue de l'exposition du groupe impressionniste de 1877 signale que le n° 221 de Sisley, « *Bords de la Seine. Coup de vent* » « appartient à M. Ch. » : pourrait-il s'agir de Chocquet, ne désirant pas se faire remarquer alors que la liquidation de sa pension de fonctionnaire est en cours d'examen, car Georges Charpentier, amateur bien connu et prêteur à cette exposition, apparaît sous son nom et ce n'est probablement pas non plus Chabrier, qui n'a jamais possédé un tel Sisley. Le paysage de Sisley de la vente Chocquet montre en effet un fleuve aux flots agités[119]. Par ailleurs, une correspondance du printemps 1881 émanant d'un autre célèbre amateur des impressionnistes, Charles Ephrussi (1849-1905), fait état d'un projet d'échange qui implique trois (puis un seul) Sisley, appartenant à Chocquet, contre un Monet, et précise en outre que Chocquet semble ne pas beaucoup tenir à certains de ses Sisley[120].

Le même « M. Ch. » prête aussi en 1877 un Pissarro (n° 172, « *Bords de l'Oise automne* »), qui n'a pas été identifié[121]. Toutefois, cette œuvre ne se retrouve pas à la grande vente de 1899, où ne figure qu'une seule peinture de Pissarro de 1874, *Brouillard*, qui a, elle, été exposée en 1876, à la deuxième exposition impressionniste, comme appartenant à Chocquet[122]. Une ou peut-être deux peintures et un pastel non identifié de Pissarro, « *Intérieur rustique* », dans sa collection ne font certes pas de Chocquet un amateur majeur du peintre. Pissarro l'évoque dans sa correspondance, notamment en 1878, lorsqu'il s'engage à accompagner Eugène Murer, apparemment sans résultat, chez Chocquet pour voir sa collection[123]. Comme, au même moment, Pissarro sert de cicerone au critique italien Diego Martelli, il n'est pas exclus qu'une visite de celui-ci à Chocquet ait été programmée, mais ce n'est qu'une hypothèse. À la même époque, c'est Chocquet qui annonce à Pissarro que Cézanne se prépare à soumettre une œuvre au Salon, faute d'exposition impressionniste[124]. Une indication plus intéressante est la réflexion confiée à son fils Lucien, à l'occasion du vernissage d'une exposition majeure chez Georges Petit, en mai-juin 1887, la sixième *Exposition internationale de peinture et de sculpture,* à laquelle ont été invités les impressionnistes, Monet, Renoir, Sisley et lui-même. Pissarro, en pleine période néo-impressionniste – ce qui déroute amateurs et marchands – y a rencontré son ancien amateur. Ainsi écrit-il : « Quant à M. Chocquet c'est

Fig. 38 Alfred Sisley, *La Seine à Billancourt*, 1877, huile sur toile, 46 × 55 cm, collection particulière

avec exagération qu'il m'a complimenté, il ne peut souffrir cela, je le sens bien, je ne m'en soucie[125]. » C'est un des rares témoignages de l'implication de Chocquet dans la vie artistique parisienne, au cours des années 1880, en dehors des ventes publiques où il a acheté, et c'est aussi une preuve de ce qu'il avait pu voir *Les grandes Baigneuses* ingresques de Renoir (Philadelphie, Philadelphia Museum of Art) qui étaient justement présentées à cette occasion. Mais nous ignorons s'il a rencontré Renoir et Monet à la même occasion.

Claude Monet, comme nous l'avons vu, a rencontré personnellement Chocquet en février 1876. Il lui a immédiatement vendu deux œuvres, à prix doux, ce qu'il consigne dans un carnet : « [1876] 5 février M. Choquet [sic] esquisse automne 100, pastel 20[126]. » Cette esquisse est prêtée nommément par Chocquet à la seconde exposition du groupe impressionniste en 1876, mais il ne semble pas l'avoir conservée[127]. À la belle saison, Monet ne tarda pas à utiliser pour peindre le petit balcon de Chocquet, rue de Rivoli, avec sa vue du Louvre et des Tuileries (fig. 21). Pourtant, aucune des peintures sur ce thème montrées en 1877 ne semble avoir appartenu à Chocquet, alors que Georges de Bellio, Gustave Caillebotte et Ernest May en ont possédé[128]. Peu après, Chocquet, comme nombre de ses contemporains collectionneurs d'impressionnisme, Georges de Bellio, le chanteur Faure, Dollfus, les frères Hecht, le financier Ernest May, Cherfils père ou Duret, a profité de la faillite d'Ernest Hoschedé, qui précipita, en vente publique, sur un marché immature une importante collection d'œuvres de Manet et des impressionnistes le 6 juin 1878. Les prix dérisoires lui avaient permis d'acquérir deux toiles de Monet, *Jeunes filles dans un massif de dahlias*, 1875 (fig. 40), et *Sous-Bois, automne*, 1877 (coll. part.), deux œuvres qu'il conservera toute sa vie. Une référence précieuse est fournie par le catalogue de l'exposition *Claude Monet – A. Rodin*, qui eut lieu à Paris, chez Georges Petit en 1889, et où Chocquet prêta cinq peintures : n° 3 « *Étude de mer* », 1866, n° 35 « *Sous-bois, automne* », 1877, n° 42 « *Prairie à Vétheuil* », 1879, n° 53 « *Maisons de pêcheurs au Petit-Ailly* », 1882, n° 72 « *Les Meules* », 1885[129]. Les deux dernières, également les plus récentes, venaient d'être acquises à l'Hôtel Drouot, à la vente Charles Leroux, les 27 et 28 février 1888, moyennant 2 050 et 1 520 francs, indubitablement les prix les plus élevés connus payés par Chocquet, qui ne peuvent être comparés qu'aux 1 150 francs du Manet, *Monet peignant dans son atelier* (fig. 33) de la vente de l'atelier Manet en 1884. Ces achats sont la preuve de ce que, loin d'avoir cessé d'acheter après 1882, lorsqu'il devint plus aisé, Chocquet se permettait au contraire quelques dépenses inenvisageables auparavant. Nous avons d'ailleurs un témoignage fort intéressant de Théodore Duret à propos de la vente Leroux. Le critique, qui connaissait bien Chocquet, écrivit en effet à Monet : « La vente Leroux a très bien marché ! C'est à Mr Choquet [sic] que vous devez cela. [...] Il est allé trouver l'expert et lui a dit de ne laisser tomber aucun des huit tableaux au dessous de mille francs et d'en acheter deux pour lui, sans réserve. C'est comme cela que les prix ont été soutenus. Nos bons amis les marchands avaient constitué, entre eux, un petit syndicat et ne pensaient nullement que les prix iraient aussi haut[130]. » En agissant ainsi, Chocquet soutenait certes la cote de Monet, comme le souligne Duret, mais confortait aussi la valeur marchande des tableaux qu'il possédait déjà, raisonnement qui suggère une connaissance avertie du marché.

En dernier lieu, il faut dire un mot d'un grand absent, Edgar Degas. Pas une œuvre de lui, même mineure, dans la Collection Chocquet. Ce n'est pas un hasard et dénote un choix de la part de Chocquet qu'on ne peut mettre uniquement au compte, même si cela a pu jouer, des prix élevés de Degas qui vendait principalement par l'intermédiaire de marchands. Cette exclusion est-elle due aux sujets ? Chocquet fut-il brusqué par Degas, qui savait être cinglant ? Le mystère reste entier, mais on peut noter que parmi les premières œuvres de Cézanne achetées par Degas figure le *Portrait de Victor Chocquet* (cat. 16) ; le 6 mars 1896, Vollard consigne en effet : « Doit Monsieur Degas artiste 1 toile de Cézanne portrait de Choquet [sic] (107) 150 F[131]. » Ainsi Degas s'est-il confronté au regard intense de l'amateur disparu, bien avant la vente de 1899, où il allait se montrer un acheteur enthousiaste.

Chocquet et ses contemporains amateurs d'impressionnisme

Il n'existe que peu de documents concernant les rapports de Chocquet avec ses contemporains amateurs d'impressionnisme. Il connaissait bien sûr Duret, ainsi que Charles Ephrussi, comme nous l'avons vu. Nous avons connaissance de l'échange pratiqué avec le comte Doria, qui lui assura la possession de *La Maison du pendu, Auvers-sur-Oise* (fig. 56) de Cézanne, tableau historique de la première exposition impressionniste de 1874, contre *Neige fondante à Fontainebleau* (cat. 22). Cet échange semble surtout la conséquence des démarches de Chocquet pour faire accepter un tableau de Cézanne à l'*Exposition centennale de l'art français (1789-1889)*[132]. John Rewald s'est spécialement intéressé à Georges

Fig. 39 Paul Cézanne, *Mardi gras*, 1888, huile sur toile, 102 × 81 cm, Musée d'État des beaux-arts Pouchkine, Moscou

Fig. 40 Claude Monet, *Jeunes filles dans un massif de dahlias*, 1878, huile sur toile, 54,5 × 65,5 cm, Národní galerie v Praze, Prague

de Bellio[133] ; ce dernier, qui acheta en effet aux mêmes ventes que Chocquet, a possédé une des vues des Tuileries exécutées par Monet depuis l'appartement de la rue de Rivoli et semble avoir acquis un autoportrait de Renoir par l'intermédiaire de Chocquet, qu'il connaissait donc très probablement. Du fait, enfin, que Chocquet possédait deux aquarelles d'Henri Rouart[134], on peut déduire que les deux hommes entretenaient des rapports amicaux noués à l'occasion des expositions du groupe impressionniste. A-t-il pareillement possédé un Caillebotte ? Aucun n'est présent à la vente chez Petit de 1899, mais une œuvre non signée aurait-elle pu être reléguée à la « petite vente » de l'Hôtel Drouot ? Ce n'est pas impossible[135].

Chocquet ne figure pas, contrairement à plusieurs des amateurs des impressionnistes cités en 1878 par Théodore Duret, dans les livres de Durand-Ruel et, tout en entretenant de bonnes relations avec le marchand, ne lui a probablement jamais rien acheté[136]. Les documents manquant pour les autres marchands contemporains, nous ne pouvons que supposer qu'il s'en tint principalement, pour ses achats, à l'hôtel des ventes et aux artistes.

Chocquet n'étalait pas ses collections avec ostentation, mais il ne semble pas non plus avoir évité les visiteurs, surtout ceux qui partageaient son intérêt pour Delacroix ou les impressionnistes. Un familier de Zola et de Cézanne, Paul Alexis – « Trublot » en journalisme –, lorsqu'il décrit la collection de Murer dans *Le Cri du peuple* le 21 octobre 1887, précise dans son pseudo argot : « C'te collection peut faire la pige avec celle de l'historien et critique d'art Théodore Duret, du père Chocquet, d'M. Doria, un descendant des doges d'Gênes, rien qu'çà, et du comte d'Bellio, gentilhomme bulgare [sic] », preuve de ce qu'il connaissait Chocquet et savait le situer dans les cercles de collectionneurs contemporains[137]. Un autre visiteur est reçu par Chocquet, le 23 mars 1889, c'est le marchand américain George A. Lucas, qui le note dans son journal[138]. L'amateur de Cézanne et de Renoir pouvait, en revanche, être cinglant devant un invité indélicat. L'anecdote concernant le romancier et dramaturge Alexandre Dumas fils – venu prétendument chez Chocquet pour voir ses tableaux mais souhaitant seulement augmenter sa propre collection de Tassaert en achetant ceux de Chocquet – est révélatrice : Chocquet le mit à la porte[139] ! Ceci nous amène d'ailleurs à évoquer la présence, au premier abord incongrue, d'œuvres majeures d'Octave Tassaert (1800-1874) chez Chocquet. Tassaert, protégé du grand Alfred Bruyas de Montpellier, le mécène de Courbet, et dont la peinture sensuelle et les sujets lacrymogènes (ou grivois) était encore hautement prisée autour de 1900, avant de passer de mode, n'a pas encore reconquis l'intérêt du public, qu'elle mérite pour sa technique séduisante. Même les tableaux importants de la vente Chocquet échappent à nos recherches. Tassaert, un marginal, qui ne dut sa subsistance, à la fin de sa vie, qu'à la sollicitude du marchand Martin et d'amateurs charitables (dont Dumas fils), finit par se suicider. Ce drame attira l'attention sur lui, et Durand-Ruel exposa un groupe de ses œuvres en 1878. Sans preuves formelles[140], nous pensons que Chocquet le connut personnellement et put acheter des œuvres importantes à une époque où elles ne coûtaient pas cher. Si l'on songe que des amateurs d'impressionnisme de la première heure, le comte Armand Doria, le chanteur Faure, Henri Rouart, Nicolas Hazard et Paul Gallimard appréciaient le pinceau facile et coloré du peintre, on ne s'étonne plus de le retrouver aussi chez Chocquet.

Les ventes après le décès de Madame Veuve Chocquet, les 1er, 3, 4 et 5 juillet 1899

Pissarro, qui ne semble pas avoir réagi immédiatement à la mort de Chocquet (dont il n'a peut-être rien su sur le moment), est en revanche averti très tôt de la vente de feu Madame Vve Chocquet et annonce à son fils le 1er juin : « Grand événement artistique en perspective : le père Chocquet étant décédé ainsi que sa veuve, sa collection va se disperser aux enchères il y a trente trois Cézanne de premier ordre, des Monet, des Renoir, et une seule chose de moi. Les Cézanne vont se vendre très cher, ils sont déjà cotés dans les quatre à cinq mille francs[141]. » L'estimation des Cézanne se fondait probablement sur le prix conséquent payé quelques semaines auparavant à la vente du comte Doria, les 4, 5, 8 et 9 mai 1899 pour la *Neige fondante à Fontainebleau* (cat. 22) acquise 6 750 francs par Georges Petit pour Claude Monet. Mais le journaliste du *New York Herald*, qui déclare avoir connu Chocquet et rédige un des articles les plus circonstanciés sur la vente, met en garde contre la surestimation de l'ensemble de la collection[142]. Les Cézanne, effectivement, ne se vendront pas aussi cher (sauf deux). Mais Pissarro aura la satisfaction de voir son *Brouillard* vendu 1 000 francs, et acquis par Durand-Ruel, qui a sans doute poussé les enchères pour atteindre ce chiffre symbolique.

Les notaires, pressés de régler la succession (autant sans doute que les héritiers), insistèrent probablement pour faire la vente au plus vite. Pas moins de trois commissaires-priseurs officiaient à cette vente, Maîtres Paul Aulard, Paul Chevallier, Lucien Brière (responsable initial avec Lasquin de l'inventaire de la rue Monsigny après le décès de Madame Vve Chocquet, comme nous l'avons vu), assistés des experts Georges Petit et Mannheim (Lasquin, qui était aussi intervenu à l'inventaire, ne figure plus au catalogue et on a même oublié de payer ses honoraires au moment du règlement des comptes de la succession[143] !). L'administrateur judiciaire, Marcellier, avait lui-même souhaité que la vente ait lieu à la galerie Petit, lieu de ventes de prestige, d'où probablement l'intervention du plus célèbre des commissaires-priseurs du temps, Maître Chevallier (1852-1907), qui tint le marteau de beaucoup de ventes retentissantes à partir de 1881. Mais il avait aussi suggéré Maître Aulard, plus jeune dans le métier, pour l'associer à une opération qui promettait d'être lucrative. Georges Petit (1856-1920) lui-même agit en tant qu'expert, ce qui était justifié par son intérêt, comme marchand, pour Monet, Sisley et les impressionnistes en rivalité avec Durand-Ruel et les frères Bernheim Jeune. Charles Léon Mannheim (1833-1910), qui allait être décoré de la Légion d'honneur en décembre 1900 et lui-même fils d'un expert célèbre, était alors un des experts en objets d'art les plus en vue de la place parisienne, renommé pour son érudition et entretenant de bons rapports avec les musées parisiens. Tout fut donc mis en œuvre pour que la vente, bien que tard dans la saison, soit un succès : large publicité, relayée par la presse quotidienne et spécialisée, luxueux catalogue (avec un résumé sous forme de liste imprimée), deux jours d'exposition, les 29 et 30 juin[144].

En dehors de la presse, nous disposons d'un témoignage particulièrement vif et attachant grâce au journal intime de la jeune Julie Manet, fille de Berthe Morisot et nièce d'Édouard

Manet[145]. Elle visite l'exposition avant la vente, à deux reprises, évoquant avec admiration cette collection « dont j'avais toujours entendu parler mais qu'on ne voyait pas depuis la mort de ce père Choquet [sic][146] ». Elle y rencontre Renoir, Monet, Pissarro, qui ont donc revu leurs œuvres avant la dispersion. Elle y voit aussi Duret (le préfacier du catalogue), le peintre et collectionneur Jacques Émile Blanche et le marchand Alphonse Portier, jadis gérant de la quatrième exposition du groupe impressionniste, qui, dans l'ombre de Durand-Ruel, avait cependant rendu grand service aux artistes et assisté les plus grands amateurs. Le plus amusant est son compte rendu de la vente, le samedi 1er puis le lundi 3 juillet. Elle charge Vollard, le jour de la première vacation, d'enchérir pour elle sur une petite esquisse de Delacroix (n° 64, « *Esquisse, d'après une gravure de Rubens* », fig. 42), qu'elle paiera 460 francs (plus les frais), alors qu'elle s'était fixé le prix de 100 francs. Elle apprécie que la peinture la plus importante de sa mère (fig. 37) dépasse les 10 000 francs en s'étonnant que les Manet montent relativement peu comme les Delacroix. « Les Renoir montent bien […], les Monet aussi, les Cézanne grâce à Vollard[147] ». Mais le moment le plus mémorable est celui où, après la vente, elle retrouve Degas (fig. 41), qui a acheté un

Fig. 41 Edgar Degas, autoportrait dans sa bibliothèque, vers 1895, photographie Edgar Degas, Musée d'Orsay, Paris

Fig. 42 Eugène Delacroix, *Entrée de Ferdinand d'Autriche à Anvers*, d'après Rubens, après 1846, huile sur papier, marouflé sur toile, 23 × 25 cm, collection particulière

des Delacroix les plus chers, catalogué à tort comme « *Le Roi Jean à la bataille de Poitiers* », mais que Julie désigne bien comme l'esquisse de *La Bataille de Nancy* (fig. 43), ainsi que deux projets de décoration. Il est fort probable que le plaisir de cette rencontre vient en partie de sa conversation avec le jeune Ernest Rouart qui accompagne Degas : Ernest et Julie tombent d'accord sur la beauté du portrait de Chocquet par Renoir ; c'est un premier terrain d'entente pour ces jeunes gens, tous deux peintres, qui se sont souvent rencontrés dans des expositions. Ils se marieront moins d'un an plus tard, le 29 mai 1900. Et Julie de poursuivre : « M. Degas […] regrette d'avoir manqué le portrait de Choquet le "portrait d'un fou par un fou", dit-il, il l'aime énormément. Durand-Ruel ne l'a acheté que 3 500 F ; mais M. Degas craint que Camondo ne le prenne[148]. » Bien que ce mot ait été mis en relation avec un portrait de Chocquet par Cézanne, il s'agit sans aucun doute du portrait par Renoir de la Collection Oskar Reinhart (voir la contribution de Mariantonia Reinhard-Felice, p. 25-30).

La vente Petit ne comptait, semble-t-il, aucun portrait par Cézanne, ceux-ci ayant été relégués parmi les tableaux secondaires vendus à l'Hôtel Drouot[149]. Le lundi suivant, jour de la vente des aquarelles, pastels et dessins, aux côtés de Degas, Julie regarde surtout Ernest Rouart mais observe aussi : « Rien de plus comique à la vente Choquet [sic] que les héritiers, des gens des Halles qui paraissaient ne pas savoir marcher sur un tapis, assis sur un banc à marquer les prix de chaque chose de crainte d'être frustrés[150]. » Le samedi suivant, Julie va dîner à Saint-Cloud ; les convives sont Renoir, le critique Teodor de Wyzewa et sa femme, le peintre Léon Fauché et sa femme, et Vollard : « On rit beaucoup quand il [Vollard] raconte qu'il a acheté à la vente Choquet l'armoire de la reine Christine et que, lorsqu'il ouvre la porte, il lui semble entendre le frôlement des robes de soie de la reine[151]. »

Bien orchestrée, la vente Chocquet est certainement une réussite, malgré la chaleur qui chasse les Parisiens de la capitale, et le contexte social et politique profondément troublé : un Président de la République agressé en public, une crise ministérielle prolongée, l'agitation nationaliste avec la tournée triomphale du commandant Jean-Baptiste Marchand, au retour d'Afrique, où il a défendu à Fachoda le drapeau français contre l'impérialisme anglais mais, surtout, le retour du bagne du capitaine Alfred Dreyfus pour son

Fig. 43 Eugène Delacroix, *La Bataille de Nancy, esquisse*, 1828-1829, huile sur toile, 47 × 68 cm, Ny Carlsberg Glyptotek, Copenhague

Fig. 44 Le Comte Isaac de Camondo (deuxième à partir de la gauche) avec des amis musiciens dans son appartement à la rue Gluck, devant ses tableaux de Degas, aujourd'hui au Musée d'Orsay, photographie anonyme, vers 1903, Les Arts décoratifs, Paris, Archives du Musée Nissim de Camondo (inv. AMNC 1148-728)

procès en révision à Rennes, un des moments clé de l'Affaire Dreyfus. Mêlée à cette actualité sombre, la vente est cependant quotidiennement suivie par la presse qui en rapporte les résultats (prix au marteau) : 297 860 francs pour la première vacation comprenant les peintures ; 29 796 francs pour les œuvres sur papier, ainsi que 55 419 francs pour la porcelaine de Sèvres, le second jour de vente ; 99 418 francs, enfin, pour les objets d'art et le mobilier, le dernier jour, ce qui porte à 452 635 francs le total de la vente chez Petit[152]. Le prix le plus élevé de la vente est atteint par le Renoir, *Alphonsine Fournaise (À la Grenouillère)* (fig. 35), à 20 000 francs, suivi par *Le Bal du Moulin de la Galette* (fig. 29) à 10 500 francs, tous deux achetés par Bernheim Jeune. Le Manet le plus cher est *La Rue Mosnier aux paveurs* (fig. 46) à 13 500 francs (à Bernheim Jeune), le Monet le plus cher est *Au Petit-Gennevilliers* (n° 77, « *Argenteuil* ») à 11 500 francs (à M. d'Hauterive). Le collectionneur rouennais François Depeaux fait monter à 10 100 francs un Berthe Morisot. Et même avec Sisley, récemment décédé, à 6 000 francs (acquis par Georges Petit devenu le marchand du peintre à la fin de sa carrière) ou Pissarro, à 1 000 francs (adjugé à Durand-Ruel), l'impressionnisme montre des prix soutenus. En revanche, le Delacroix le plus cher, *Le Naufrage* (cat. 2), certes une marine de petite taille, reste abordable à 9 500 francs. Ce qui surprend davantage le public ce sont les prix obtenus par Cézanne, avec notamment les 6 200 francs de *La Maison du Pendu, Auvers-sur-Oise* (fig. 56). Des prix similaires pour tous ces peintres ont été pareillement atteints à des ventes parisiennes récentes, celle de la succession de Victor Desfossés, le 26 avril 1899, celle de Doria, le 4 mai 1899, celle d'A. Dachery, le 30 mai 1899[153], et même la vente organisée par Claude Monet au profit des enfants de feu Sisley, le 1er mai 1899. Une comparaison avec la vente de la collection du musicien Emmanuel Chabrier, dispersée après son décès, le 26 mars 1896, à Paris à l'Hôtel Drouot, souligne cette montée des prix : en dehors du *Bar aux Folies-Bergère* de Manet (Londres, Courtauld Institute, Galleries) à 23 000 francs, le Monet le plus cher coûtait alors 3 600 francs, Sisley, 1 850 francs et seul un « *Nu* » de Renoir atteignait 8 000 francs. À l'occasion de la vente Chocquet, un journaliste du très sérieux *Journal des Débats* soulignait à juste titre cette accélération des prix depuis deux ans, parallèle à la reconnaissance du mouvement par le public et l'ouverture de la salle contenant le legs Caillebotte au musée du Luxembourg en 1897[154]. Pour donner une idée de ces sommes, nous suggérons, plutôt que de leur appliquer une conversion

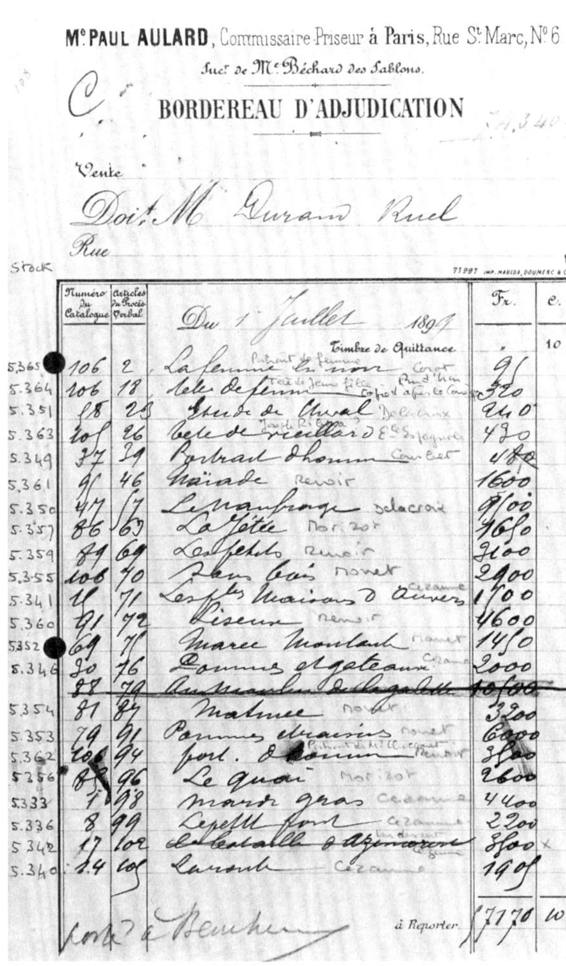

Fig. 45 Bordereau d'adjudication délivré à Durand-Ruel pour ses acquisitions lors de la vente Chocquet à la galerie Georges Petit, Paris, 1899, document disparu

Fig. 46 Édouard Manet, *La Rue Mosnier aux paveurs*, également intitulé *Les Paveurs de la rue de Berne*, 1878, 63 × 79 cm, collection particulière

selon les barèmes financiers, de leur comparer des prix courants : alors qu'en 1899, 90 % des salaires annuels des fonctionnaires français sont inférieurs à 3 000 francs, l'immeuble de la rue Monsigny ayant appartenu aux Chocquet est revendu 140 000 francs en octobre 1899 ; un vélo « de luxe » coûte 375 francs, un complet d'homme en confection, 35 francs. En 1897, dans une lettre à son ami Daniel de Monfreid, le peintre Paul Gauguin se plaint de ne gagner que 2 500 francs par an alors que Maurice Denis en gagnerait 10 000 francs.

Grâce au procès-verbal de la vente Petit, nous avons une idée précise des acheteurs. Un tableau en annexe rappelle leurs achats, et une liste en forme d'annuaire précise brièvement leur personnalité. Nous nous bornerons donc ici à quelques remarques. Précisons tout de suite que, même dans les lieux mondains que sont les galeries de Georges Petit, les marchands parisiens représentent une écrasante majorité des adjudicataires, environ 80 % des achats de peintures et presque la même proportion pour les œuvres graphiques, où les amateurs sont un peu plus nombreux. Durand-Ruel, Bernheim Jeune, Petit, Vollard, Haro, Rosenberg, Montaignac et d'autres courtiers moins connus sont présents. Si Louis Haro se cantonne dans sa spécialité familiale – à savoir Delacroix –, les autres marchands se définissent clairement comme spécialistes d'impressionnisme. Durand-Ruel, le doyen incontesté, et Bernheim Jeune sont, de loin, les plus gros enchérisseurs. Leur rivalité, depuis une dizaine d'années, ne les empêche pas de s'allier en faisant des achats en compte et demi, notamment pour les Renoir. Il faut noter aussi que les deux marchands emportent les plus importants Cézanne, tandis que Vollard, son marchand, se contente d'achats plus modestes, tout en ayant fait monter les prix, comme le notait Julie Manet. Vollard a en effet la possibilité d'acheter directement à l'artiste, à meilleur compte, et a certainement moins d'argent disponible pour payer comptant. Jusqu'à la vente Chocquet, une toile de Cézanne coûte entre 1 000 et 2 000 francs chez Vollard, selon ses livres de comptes. À l'occasion de la vente Chocquet, l'émulation des marchands établit définitivement la cote de Cézanne sur le marché.

Même minoritaires, les amateurs jouent un rôle non négligeable. Degas (fig. 41) tout d'abord, un acheteur important (cat. 6, 7), regardant chaque chose de près avec sa loupe comme le remarque Julie Manet, amusée ; en vrai habitué des enchères, il tint bon, avec son ami Alexis Rouart, jusqu'à la fin de la vente des dessins, réussissant même à obtenir, in extremis, une aquarelle pour Mademoiselle Baudot, qui figure dans sa liste de fiancées possibles[155] ! Mademoiselle Courbet, qui rachète une petite toile de jeunesse de son frère, l'avoué des artistes Paul-Arthur Chéramy, leur dentiste, Georges Viau, le baron de Saint Joaquim, Raymond Koechlin, futur donateur du Louvre, François Depeaux, donateur du musée de Rouen, les frères Henri et Alexis Rouart, amis de Degas, sont des amateurs connus qui achètent à la salle des ventes et chez les marchands. En revanche, des amateurs, que le journaliste du *New York Herald* a repérés dans la salle, Étienne Moreau-Nélaton, Paul Gallimard, Maurice Leclanché, Théodore Duret, Antonin Proust n'achètent rien[156].

Si nous reprenons plus précisément le cas de Cézanne, rappelons le comte Isaac de Camondo (fig. 44) : identifié dans l'assistance par la presse[157], il n'enchérit pas lui-même, chargeant Durand-Ruel de faire adjuger pour lui l'historique *Maison du pendu, Auvers-sur-Oise* (fig. 56) à un prix record. Ce n'est pas le premier Cézanne qu'il achète, ayant déjà acquis chez Vollard d'admirables aquarelles en décembre 1895[158]. Mais Camondo, dont la collection est déjà importante et qui a fait connaître ses intentions généreuses à l'égard des musées français[159], acquiert là un des fleurons de sa collection qui, léguée à l'État français, fera entrer Cézanne au Louvre à la veille de la Première Guerre mondiale. Il achète aussi, par l'intermédiaire de Petit, la *Branche de pivoines et sécateur* de Manet, et un pastel de Delacroix, *La Nuit* (fig. 55), passés aussi dans les collections nationales françaises.

Le marchand amateur Eugène Blot a également acheté une œuvre de Cézanne chez Vollard, dès 1895, comme le conseiller d'État, Olivier Sainsère, en 1897. Georges Viau, un habitué des salles de ventes et des ateliers d'artistes, spéculateur, mais dont la collection embrasse toute la production contemporaine, a aussi acheté un Cézanne chez Vollard en 1895[160]. Thadée Natanson, le directeur de la *Revue blanche*, ami de toutes les avant-gardes, auteur d'un article élogieux sur Cézanne au moment de l'exposition chez Vollard en 1895, fait monter, à la vente Chocquet, un paysage à plus de 2 000 francs. Enfin se remarque un achat modeste, « *Une ferme, à Auvers* » (fig. 64), en réalité une vue du verger à Hattenville (750 francs)[161], fait par l'industriel Auguste Pellerin. Cet amateur, client de Durand-Ruel et Bernheim Jeune depuis 1897-1898, après avoir successivement amassé et revendu des Corot et des Manet, avait acheté chez Vollard quatre Cézanne en 1898 et devait devenir un des plus importants collectionneurs du peintre[162]. D'une certaine manière, ces amateurs font de bonnes affaires par rapport aux prix déjà pratiqués par Vollard, mais – signe des temps – les pièces importantes leur échappent déjà, au bénéfice des marchands.

La vente posthume de Madame Chocquet clôt la remarquable histoire d'une collection et d'un collectionneur exceptionnels, « le plus grand collectionneur français depuis les rois, peut-être du monde depuis les papes », selon Renoir[163]. Il a souvent été regretté que Chocquet n'ait prévu aucune donation en faveur d'un musée, mais sans doute était-il trop tôt. Il suffit de rappeler les difficultés de Monet pour imposer l'*Olympia* de Manet en 1890, ou, plus connues encore, les tergiversations de l'État à accepter le legs Caillebotte en 1894. Edgar Degas, que nous avons vu acheter les dépouilles de Chocquet, ne décide rien, se méfiant des musées, et la dispersion de ses trésors fera à son tour l'objet d'une grande vente posthume, à Paris, en 1918. En revanche, Étienne Moreau-Nélaton prépare une des plus belles donations que le musée ait connues, effectuée en 1906, et Isaac de Camondo léguera sa collection au Louvre en 1911. Auguste Pellerin (et ses héritiers), Raymond Koechlin enrichiront aussi les collections de ce qui est aujourd'hui le musée d'Orsay. La vente Chocquet ouvre donc, alors que finit le XIXe siècle, un nouveau chapitre brillant de l'histoire des collections jusqu'à l'aube de la guerre de 1914.

1 Renoir 1962, p. 187 ; Renoir 1981, p. 207

2 Duret 1878, p. 8-9

3 *Ibid, p. 9.* Didier J. Gaufreteau nous a signalé qu'il existait bien un Eugène d'Auriac (Toulouse, 1815–Le Vésinet, 1891), historien, journaliste au *Siècle* comme Duret, conservateur à la Bibliothèque nationale. En revanche, il n'a pas été possible de déterminer s'il avait acheté des peintures impressionnistes ; nous continuerons donc de considérer ce « d'Auriac » comme un lapsus désignant Doria, qui mérite en tout point de figurer à ce palmarès.

4 Plusieurs des amateurs nommés par Duret ont été portraiturés vers 1875 par le graveur Marcellin Desboutin et certaines de ces planches ont été exposées à l'exposition du groupe en 1876, mais il est à noter que Chocquet n'y figure pas – une preuve, peut-être, de son arrivée légèrement plus tardive, après 1875, dans ce cercle.

5 Dewhurst 1904, p. 110, rapporte une conversation avec Monet peu avant la vente de la succession Chocquet en 1899 ; Monet évoque aussi Chocquet « seul amateur vraiment sincère et désintéressé, [...] ami véritable des peintres et de la peinture » pour Vauxcelles 1905, p. 87 ; voir aussi Fels 1925a, p. 16, Fels 1925b, p. 15, et Kessler 2004, p. 647-648 (28/11/1903).

6 Vollard 1919, p. 75-78 ; certains éléments figurent déjà dans Vollard 1914, p. 44-45, 50, 51, 104 et chez Rivière 1921, p. 36-42. Voir à ce propos une lettre inédite de G. Rivière à Renoir du 30 avril 1913, où il écrit : « Je continue à construire mon bouquin. J'ai fait un croquis de M. Chocquet. Il m'a semblé qu'il y avait une figure originale à mettre en place dans un livre de souvenirs sur une époque où il tint son rôle, un rôle charmant » (*Heritage Signature auction 5157, The Unknown Renoir,* New York, 19 septembre 2013, n° 89053). Renoir devait souvent parler de Chocquet, car Maurice Denis l'évoque lors d'une de ses visites à Renoir à Cagnes-sur-Mer, en février 1906 (Denis 1957, t. II, p. 34-35), puis René Gimpel, en mars 1918 (Gimpel 1963, p. 28) ainsi que Jean Renoir (Renoir 1981, p. 178, 207-209, 251).

7 Joëts 1935 ; Rewald 1969. Cet essai a été repris dans Rewald 1985 avec quelques adjonctions, notamment la référence au *Journal* de Julie Manet. Il faut citer aussi Perruchot 1956, présentation rapide mais avec bibliographie antérieure, et Cabanne 1961, compilation sans références, mais ajoutant quelques détails biographiques malheureusement souvent inexacts.

8 Zola 1886, p. 278

9 *Ibid.* p. 332

10 Sur les inventaires après le décès de Mme Vve Chocquet voir Rouen, Archives départementales de Seine-Maritime, minutes de Me Lefrançois, notaire à Yvetot, 2E 104/303 à 306 (abrégé par la suite Rouen/Me Lefrançois) et Archives notariales de Me Perinne, notaire à Paris, minutes de Me Huguenot (abrégé par la suite Me Perinne/Me Huguenot), 20 avril 1899. Billet non daté [après 1881] de Renoir à Chocquet, voir Joëts 1935, p. 121.

11 Voir Zola 1987, p. 241-246. Dans les premières ébauches du roman, « M. Hue » paraît s'appeler « M. Laurent » (Paris, Bibliothèque nationale de France, Ms nouv. acq. fr. 10316, fol. 142) ; est-ce que Zola a changé le nom pour éviter le rapprochement avec Laurent-Richard, très célèbre collectionneur contemporain, décédé en mars 1886 ? Charles Désiré Hue est un peintre et lithographe aux dates incertaines, entre 1830-1880, mais qui a reproduit des œuvres de Delacroix, ce qui a peut-être guidé Zola dans le choix du nom. Sur Chocquet et « M. Hue », voir Rewald 1936, p. 131.

12 Les registres d'état civil, mis en ligne par les Archives départementales du Nord, sont, avec les annuaires contemporains, la principale source d'information sur la famille d'Adrien Joseph Chocquet, généralement appelé Chocquet Vantroyen, en associant le nom de son épouse, décédée à 49 ans, le 29 décembre 1836. De plus, Valérie Chocquet, descendante d'un oncle de Victor Chocquet, qui m'a très généreusement communiqué un imposant arbre généalogique, m'a aussi guidée dans les souvenirs de sa famille. Qu'elle en soit ici chaleureusement remerciée. Adrien Joseph Chocquet est mort à 74 ans, le 23 octobre 1851, au 27 de la rue Jean-Jacques Rousseau, où a dû aussi naître Victor Chocquet, bien que le numéro de l'immeuble ne soit pas mentionné dans son acte de naissance. La famille possédait en outre les nos 14, 19 et 25 de la rue, immeubles du Vieux-Lille apparemment peu modifiés depuis le XIXe siècle. Chocquet père ne compte pas cependant au nombre des grands de l'industrie textile de Lille (voir *Guide du visiteur, Au vrai fil lillois : la filterie en images,* exposition, Lille, Bibliothèque municipale de Lille, Médiathèque Jean Lévy, 15-22 septembre 2012 (www.bm-lille.fr/sur-place/expositions). Nous avons été intriguée par le détail de la signature de Chocquet père sur les actes d'état civil, accompagnée de deux traits parallèles enserrant deux ou trois points ; une consultation du site www.histoire-genealogie.com suggère qu'il pourrait s'agir d'un signe d'affiliation à la franc-maçonnerie.

13 Son plus jeune frère Ernest, né le 13 avril 1825, sera aussi fonctionnaire, employé des contributions indirectes, comme le précise l'acte de décès de Chocquet père, le 23 octobre 1861. Un frère plus âgé, Edmond Chocquet (1819-1896), négociant pour l'état civil, mais, selon Pierre Cabanne (Cabanne 1961, p. 63), « chef de bureau au ministère de l'Intérieur, a légué au musée de Lille une collection de pendules et de montres ». François Becuwe, que je remercie vivement, a confirmé la présence au musée d'un legs Chocquet comprenant un petit cartel Louis XVI, un cadran équatorial, une pendule de style Empire et de quatre montres des XVIIIe et XIXe siècles qui doivent provenir d'Edmond Chocquet, bien qu'une confusion se soit glissée au profit d'un presque homonyme Victor Choquet (1822-1893), rentier et homme de lettres, d'ailleurs parent éloigné des Chocquet selon l'arbre généalogique de Valérie Chocquet, et auteur d'un legs à la ville de Lille, sans pendules et refusé.

14 Savigny-le-Temple, Centre des Archives économiques et financières, registre d'états de services. Je remercie Françoise Pareja qui m'a communiqué ce document déjà exploité par Perruchot 1964, p. 103-105 et dans un article anonyme de l'ATSCAT 1979, p. 11-13, rappelant que l'administration des finances a honoré son ancien employé en créant un prix artistique portant son nom. Didier G. Gaufreteau m'a signalé en outre que les éditions successives de l'*Annuaire des Douanes* précisent que d'abord employé au service des « Colonies et entrepôts » (1re division, 2e bureau), Chocquet passe ensuite, en 1868, au « Service des retraites et cautionnements pour tous les agents des douanes et des contributions indirectes et correspondance y relative » (2e division, 3e bureau), où il œuvre jusqu'à la retraite.

15 L'état civil reconstitué de Paris (en ligne) donne la date du mariage ; le contrat de mariage des époux, le 19 juin 1857 établi par Me Bazin est conservé aux Archives nationales, minutier central, MC/ET/LXIX/1139. Sur l'histoire de la famille voir : Archives nationales, minutier central, donation par M. Buisson à sa fille mineure et liquidation des reprises de Mme Buisson contre son mari devant Me Lefer, MC/ET/XCVIII/1028. Un article dans *Clichy Mag* (Capdet 2011, en ligne) évoque la famille et les déboires d'Alexandre Eugène Charles Buisson, qui s'intéressait aux courses de chevaux et aurait notamment perdu de l'argent dans la construction d'un pont suspendu, sans citer de sources. Parmi les créanciers de Buisson, nous avons aussi noté le nom de Ganneron, député de la Seine entre 1830 et 1847, fondateur d'une banque qui ne résista pas à la Révolution de 1848.

16 Lettre de Chocquet à sa famille (octobre 1865) citée par Rewald 1969, p. 38 et p. 93 note 15. C'est d'ailleurs Victor Chocquet qui vient déclarer le décès de son beau-père à la mairie du 9e arrondissement de Paris. M. Buisson vivait alors avec sa mère, 8 rue Rochechouart (Archives de Paris, état civil en ligne). Comme nous n'avons retrouvé à Paris aucune déclaration de succession le concernant, on peut présumer que M. Buisson était dépourvu de biens au moment de son décès, mais il n'est pas exclu que des déclarations aient été faites en province.

17 Ces immeubles situés 14, 19, 25, 27 rue Jean-Jacques Rousseau étaient en indivision entre les enfants survivants d'Adrien-Joseph Chocquet ; Victor Chocquet a contribué à leur entretien pour « une reconstruction partielle » à hauteur du quart de 60 000 francs, somme mentionnée lors de sa succession en 1891 (Archives de Paris, déclaration de mutation par décès de Victor Chocquet, 25 novembre 1891, n° 1219). Rewald 1969, p. 34 (Rewald 1985, p. 122) cite la somme de 1 000 francs comme revenu annuel tiré de ces propriétés, mais nous n'en avons pas retrouvé la source. En revanche, nous devons à l'obligeance de Valérie Chocquet et de M. Lutun, descendant du

Dr Chocquet, cousin de Victor Chocquet, d'avoir pris connaissance d'une lettre d'Éléonore Chocquet à son frère Edmond, le 21 juin 1877, annonçant la liquidation de la retraite de leur frère Victor et déplorant la difficulté de recouvrer les loyers des immeubles de Lille.

18 Archives de Paris, D1P4, calepins cadastraux, 1862, rue de Rivoli, consigne la présence de Chocquet et décrit les lieux ; le loyer passe de 960 francs annuels à 1 200 francs. Victor Chocquet a pour adresse le 204 rue de Rivoli au moment de son mariage, mais nous n'avons pas de renseignements sur cette résidence.

19 Pour la naissance de Sophie (prénom aussi de sa grand-mère paternelle), voir archives de Paris, état civil et acte de baptême D6J 3633/n° 337 : son parrain est Jules Varé, 53 boulevard Saint-Martin ; Varé étant le nom d'un beau-frère de Victor Chocquet, il est possible que Jules Varé soit son neveu. Ce dernier est déclaré comme employé de commerce et habite un logement d'une seule pièce (Archives de Paris, D1P4 1036, bd Saint-Martin 1852/1862) ; sa marraine, Armande Buisson, mère de Mme Chocquet, habite alors 53 rue du Rocher. Les témoins du décès de l'enfant sont des voisins qui donnent l'âge exact de Victor Chocquet (44 ans) mais erroné pour la mère, 40 ans alors qu'elle n'en a que 28 (Archives départementales du Nord, état civil en ligne). Ce détail laisse penser que les parents de la petite fille étaient peut-être absents au moment du décès.

20 Duret 1906, p. 138

21 C'est Valérie Chocquet qui m'a signalé cette dépêche adressée à « Mme Choquet [sic], 198, rivoli, Paris. reçu 2 lettres, santés bonnes, inquiète. – Armande. », dans le *Recueil des dépêches télégraphiques reproduites par la photographie et adressées à Paris au moyen de pigeons voyageurs pendant l'investissement de la capitale entre le 8 novembre 1870 et le 1er février 1871*, Paris, 1871, 2e série de Bordeaux, 1er décembre 1870 (http://gallica.bnf.fr/ark:/12148/bpt6k549995In/f54.image, retiré 12.12.2014).

22 Archives nationales, dossier de Légion d'honneur d'Henry Bacquès, LH/88/18 (base Léonore en ligne)

23 Rivière 1921, p. 36-37

24 Marie Chocquet à Eléonore Chocquet, 20 juin 1877. Rewald 1969, p. 46 et p. 94 note 36

25 Voir notamment Vollard 1919, Rivière 1921 et Denis 1957, t. II. Une anecdote également posthume prétend même que Chocquet, en empruntant, aurait réussi à acheter un Delacroix pour 5 000 francs, déclarant à sa femme l'avoir payé 700 francs et que quelques jours plus tard, celle-ci, persuadée de faire une affaire, l'aurait revendu 1 500 francs (Ed. L., « Notes d'un curieux ; la vente Chocquet », *Le Matin*, 2 juillet 1899). Elle est reprise par Robert de Flers dans la préface du catalogue de la vente Maurice Gangnat 1925 en augmentant les sommes à 32 000 francs pour l'achat déclaré à 10 000 francs et revendu 20 000 francs par Mme Chocquet, Chocquet offrant de plus une bague à sa femme pour l'apaiser. Le tableau en question aurait été une version de *La Fiancée d'Abydos*, mais un bref examen des historiques des quatre versions de ce sujet, établis par Johnson III 297, 300, 311, 325, ne permet pas de vérifier l'anecdote.

26 Renoir 1962, p. 187 ; Renoir 1981, p. 207

27 Rewald 1969, p. 35 ; Rewald 1985, p. 123. Augustin François Buisson (1812-1876) a siégé à la chambre des députés jusqu'au 7 mars 1876 (voir Robert/Cougny 1889).

28 Théodore Duret, « Monsieur Chocquet » dans le catalogue de vente Chocquet Petit, p. 5 (voir p. 12-13).

29 Ces biens se retrouvent lors du partage suivant la succession de Mme Vve Chocquet en 1899 ; voir notamment Rouen/Me Lefrançois, 2[E] 104/306. Une des premières démarches du couple, le 4 novembre 1882, est de faire enregistrer par le notaire d'Yvetot, Me Augé, un acte de donation entre époux qui assure la situation du conjoint survivant et exclura la branche Chocquet de la succession des époux Chocquet-Buisson (Rouen/Me Lefrançois, 2[E] 104/240).

30 Auriant 1946, p. 50

31 Voir inventaire après décès de Mme Vve Chocquet à Yvetot.

32 Rouen/Me Lefrançois, 2[E] 104/303. L'inventaire d'Yvetot est complété par le catalogue détaillé de la vente à Yvetot (vente Chocquet Yvetot).

33 Rouen/Me Lefrançois, 2[E] 104/303, 304, 306. Je ne saurais trop remercier Jean-François Mayer d'avoir si efficacement répondu à mes questions et relayé, sur le terrain, ce petit jeu de piste à Hattenville. M. et Mme Ludovic Ermel m'ont à leur tour chaleureusement accueillie tout en fournissant une précieuse carte postale ancienne du « chalet » Buisson-Chocquet ; je leur en suis très reconnaissante, et tous les cézanniens leur sauront gré d'avoir restauré ce lieu de mémoire inattendu. L'identification de la maison est confirmée par l'origine de propriété de la maison que les actuels propriétaires ont acquise de Michel Varin, qui la tenait de ses parents, Paul Charles Ernest Varin et Marie Emma Berthe Giffard (Cliponville 1887-Hattenville 1958) ; cette dernière était la fille d'Alfred Ferdinand Giffard, propriétaire à Cliponville qui en fit l'acquisition à la vente des immeubles de Mme Vve Chocquet, le 25 octobre 1899.

34 Cézanne à Chocquet, 11 mai 1886 (Cézanne Correspondance, p. 226-227)

35 Sont ainsi acquis par Victor Chocquet une maison à Yvetot, rue du Cornet, en mai 1882, un terrain à Hattenville (hameau de Beau-Soleil), le 29 juillet 1886, un « labour » à Hattenville (Hattentot) le 15 novembre 1886 pour 2 000 francs, et une petite ferme à Fauville dite « l'Ancien moulin », le 26 avril 1889 pour 14 025 francs (Rouen/Me Lefrançois, 2[E] 104/306). Ces prix peuvent être comparés à ceux des tableaux.

36 Me Perinne/Me Huguenot, 20 avril 1899. Je remercie très vivement Me Dominique Perinne, notaire à Paris, ainsi que son assistante Patricia Boutin, qui a pris la peine de rechercher ces documents fondamentaux pour la connaissance de la Collection Chocquet et m'a autorisée à les consulter. Ce dossier comprend l'inventaire proprement dit décrivant le contenu du 7 rue Monsigny (voir p. 207-249) et les minutes relatives à la succession.

37 L'immeuble existe toujours, mais l'intérieur a été complètement remodelé. Il ne porte aucune plaque à la mémoire de Chocquet mais une à celle des « Milices patriotiques du Théâtre et du Syndicat national des acteurs ». Un plan parcellaire du quartier Gaillon-Vivienne établi en mars 1891 montre l'implantation de l'immeuble (Archives de Paris en ligne).

38 Cézanne Correspondance, p. 233

39 Me Perinne/Me Huguenot, 4 avril 1899, 20 avril 1899

40 Me Perinne/Me Huguenot, 4 avril 1899

41 Rivière 1921, p. 42

42 Wildenstein, t. V, p. 199, lettre 2813 (1104b)

43 La lettre de Renoir est mentionnée dans le catalogue n° 238 (novembre 1978) de la Librairie de l'Abbaye, Paris, sous le n° 207. Nous n'avons cependant pas trouvé de notice nécrologique dans la presse.

44 Rewald 1969, p. 92 ; Rewald 1985, p. 179. Le répertoire alphabétique des transports de corps du service municipal des pompes funèbres de Paris (Archives de Paris, 2484 W13) a enregistré le transfert sans détails de destination.

45 Rouen/Me Lefrançois, 2[E] 104/303, 2 juin 1899

46 Avant Marie, une « Mademoiselle Lisbeth », que Cézanne salue, au nom de sa femme et de son fils, dans une lettre datée du 16 mai 1881 selon Cézanne Correspondance, p. 199, est peut-être une autre demoiselle de compagnie ou une domestique des Chocquet.

47 Cézanne Correspondance, p. 233

48 Rouen, Archives départementales de Seine-Maritime, état civil numérisé, Yvetot, 1899-1900, 4[E] 07889 n° 71. L'acte de décès dit qu'elle est morte à 60 ans ; or, née le 27 mars 1837, elle venait d'avoir 62 ans (et non 66 comme le dit Rewald 1969, p. 72 ; Rewald 1985, p. 160).

49 Rouen/Me Lefrançois, 2[E] 104. J. Rewald, qui remercie dans son article de 1969 Melle Suzanne Lemonnier de l'étude de Me Pierre Tesnière, qui a depuis versé ce fonds aux archives départementales, a eu connaissance de ce fonds, mais aucune correspondance ou photocopies s'y rapportant ne se trouve dans les archives John Rewald conservées à la National Gallery de Washington. (Rewald 1969, p. 92 ; Rewald 1985, p. 179)

50 Me Perinne/Me Huguenot, 4 avril 1899

51 Me Perinne/Me Huguenot, 24 avril 1899. Louise Marie Mélanie Beaudoin, selon son acte de naissance, est née le 17 décembre 1884 à Fauville-en-Caux, commune dont dépend Hattenville où les Chocquet possédaient fermes et résidence ; elle est la fille de Louis Séraphin Beaudoin, domestique, âgé alors de 25 ans, et de son épouse Marie Augustine Joutel, 20 ans, qui réside alors chez sa mère, cultivatrice à Fauville. Son père déclare ne savoir ni écrire, ni signer (Archives départementales de Seine-Maritime, état civil numérisé, Fauville-en-Caux, 1884, 4E 12669). Certains actes orthographient le nom Baudoin, mais l'état civil a retenu Beaudoin.

52 L'acte de notoriété dressé par Me Lefrançois (Rouen/Me Lefrançois, 2E 104/302, 10 avril 1899) complété par divers actes (notamment quittances des ventes immobilières du 25 octobre 1899, 2E 104/306, 10 juillet 1900) donne la liste des héritiers : d'une part, la ligne paternelle, Désirée Adèle Buisson, épouse Belthé (son mari est cuisinier) à Paris ; Antoinette Désirée Buisson, en religion sœur Maria des Anges, de Geneville, canton de Honfleur ; Eugène Louis Pierre, receveur de bateaux employé à la Compagnie de navigation de Rouen ; Anthime Émile Aubé, domestique à Trie-la-Ville (Oise) ; Célestin Auguste Aubé, jardinier à Trie-Château (Oise) ; Lucien Eugène Aubé, tisserand à Néville, canton de Saint-Valéry-en-Caux ; Frédéric Aimé Aubé, journalier à Trie-la Ville ; Marie Françoise Affagard, épouse Roussignol (son mari est journalier) à Yerville ; Célina Fortunée Affagard, en religion sœur Saint Mellon, de Fontaine-le-Bourg ; Marie Rose Turgis, épouse Reniéville (son mari est marchand des quatre saisons) du Quesnoy, commune de Pissy-Pôville ; d'autre part, la ligne maternelle, Charles Ernest Follin, propriétaire à Saint-Valéry-en-Caux ; Eugénie Mélanie Follin, propriétaire, à Saint-Valéry-en-Caux. Charles Ernest Follin décède à son tour le 29 mars 1900, avant la fin du règlement de la succession de Mme Chocquet ; son fils, Jean-Baptiste Follin, demeurant à Boulogne-sur-Seine, 34 rue des Abondances, se déclare artiste-peintre, mais nous n'avons pas trouvé trace de son activité.

53 Ce médecin est un neveu de Victor Chocquet. Bien qu'écarté de la succession, puisque Victor Chocquet avait consenti une donation à son épouse, le Dr Chocquet a recueilli au moins une partie des lettres trouvées aux domiciles des défunts et les communiqua à Jules Joëts, qui se trouvait, par ailleurs être son parent ; voir Joëts 1935. La « maison déserte » a suscité d'autres articles fantaisistes notamment dans le *Journal des Débats* du 10 juin 1899 et *La Croix* du 11 juin 1899.

54 Rouen/Me Lefrançois, 2E 104/303, inventaires à Yvetot et Hattenville et 2E 104/306, partage du 5 mai 1900

55 Vente Chocquet Yvetot. Publicités parues dans le *Journal de Rouen* du 9 juillet 1899, *Le Matin* du 9 juillet 1899, p. 2, et la *Gazette de l'Hôtel Drouot*, n° 192-193, des 11-12 juillet 1899, n° 194-195, des 13-14 juillet 1899 et n° 196-199, des 15-18 juillet 1899

56 Rewald 1969, p. 89-90 et p. 96 note 100 ; Rewald cite la modique somme de 39,60 francs de frais de transport qui figure effectivement dans l'état des frais de l'administrateur judiciaire Marcellier (Rouen/Me Lefrançois, 2E 104/306, partage du 5 mai 1900) ; selon le catalogue de la vente Blot, cité par Rewald, le panneau aurait été acheté par Me Lefrançois à Yvetot. Nous reproduisons ci-après la liste peu explicite des tableaux, évoquée par Rewald 1969, p. 90 (Rewald 1985, p. 177), prisés dans un « bureau », au rez-de-chaussée de la maison d'Yvetot :

247 Deux peintures à l'huile non encadrées, sans signature, [paysages personnages biffé] animaux 5 F

248 Un grand tableau non encadré représentant une scène funèbre attribuée à Frangonard [sic] mais sans signature estimée 100 F

249 Un tableau encadré représentant intérieur d'une ferme 10 F ledit tableau à l'huile

250 Une peinture à l'huile encadrée représentant jugement de Salomon sans signature estimée 8 F

251 Une autre peinture à l'huile sans signature encadrée représentant le bord d'un fleuve 5 F

252 Deux peintures à l'huile sans signatures non encadrées représentant paysage et intérieur d'une étable 6 F

253 Une autre peinture à l'huile sans signature non encadrée représentant un peintre sur l'herbe 3 F

254 Une autre peinture à l'huile sans signature non encadrée représentant des rochers 2 F

255 Une autre peinture à l'huile non encadrée sans signature représentant un paysage au bord de la mère [sic] 6 F

256 Peinture sur carton sans signature représentant 2 chevaux 4 F

257 Une autre peinture à l'huile non encadrée sans signature représentant un groupe de personnages 3 F

258 Une autre peinture à l'huile non signée ni encadrée représentant un personnage mythologique 4 F

259 Deux autres peintures à l'huile sans signature non encadrées représentant des personnages 3 F

260 Trois gravures encadrées représentant Charlotte Corday, Anne de Boleyn et Jeanne d'Arc 24 F

261 Une autre gravure encadrée représentant une Tête de femme 1 F.

La rubrique « Tableaux et gravures » du catalogue de la vente d'Yvetot ne recensant que « 1 – Dix peintures à l'huile, non signées, *Paysages, personnages, animaux etc.* 2 – Quatre belles gravures : *Jeanne d'Arc, Anne de Boleyn, Charlotte Corday* et *Marchand d'esclaves* », des seize peintures décrites dans l'inventaire d'Yvetot il y en aurait donc eu six envoyées à Paris.

57 Paris, Bibliothèque centrale des musées nationaux, fonds Vollard, livre de comptes, Ms 421 (4,3) fol. 138, consigne dépenser 35 francs, le 16 juillet 1899, pour « Voyage à Yvetot pour vente Chocquet ».

58 Rouen/Me Lefrançois, 2E 104/306, partage du 5 mai 1900

59 Nous avons renoncé à donner un chiffre exact en raison de la complexité des sources. Selon *Les fortunes françaises au* XIXe *siècle*, enquête dirigée par Adeline Daumard, Paris, 1973, p. 211, autour de 1900, une succession moyenne a des actifs dans une fourchette de 50 000 à 2 000 000 francs. Au-delà de 2 000 000 francs (soit 5 % de la population française), il s'agit d'une très grosse fortune.

60 Rouen/Me Lefrançois, 2E 104/307, 27 septembre 1900

61 État civil de Darnétal qui indique qu'elle était veuve de Roger Lucien Bertrand Crespin. Selon une note marginale de son acte de naissance, elle semble avoir épousé R. Crespin le 9 octobre 1911.

62 Rewald 1969, p. 74-77, a déjà publié de larges extraits de cet inventaire se limitant aux peintures. Il avait utilisé la photocopie d'un document manuscrit partiel, probablement communiqué par Mme Felkay, alors conservateur aux Archives de Paris, mais d'une graphie différente de l'exemplaire authentique du notaire parisien, Me Huguenot, que nous reproduisons (voir Washington, National Gallery of Art, Gallery Archives, Rewald Papers RG Box 68-11).

63 Jacques Marie Bottolier Lasquin, désigné comme B. Lasquin, expert en tableaux et objets d'art dans les annuaires, noté 12 rue Laffitte, est cité dans le calepin cadastral (Archives de Paris, D1P4 601, rue Laffitte, 1876) correspondant à cette adresse comme « marchand de tableaux, appréciateur d'objets d'art » et occupant un appartement au premier étage depuis octobre 1883. Deux autres adresses sont mentionnées, 46 rue de la Tour d'Auvergne et, à Rueil, avenue Ducis, parc de la Malmaison, où il décédera la 24 août 1902, âgé de 53 ans. Ris-Paquot, *Répertoire général annuel des collectionneurs 1895-1896*, Paris, 1896, le cite comme « expert assermenté » et « marchand de tableaux ». Le témoin de naissance de son fils Henri Jean Jacques, né le 16 octobre 1880, étant Charles Georges, expert en tableaux, 12 rue Laffitte, il est possible qu'il ait commencé sa carrière sous l'égide de cet expert connu. L'article du *Matin* du 6 juin 1899 cite Lasquin en association avec Bernheim – soit Émile Bernheim, soit Georges Bernheim, tous deux experts assermentés –, plutôt qu'un des frères Bernheim Jeune, mais son nom n'apparaît dans aucun document officiel relatif à la succession Chocquet.

64 John Rewald en a publié la partie du procès-verbal concernant Cézanne (Rewald 1969, p. 82-87 ; Rewald 1985, p. 165-171 ; Rewald, t. I, p. 197-198). La copie dactylographiée qu'il a utilisée est conservée à Washington (Gallery Archives, Rewald Papers RG Box 68-11, voir note 62). Ce document « moderne » probablement recopié de l'original manuscrit, malheureusement avec des erreurs évidentes de lecture des noms propres, a dû être communiqué à J. Rewald par Me Jozon, successeur de Me Aulard, qui fit la vente ; il nous a été indiqué par l'étude héritière de Mes Aulard et Jozon que toutes ses archives avaient été détruites, ce qui rend d'autant plus précieuse la copie Rewald à laquelle nous faisons référence. Aucun procès-verbal de cette vente ne figure dans les archives de Me Chevallier, associé au dernier moment à la vente, déposées aux Archives de la Ville de Paris. Nous n'avons pas eu non plus de réponse du successeur de l'étude de Me Brière, qui pourrait avoir détenu une copie. J. Rewald ne comprenait pas le rapport entre les numérotations du catalogue de vente et du procès-verbal : dans la pratique, le catalogue liste les œuvres par ordre alphabétique d'auteur, le procès-verbal, selon l'ordre de présentation aux enchères, savamment choisi par le commissaire-priseur pour soutenir l'attention (on passe vite au début les œuvres les moins importantes pour mettre en évidence les belles pièces). Ce système (encore pratiqué) est attesté à l'époque par l'impression d'une feuille à part intitulée « ordre de la vacation », qui permet de mieux suivre la vente comme dans le cas de la vente des tableaux de la collection de l'abbé Paul Octave Gaugain, Paris, Hôtel Drouot, 6 mai 1901.

65 Drouot 1899. Nous avons utilisé le catalogue de la vente annoté ayant appartenu à Isaac de Camondo (Paris, Bibliothèque centrale des musées nationaux) et un autre exemplaire appartenant à la Bibliothèque du musée d'Orsay (MO 4 T 391) dont les informations diffèrent parfois de celles de Drouot 1899, qui « colle » au procès-verbal, ce qui nous laisse penser que l'annotateur était présent à la vente. Un résumé du catalogue en deux feuillets fut également mis à la disposition du public.

66 Drouot 1899

67 *New York Herald (European Edition)*, 5 juillet 1899 ; *Le Matin*, 5 juillet 1899 et *Le Moniteur des arts* [1899], p. 1487-1488

68 Ce bordereau, conservé aux Archives Durand-Ruel, Paris, a été reproduit par J. Rewald 1969, p. 86, fig. 39 (Rewald 1985, p. 170), qui n'avait cependant pas compris qu'il s'agissait d'une vente distincte à l'Hôtel Drouot et non d'un supplément au catalogue Petit ; les numéros de procès-verbal correspondant à ces achats, 90, 92, 93, confirment qu'il y a bien eu un procès-verbal, comme l'exige le règlement, mais qui reste introuvable. Pour les Cézanne voir Rewald 296, 671 ; pour Renoir, voir Daulte 176, ainsi que Dauberville 541. Il n'y a pas de doute sur l'identification de ce portrait, puisque l'autre portrait de Chocquet par Renoir, reproduit en exergue du catalogue Petit et maintenant à Winterthour, a été vendu 3 500 francs le 1er juillet à Durand-Ruel, sous le n° global 106.

69 Paris, Bibliothèque centrale des musées nationaux, fonds Vollard, livre de comptes, Ms 421 (4,3) fol. 137, 5 juillet 1899 « Bordereau hôtel Vte Chocquet 1349,80 ». Ce débours suit celui du 1er juillet « Bordereau de chez Petit Vte Choquet [sic] 4176,15 F » et du 3 juillet « Bordereau chez Petit Vte Choquet [sic], 1895,75 F ». Il note aussi recevoir 483 francs de Melle Manet le 3 juillet pour laquelle il enchérissait. Par ailleurs, dans un livre de stock, Vollard a entré sous le n° 3983 un paysage de Corot (21 × 15) à 20 francs comme provenant de « Htel Drouot Petite vente Choquet [sic] » (fonds Vollard, Ms 421 (4,5) fol. 55).

70 Les comptes de la succession précisent bien que Me Aulard a remis au notaire, le 27 juillet 1899, 465 038,50 francs correspondant « à la vente mobilière faite à la salle Petit, 1, 3, 4 juillet 1899 et salle des commissaires-priseurs rue Drouot ». Rouen/Me Lefrançois, 2[E] 104/306 (partage du 5 mai 1900, 15e observation). Le produit de la vente Petit étant de 452 635 francs (prix au marteau), il y a évidemment un surplus non négligeable imputable à la vente à l'Hôtel Drouot.

71 Lettre de Charles Destrée, assistant de Durand-Ruel, au Dr Gachet le 7 octobre 1897 (Paris, Archives Wildenstein Institute)

72 Vollard 1919, p. 78

73 Joëts 1935, p. 124 ; lettre de Chocquet à Burty du 15 novembre 1874, également citée par Rewald 1969, p. 43 note 30

74 Joëts 1935, p. 125. Joëts pense qu'il s'agit d'un portrait de la seule Mme Chocquet, mais la lettre ne le précise pas et la demande aurait pu comprendre le portrait de Chocquet et même, qui sait, celui de la petite Sophie. Par ailleurs, Mme Valérie Chocquet, descendante collatérale, nous a indiqué qu'une tradition familiale faisait état d'un portrait d'enfant par Delacroix d'après une petite cousine de Victor Chocquet, Mathilde Chocquet (1851-1932), plus tard Mme Chatel. Malheureusement cette œuvre n'est pas identifiée et aucun portrait connu de Delacroix ne peut en être actuellement rapproché.

75 Cat. expo. Paris 1864. Chocquet y est désigné comme prêteur de 4 peintures : n° 112, « *Fleurs* » ; n° 113, « *Marine* » (cat. 2) ; n° 114, « *Annonciation* » (fig. 50) ; n° 115, « *Paysage ; dessous de bois* » et de 3 œuvres graphiques : n° 215, « *Les Musiciens du Maroc (Aquarelle)* » ; n° 216, « *Un tigre (Aquarelle)* » ; n° 217, « *Combat d'Arabes (Dessin à la plume)* ».

76 Bodelsen 1968, p. 333-336. Fels 1925a, p. 16 fait dire à Monet que Chocquet y aurait acheté 100 francs un paysage d'Argenteuil ; en dehors du fait que Chocquet n'est pas nommé au procès-verbal, aucun Monet connu comme ayant appartenu à Chocquet ne peut être identifié avec un tableau de la vente (vente Monet et al. 1875).

77 Vollard 1919, p. 75-77

78 Le compte rendu du *Journal des beaux-arts et de la littérature (Bruxelles)* du 16 mai 1873 le cite après « les trois nouveaux propriétaires de la *Gazette des beaux-arts*, Mrs Edouard André, Maurice Cottier et Hoschedé », citant aussi, entre autres, Émile Gavet, Paul Tesse, Alfred Sensier. Chocquet ne semble pas avoir acheté à cette vente qui comptait des œuvres de Delacroix, Dupré, Millet, Rousseau et Troyon.

79 Daulte 142 ; Dauberville 416

80 Daulte 174 ; Dauberville 376

81 Daulte 173 ; Dauberville 378

82 Daulte 220 ; Dauberville 281. Cette toile regroupant plusieurs esquisses, qui a figuré à la vente de Mme Vve Chocquet sous le n° 89, peut suggérer à quoi ressemble le « *Portrait de Fillette* », non localisé, passé à la vente sous le n° 96 décrivant le modèle « debout, en bleu : cheveux blonds dénoués ; au col, un collier et une petite croix de corail. Elle s'appuie de la main gauche au dossier d'une chaise. Toile. Haut., 21 cent. ; larg., 16 cent. »

83 Daulte 208 ; Dauberville 212

84 Dauberville 141

85 Les portraits d'*Alphonse Fournaise* (Williamstown, Massachusetts, Sterling and Francine Clark Art Institute), le patron du restaurant de Chatou, et d'*Alphonsine Fournaise* (São Paulo, Museu de Arte Assis Chateaubriand), sa fille, ont été datés par Renoir de 1875, comme celui de Mme Chocquet, et il est donc possible que Chocquet en ait connu l'existence et ait été en contact avec la famille Fournaise, ce qui le mit à même de récupérer cette effigie d'Alphonsine chez le modèle ou chez Renoir.

86 Daulte 216 ; Dauberville 288

87 Dauberville 150 ; les deux autres paysages de Renoir, probablement signés, connus par l'inventaire (voir p. 200 et 203) ne sont pas identifiés ainsi que *Le Pêcheur à la ligne en train d'amorcer* (n° 97 de la vente Chocquet Petit).

88 Dauberville 617 ; cat. expo. Paris 1883, n° 69, « *Paul Cézanne* appartenant à M. Chocquet » ; Chocquet avait d'ailleurs conservé un carton d'invitation pour cette exposition (catalogue de vente de *Lettres et manuscrits autographes*, Paris, Hôtel Drouot, 23 juin 1969, n° 197).

89 Lettre non datée de Renoir à Chocquet, Bibliothèque centrale des musées nationaux (Ms 310 [3], fol. 342) publiée dans White 1984, p. 57 (en français dans White 1985, p. 56-57). Voir aussi billet non daté, depuis Wargemont (propriété de l'amateur P. Berard) de Renoir à Chocquet dans catalogue de

vente de *Lettres et manuscrits autographes*, Paris, Hôtel Drouot, 23 juin 1969, n° 196.

90 *Archives Claude Monet*, catalogue de vente, Paris, Artcurial, 13 décembre 2006, n° 249

91 Lettre de Renoir à Roger Marx du 10 juillet 1888, dans Roger-Marx 1933, p. 68, citée par Rewald 1969, p. 66 : « Si vous voyez M. Chocquet, je vous serai bien reconnaissant de ne pas l'écouter quand il vous parlera de moi. Quand j'aurai le plaisir de vous voir, je vous expliquerai, ce qui est bien simple, que je trouve tout ce que j'ai fait mauvais et que ce me serait on ne peut plus pénible de le voir exposer. »

92 Rewald 258 (cat. 13)

93 Vollard 1919, p. 77

94 Cézanne à Chocquet, 11 mai 1886 ; Cézanne Correspondance, p. 226-227

95 Denis 1957, t. II, p. 34-35. Anecdotes aussi contées par Rivière 1923, p. 44-45.

96 Joëts 1935, p. 122

97 Cézanne Correspondance, p. 150, 152, 160 (à Zola), 180-181, 199, 226, 230, 232, 341

98 *Ibid*, p. 160

99 *Ibid*, p. 152. Cette évocation de la Méditerranée par Chocquet est un peu mystérieuse. Chocquet connaissait la Manche, depuis sa jeunesse à Dunkerque, plus tard la côte normande, mais a-t-il voyagé et connu cette Méditerranée bien connue de Cézanne ou s'est-il contenté d'en rêver à travers la vision de son peintre ?

100 Rewald 1969, p. 47-50 ; Rewald 1985, p. 135-139

101 Brettell 1986, p. 195-196, considère que tous les Cézanne exposés en 1877 ont appartenu à Chocquet, sauf peut-être le n° 28, « *Figure de femme, étude d'après nature* » qui n'est d'ailleurs pas identifié. Il pense aussi que les trois aquarelles de Cézanne présentes à la vente Chocquet de 1899 ont été montrées en 1877.

102 Voir Rewald 292, *Portrait de Victor Chocquet* (cat. 15), Rewald 237, *Les Pêcheurs – Journée de juillet* (fig. 36), Rewald 268, *Marronniers et ferme du Jas de Bouffan* (coll. part.), Rewald 275, *La Route* dit aussi *Le Mur d'enceinte* (coll. part.), Rewald 277, *Auvers-sur-Oise, vu des environs* (coll. part.), Rewald 279, *La Mer à l'Estaque* (fig. 58), Rewald 298, *Tigre, d'après Barye* (fig. 59), Rewald 315, *Fleurs dans un vase* (cat. 18), Rewald 329, *Pommes et gâteaux* (fig. 74), Rewald 337, *Un dessert* (fig. 63), Rewald 348, *Le Plat de pommes* (fig. 5).

103 Vassy 1877 et Bernadille 1877. Billoir avait avoué avoir tué et dépecé sa compagne ; condamné à mort, il fut guillotiné le 27 avril 1877. Moyaux défraya la chronique entre février et mars 1877, pour plusieurs crimes et une longue cavale.

104 Rivière 1921, p. 40

105 Vente Chocquet Petit, p. 7

106 Rivière 1877, p. 182

107 Rivière 1923, p. 201, 224 ; Rewald 460, 461, également liés à plusieurs dessins (voir Chappuis 395, 398 et, peut-être, 394) ; la photographie est certainement liée aux œuvres citées et n'est pas incompatible avec la physionomie d'un Chocquet plus jeune. L'original de la photographie n'a pu être localisé. Toutefois, il faut noter que sa reproduction dans l'article d'Andersen 1967, fig. 5, montre le nom du photographe, Pierre Warner, qui avait son studio 11 bd des Capucines à Paris, dès 1864 (voir Boisjoly 2009, p. 291). Cette adresse, proche de celle de Chocquet et la date d'activité du photographe plaident en faveur de l'identification correcte du modèle.

108 Voir Rewald 506-509 et Rewald 1969, p. 61 (Rewald 1985, p. 151-152). John Rewald a discuté, se fondant sur l'évidence stylistique des peintures, des dates possibles de ces séjours entre 1882 et 1889.

109 Voir la légende d'une caricature de l'exposition impressionniste de 1877 : Cham (Amédée de Noé), *Le Charivari*, 16 avril 1877 (reproduit dans Berson 1996, t. I, p. 196), ou l'article de Louis Leroy (Leroy 1877a).

110 Cette figure féminine pourrait bien être Mme Cézanne, mais elle reste tout autant mystérieuse.

111 Voir Rewald 643, 644

112 Vollard 1914, p. 104

113 *Archives Claude Monet*, catalogue de vente, Paris, Artcurial, 13 décembre 2006, n° 47 (Paris, Musée d'Orsay)

114 Rewald 1969, p. 70 ; Rewald 1985, p. 157 ; voir Rewald 746. L'identification est reprise d'Émile Bernard (Bernard 1907, p. 609), qui la tenait de l'artiste (1904). La présence de Pissarro, plutôt que de Renoir, est un peu incongrue compte tenu de la relation des deux peintres, mais peut être entendue aussi comme un hommage rendu à Pissarro, mort en 1903.

115 C'est une hypothèse retenue par Ruth Berson (cat. expo. Washington/San Francisco 1986, p. 42 ; cf. aussi Berson 1996, t. II, p. 42, II-168, fig. 59). Voir Clairet/Montalant/Rouart 61 (sans mention d'exposition en 1876). Une autre possibilité d'exposition pourrait être à la troisième exposition impressionniste de 1877 (n° 123 ; Berson 1996, t. II, p. 78, III-123, fig. p. 97).

116 Rouart/Wildenstein 196, *Marée montante* (cat. 11), Rouart/Wildenstein 272, *La Rue Mosnier aux paveurs* et Rouart/Wildenstein 418, *Lilas blancs dans un vase de cristal*

117 New York, The Morgan Library & Museum (Papiers Tabarant Ma 3950). Bien que les enchères au-dessus de 1 000 francs aient été peu nombreuses le premier jour de la vente Manet, le nom de Chocquet n'est pas mentionné dans le compte rendu détaillé de cette vente par Paul Eudel, « La vente Manet », *Le Figaro*, 5 février 1884, preuve de son obscurité dans le milieu Manet.

118 Vente Chocquet Petit, n° 58 ; Daulte Sisley 252

119 La peinture de Sisley exposée en 1877 n'a pas été identifiée dans cat. expo. Washington/San Francisco 1986 et Berson 1996 (t. II, p. 84, III-221), qui suggère cependant l'hypothèse de Richard R. Brettell pour *Bougival* (1876) répertorié dans Daulte Sisley 228.

120 Les deux lettres d'Ephrussi autour de cet échange (Rewald 1969, p. 60 et p. 95 note 67 ; Rewald 1985, p. 149 et p. 184 note 69) ont été retrouvées par Valérie Chocquet chez le descendant du Dr Chocquet, Henri Lutun. La première, datée du 27 mai 1881, suggère qu'Ephrussi avait d'abord envisagé de prendre 3 Sisley et 1 Corot, puis il opta pour le Corot, 1 Sisley, 1 aquarelle de Berthe Morisot et un petit Manet ; Ephrussi propose en outre de lui trouver acheteur pour les deux autres Sisley « auxquels vous ne tenez pas beaucoup ». La deuxième lettre du 13 juin fixe un rendez-vous pour discuter de l'échange, mais nous ne savons pas s'il se réalisa ; les Sisley, non repérés dans l'inventaire après-décès de Mme Vve Chocquet et qui n'ont pas été vendus chez Petit, ont pu l'être au cours de la vente annexe de l'Hôtel Drouot, mais cela est peu probable, car Georges Petit soutenait Sisley et aurait préféré mettre les toiles dans la vente qu'il organisait.

121 Nous proposons, à cause de feuillages jaunis, *Bords de l'Oise, temps clair, Pontoise*, 38 × 55 cm, S.D.b.d. : « C. Pissarro 1877 », Zurich, Kunsthaus ; voir Pissarro/Snollaerts 512, dont l'historique est inconnu avant son apparition en vente à Paris, galerie Charpentier, le 18 mars 1959.

122 Pissarro/Snollaerts 331

123 Lettres de Pissarro à Murer (Pissarro Correspondance, t. I, n° 62, 64)

124 *Ibid.*, lettre à Gustave Caillebotte, n° 109-110

125 *Ibid.*, lettre à Lucien Pissarro, Paris, 8 mai 1887, t. II, n° 421

126 Archives Monet, Paris, Musée Marmottan Monet, carnet 5160 (1) fol. 10

127 Wildenstein 291, *Automne sur la Seine, Argenteuil*, 1874 ; l'auteur signale que l'œuvre figure dans une liste dressée par Monet en vue de l'exposition *Claude Monet/A. Rodin* de 1889, mais l'œuvre ne figure pas au catalogue et se retrouve dans une collection américaine avant la fin du siècle ; il y a trois pastels de Monet à la vente Petit en 1899.

128 Wildenstein 401-403. Wildenstein a catalogué sous le n° 404 une esquisse similaire au motif du n° 402 et dont l'historique est inconnu avant 1914, laissant ainsi la possibilité d'une esquisse ayant appartenu à Chocquet, comme le suggérait aussi Rewald 1969, p. 45 (Rewald 1985, p. 133-134).

129 Wildenstein 72, *Marine*, 1866 (coll. part.) ; Wildenstein 432, *Sous-Bois, automne*, 1877 (coll. part.) ; Wildenstein 535, *La Prairie*, 1879 (Omaha, Nebraska, Joslyn Art Museum) ; Wildenstein 741, *Maison de pêcheur au Petit Ailly*, 1882 (coll. part.) ; Wildenstein 994, *La Meule de foin*, 1885 (Kurashiki, Ohara Museum of Art)

130 *Archives Claude Monet*, vente Paris, Artcurial, 13 décembre 2006, n° 92 ; Paris, musée d'Orsay) ; Charles Leroux était un ami de Murer dont Pissarro espérait des achats notamment en 1878. Voir Pissarro Correspondance, t. I, lettres n° 63, 64, 65, 70, 72. Il y avait trois Pissarro à la vente Leroux.

131 Paris, Bibliothèque centrale des musées nationaux, fonds Vollard, livre de comptes, Ms 421 (4,2). Ce portrait était apparemment demeuré chez Cézanne et fit partie des œuvres vendues au marchand.

132 Cézanne Correspondance, p. 228 et 230. Voir cat. expo. Paris 1889a et Alexandre 1899, p. 15.

133 Rewald 1969, p. 36, 42 ; Rewald 1985, p. 124, 130 ;Vollard 1919, p. 78 rapporte comment Chocquet fut l'intermédiaire entre Renoir et De Bellio pour l'acquisition d'un *Autoportrait* de Renoir.

134 Vente Chocquet Petit, n° 153 « *Un pont, près de l'île Saint-Louis* », n° 154 « *Maison à mi-côte, dans la montagne* », acquise 110 francs par Degas.

135 En même temps que Vollard – acheteur aux deux ventes parisiennes dépendant de la succession de Mme Veuve Chocquet en 1899 – revend à Bernheim-Jeune, le 13 juillet 1899, « 1 Cézanne *Tête de Choquet* 182 F. » qui provient sûrement de la vente à l'hôtel Drouot, il cède aussi « 2 Caillebotte 800 » qui pourraient aussi provenir de cette vente, mais il faut souligner que Vollard avait commencé à acheter directement des œuvres au frère de Caillebotte.

136 Je remercie vivement Paul-Louis Durand-Ruel de m'avoir fort aimablement communiqué le résultat de ses propres recherches sur Chocquet entreprises à l'occasion de la nouvelle édition qu'il a réalisée des mémoires de Paul Durand-Ruel, lequel désigne à plusieurs reprises Chocquet comme son « ami ».

137 Monneret 1978, p. 73

138 Lucas 1979, t. II, p. 687. Peut-être était-il intéressé par les bronzes de Barye, qu'il recherchait. Lucas a d'ailleurs visité l'exposition précédant la vente chez Petit le 29 juin 1899 mais n'a pas assisté aux ventes (Lucas 1979, t. II, p. 879).

139 Rivière 1921, p. 40-41 ; Lucas 1979, t. II, p. 879

140 Bernard Prost cite l'existence de manuscrits du peintre conservés par Chocquet (Prost, p. XIII ; Prost 1886, p. 40), mais ce dernier a pu les recueillir après la mort du peintre. Dans sa préface, Alexandre Dumas fils mentionne d'ailleurs Chocquet comme l'un des rares amateurs du peintre.

141 Pissarro 1950, p. 387, et Pissarro Correspondance, t. V, p. 28, lettre à Lucien Pissarro, 204 rue de Rivoli, 1er juin 1899, n° 1639. Curieusement, Pissarro, qui peint depuis ses fenêtres, ne fait pas allusion à l'ancien appartement de Chocquet au 198 rue de Rivoli lorsqu'il évoque sa vente, preuve des relations peu étroites entre les deux hommes.

142 Il semble qu'il se soit nommé Georges Bal (Rewald 1969, p. 96 note 88 ; Rewald 1985, p. 185 note 90), peut-être par ailleurs poète ; or, dans une des lettres inédites de Renoir à Chocquet (non datée) conservées par M. Lutun, Renoir s'excuse de ne pouvoir se rendre à un dîner chez Mme Bal, une inconnue par ailleurs.

143 Rouen/Me Lefrançois, 2[E] 104/306 (partage du 5 mai 1900)

144 Rouen/Me Lefrançois, 2[E] 104/306 (partage du 5 mai 1900, 13, 14, 15e observations). Il avait été convenu que Petit toucherait 10 % sur la vente jusqu'à 400 000 francs, plus 3 % de frais d'expertise. Sur ce montant furent déduits la part des honoraires des commissaires priseurs (25 200 francs), les frais d'enregistrement (10 022,50 francs), les honoraires des experts Mannheim (3 749,35 francs) et Lasquin. Mais furent payés en sus la location de la salle Petit (5 000 francs), l'impression du catalogue (14 000 francs), des frais de publicité à Paris (3 000 francs), des frais de nettoyage et d'encadrement des tableaux (3 455,80 francs).

145 Manet 1979, p. 236-240. Nous aurions aimé consulter l'original, mais celui-ci semble perdu et connu seulement par une copie dactylographiée, que nous n'avons pas consultée.

146 *Ibid*., p. 236, 29 juin 1899

147 *Ibid*., p. 237, 1 juillet 1899

148 *Ibid*

149 Il était d'usage de mettre à part les « portraits de famille » dans les prisées et les ventes après-décès pour être remis aux proches, ce qui n'avait pas lieu d'être dans le cas Chocquet où tout fut vendu ; les portraits de Mme Chocquet par Renoir, qui pouvaient passer pour des figures de fantaisie à bonne valeur vénale, furent catalogués (ainsi que les portraits de la petite Sophie Chocquet), mais pas son portrait en buste (cat. 8). Comme il est difficile de l'identifier avec une des œuvres vendues sous le n° 106 de la vente Petit, il a probablement été vendu à l'Hôtel Drouot. Les portraits de Victor Chocquet, portraits d'homme de peu de valeur commerciale par Renoir (fig. 48) et Cézanne (cat. 15, 16, 17), furent aussi liquidés à cette vente et achetés pour certains par Durand-Ruel. En revanche, le portrait de Renoir (cat. 9) aujourd'hui à Winterthour, ayant été reproduit en tête du catalogue, fut vendu chez Petit, « hors catalogue » sous le n° 106 (procès-verbal n° 94, 3 500 francs, acheté par Durand-Ruel). Rappelons que la première phrase du merveilleux *Renoir* par Albert André se lit : « Renoir, passant avec un ami dans une exposition, devant son portrait de Monsieur Choquet, murmurait dans sa barbe : "Portrait d'un fou… par un fou…" », attribuant à Renoir le « mot » de Degas (André 1919, p. 7). L'identification erronée avec un portrait de Chocquet par Cézanne se trouve chez Dumas 1997, p. 40-50 et Danchev 2012, p. 127, 166.

150 Manet 1979, p. 239, 3 juillet 1899

151 *Ibid*., p. 240, 8 juillet 1899. Comme on ne dispose malheureusement pas du procès-verbal de la vente des meubles Chocquet, seulement de catalogues annotés, on peut seulement signaler que les quelques armoires (n° 329, 349, 351, 357) vendues sont assorties d'autres noms d'adjudicataires. Il est aussi possible que Vollard l'ait achetée à l'Hôtel Drouot, dans la vente non cataloguée.

152 Les comptes de la succession détaillent les frais divers pris sur cette somme (frais d'enregistrement, honoraires des commissaires priseurs, des experts, etc.) ; voir note 144.

153 Camille Pissarro, dans une lettre à son fils Lucien du 1er juin 1899, se félicite des : « Sisley merveilleux, toiles de huit et dix [de l'ordre de 50 × 45 cm environ] ont monté entre deux mille et neuf mille ; une toile de une de moi a fait mille trois cents francs. » Voir Pissarro Correspondance, t. V, p. 28, n° 1639.

154 Hallays 1899 ; Dewhurst 1904, p. 47, 110, 111, souligne aussi l'effet porteur de la vente Chocquet pour Monet, qu'il a interviewé.

155 Julie Manet fait souvent allusion au « flirt » de Degas avec Jeanne Baudot (Manet 1979, p. 213, 232-233) ; au cours de la vente Chocquet, Jeanne Baudot, trop nerveuse, n'achèterait pas, dit Julie, sans l'intervention de Degas, qui lui fait adjuger l'un des derniers lots, une aquarelle de Delacroix (procès-verbal n° 200 sur 204, lui-même achetant le n° 197 et Alexis Rouart le 201).

156 *New York Herald (European Edition)*, 2 juillet 1899 ; certains noms sont écorchés mais identifiables. E. Moreau-Nélaton n'aimait pas Cézanne, mais quelques mois plus tard, le 21 avril 1900, il paie 55 000 francs le chef-d'œuvre de sa collection, le *Déjeuner sur l'herbe* de Manet. Cette liste figure aussi, presque identique, dans Drouot 1899.

157 *New York Herald (European Edition)*, 2 juillet 1899

158 Paris, Bibliothèque centrale des musées nationaux, fonds Vollard, Ms 421 (4,2), 6 décembre 1895. Ces aquarelles font partie du fonds d'art graphique du musée d'Orsay. Vollard 1919, p. 210, cite Camondo : « j'ai une lettre autographe de Claude Monet, qui me donne sa parole d'honneur que cette toile est destinée à devenir célèbre. Si, un jour, vous venez chez moi, je vous ferai voir cette lettre. Je la conserve dans une petite pochette clouée derrière la toile, à la disposition des malintentionnés qui voudraient me chercher des poux dans la tête avec ma *Maison du Pendu* », un document non retrouvé.

159 Voir lettre du 16 avril 1896 de Camille Pissarro à son fils Lucien dans Pissarro Correspondance, t. IV, p. 189, n° 1233.

160 Paris, Bibliothèque centrale des musées nationaux, fonds Vollard, Ms 421 (4,2), 26 novembre 1895 et (4,3), 30 octobre 1897

161 Rewald 507, *Le Clos normand, Hattenville*, 1882

162 Paris, Bibliothèque centrale des musées nationaux, fonds Vollard Ms 421 (4,3), fol. 117, 20 décembre 1898 : Pellerin a payé 3 000 francs pour quatre Cézanne. C'est encore Julie Manet qui évoque le mieux l'état de la Collection Pellerin avant 1900, avec sa magnifique série de Manet dominée par le *Bar aux Folies-Bergère*, (Londres, Courtauld Institute Galleries), des œuvres de Berthe Morisot, Renoir, Sisley et Monet ; Manet 1979, p. 213-214 (29 janvier 1899).

163 Renoir 1962, p. 187 et Renoir 1981, p. 207

Delacroix – la première passion de Victor Chocquet

Arlette Sérullaz

Comme le rappelle Anne Distel dans son étude circonstanciée, nous ne savons pas à quel moment précis Victor Chocquet a commencé à acheter des œuvres d'art. Nous savons en revanche que Delacroix a été le premier artiste auquel l'amateur s'est intéressé. Preuve nous est donnée, du reste, de l'importance que celui-ci accordait à « ses » Delacroix en regardant les portraits de Victor Chocquet et de sa femme peints par Renoir en 1875 (fig. 47, 48, cat. 8[1]). Derrière la tête de Chocquet apparaît en effet la partie droite d'une esquisse de Delacroix pour le Salon de la Paix à l'Hôtel de Ville, *Hercule délivre Hésione* (voir cat. 6). Et derrière Marie Chocquet, l'on aperçoit la partie inférieure d'une étude en forme de pendentif pour la Bibliothèque de la Chambre des Députés, *Numa et Egérie* (fig. 69)[2].

L'origine de cette admiration ? À vrai dire, nous l'ignorons, mais nous pouvons raisonnablement supposer que Chocquet a dû se rendre en 1855 à l'Exposition universelle des produits de l'Agriculture, de l'Industrie et des Beaux-Arts, où Delacroix, malgré la présence écrasante de son rival Ingres, remportait alors un véritable triomphe. Avec une sélection mûrement réfléchie de 36 peintures, c'est un exceptionnel résumé de son art – de 1822 à 1855 – que le peintre soumettait au public, depuis la *Barque de Dante* (Paris, Musée du Louvre) jusqu'à la monumentale *Chasse aux lions*, commandée par l'État en 1854 (Bordeaux, Musée des Beaux-Arts), sans oublier la *Médée furieuse*, déposée en 1838 au palais des Beaux-Arts de Lille, ville natale de Chocquet, qui occupait dans la salle une place de choix. Chocquet s'est-il attardé devant cette œuvre remarquable ? L'idée est moins saugrenue qu'on ne pourrait le penser, si l'on se souvient que dans la vente après décès de Madame Veuve Chocquet, en 1899, figurait une petite étude au pastel, présentée comme l'« une des plus belles recherches de Delacroix pour sa *Médée furieuse*[3]. » Que sa visite au Palais de l'Industrie ait incité Chocquet à prêter attention au peintre, toujours malmené par la critique, nous paraît en revanche une hypothèse plausible. Tout comme celle que Chocquet ait également tenté par la suite de rencontrer Delacroix. Une chose est certaine, en tout cas : au début de l'année 1862, Chocquet a commandé un portrait à Delacroix. Quels arguments a-t-il employés pour le convaincre ? Nous ne le saurons sans doute jamais, faute de connaître la teneur de sa lettre, mais la réponse – négative – de Delacroix, datée du 14 mars, a été conservée[4] (fig. 49). En termes fort courtois, celui-ci justifie ainsi son refus :

« Monsieur, je suis vraiment désolé de ne pouvoir me rendre au désir que vous m'exprimez d'une manière si flatteuse pour moi et je serais plus fâché encore si vous supposiez que le prix que vous voulez bien m'offrir fût une raison de vous refuser ; la véritable raison ? est que depuis quelques années j'ai tout à fait renoncé à faire des portraits à cause d'une certaine susceptibilité des yeux qui me rend très pénible de copier un modèle en peignant et avec le soin que demande particulièrement le portrait : Veuillez donc, Monsieur, recevoir l'expression d'un véritable regret dans cette circonstance où j'aurais été heureux au contraire de réaliser un désir dont je vous remercie.

Agréez en même temps, Monsieur, l'assurance de mes sentiments les plus distingués !

Eug Delacroix. »

Chocquet vient d'avoir 41 ans : sa carrière au sein de l'administration centrale des douanes a progressé lentement, sans éclat. En 1862, il est parvenu au grade de commis principal. De son mariage en 1857 avec Augustine Marie Caroline Buisson, il a une fille, Marie Sophie, née le 7 mai 1861 (mais l'enfant mourra prématurément en 1865). Le couple vit simplement, au cinquième étage d'un petit appartement situé 198 rue de Rivoli.

Delacroix, quant à lui, n'a plus qu'un an à vivre. L'année précédente, au prix d'un immense effort, il a terminé son dernier grand chantier, celui de la chapelle des Saints-Anges à l'église Saint-Sulpice, et l'a montré, du 31 juillet au 3 août, à des invités soigneusement triés sur le volet[5]. Depuis quelques années déjà, il se retire peu à peu du monde. Sa dernière apparition au Salon remonte à 1859. En février 1861, cependant, il a envoyé 16 peintures à la galerie Martinet[6]. Ses forces déclinent inexorablement, mais il continue à se rendre tous les jours dans son atelier, libre désormais de peindre selon ses envies. Certaines des peintures exécutées

Fig. 47 Pierre-Auguste Renoir, *Portrait de Madame Chocquet, en blanc*, 1875, huile sur toile, 75 × 60 cm, Staatsgalerie Stuttgart (cat. 8)

Fig. 48 Pierre-Auguste Renoir, *Portrait de Victor Chocquet*, vers 1875, huile sur toile, 53 × 43,5 cm, Fogg Art Museum, Cambridge, Massachusetts, legs Grenville L. Winthrop

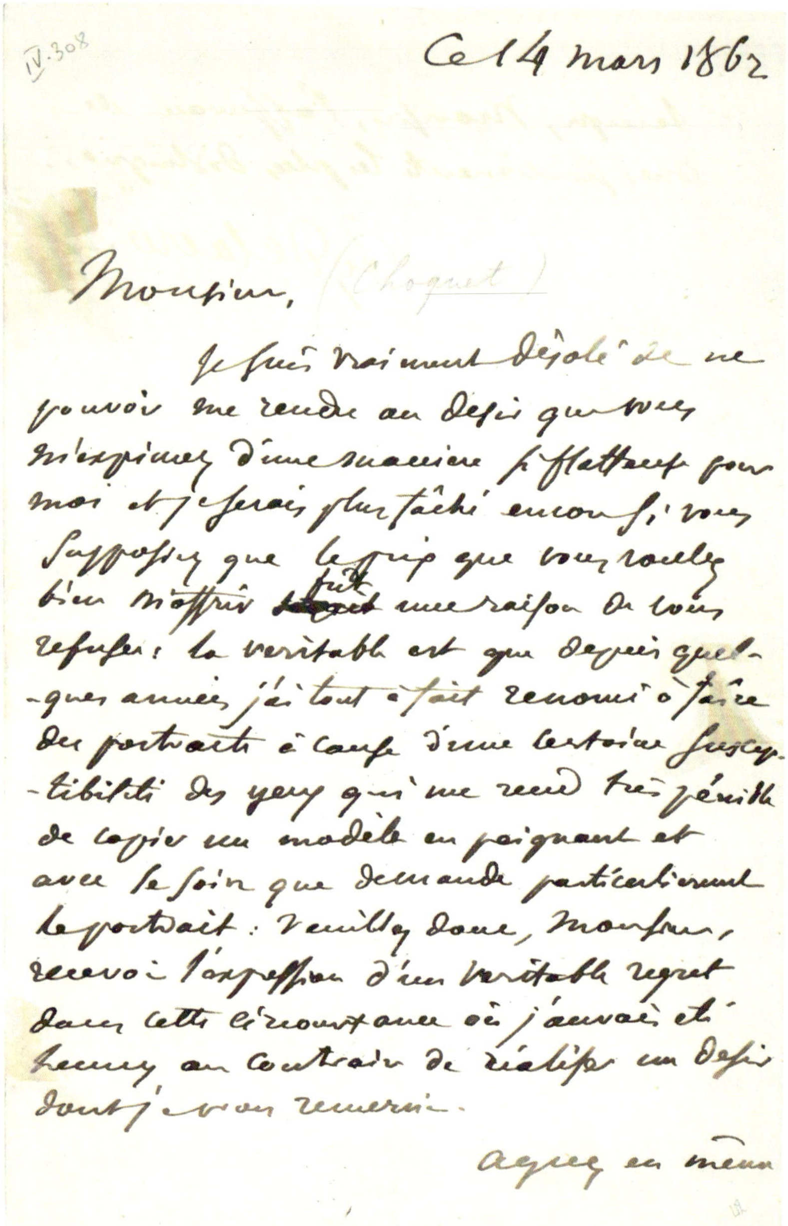

IV.308

Ce 14 mars 1862

Monsieur, (Choquet)

Je suis vraiment désolé de ne pouvoir me rendre au désir que vous m'exprimez d'une manière si flatteuse pour moi et je serais plus fâché encore si vous supposiez que le prix que vous voulez bien m'offrir fût une raison de vous refuser : la véritable est que depuis quelques années j'ai tout à fait renoncé à faire des portraits à cause d'une certaine susceptibilité des yeux qui me rend très pénible de copier un modèle en peignant et avec le soin que demande particulièrement le portrait : veuillez donc, monsieur, recevoir l'expression d'un véritable regret dans cette circonstance où j'aurais été heureux au contraire de réaliser un désir dont je vous remercie.

Agréez en même

Fig. 49 Lettre d'Eugène Delacroix à Victor Chocquet, 14 mars 1862, page 1, Musée du Louvre, Paris, département des Arts graphiques

en 1862 reprennent ainsi des thèmes qui lui sont particulièrement chers, tels que souvenirs du Maroc ou études de félins en pleine nature : *Chevaux à l'abreuvoir* (Philadelphie, Philadelphia Museum of Art), *Tigre attaquant un serpent enroulé à un arbre* (Washington, Corcoran Gallery of Art[7]). Et lorsqu'il lui arrive de répondre encore aux sollicitations des amateurs et des marchands, c'est pour leur proposer généralement des versions remaniées d'œuvres anciennes : *Médée furieuse* (Paris, Musée du Louvre), *Chef arabe visitant une tribu* (coll. part.), *Portrait du Sultan du Maroc* (Zurich, Fondation Collection Emil G. Bührle)[8]. Enfin, depuis le mois de janvier, l'artiste a entrepris une série de dessins religieux illustrant des sujets de l'Ancien et du Nouveau Testament[9].

Delacroix n'a pas menti à Chocquet. Depuis les années 1850, il n'a plus peint de portrait, hormis le sien, qu'il a laissé à l'état d'ébauche (Florence, Galleria degli Uffizi), ainsi que ceux de l'acteur François-Joseph Talma (Paris, Comédie-Française) et du collectionneur d'art Alfred Bruyas (Montpellier, Musée Fabre)[10].

Fig. 50 Eugène Delacroix, *L'Annonciation*, 1841, huile sur papier, marouflé sur toile, 31,2 × 43,7 cm, Musée national Eugène Delacroix, Paris

Les débuts d'une collection

Si la réponse de Delacroix a sans doute déçu Chocquet, elle ne l'a nullement dissuadé de chercher à se procurer des œuvres du maître vieillissant – bien au contraire. Trois semaines après la réception de la fameuse lettre, nous savons qu'il s'est rendu le 7 avril 1862 à l'Hôtel Drouot, où il a déboursé 600 francs, à la vente Edmond Blanc, pour une peinture de Delacroix, *L'Annonciation*[11] (fig. 50). Une semaine plus tard, le 12 avril 1862, si l'on se réfère à Adolphe Moreau, il se serait porté acquéreur à la vente Paul Barroilhet d'une aquarelle, *Musicien juif de Tanger*[12].

En février 1864, Chocquet assiste à l'Hôtel Drouot à la vente organisée par suite du décès de Delacroix[13]. Les témoignages de l'époque nous indiquent qu'elle s'est déroulée dans une atmosphère d'excitation surprenante. Bousculé par les marchands, les amateurs, les journalistes ou les simples curieux venus de Paris, de province et même de l'étranger, Chocquet n'a pas quitté la salle. Grande a dû être son émotion alors que d'heure en heure, au fil des enchères qui s'envolaient, la tension grandissait au sein d'une assistance en émoi, applaudissant à tout rompre et commentant bruyamment les principales adjudications. Témoin le récit très vivant de Théophile Silvestre : « Aujourd'hui, premier jour des enchères [...]. Deux heures sonnent : entrée frénétique. Un troupeau poursuivi par des loups ne se jette pas plus haletant au bercail. Piétinements, bondissements de bancs en bancs... et pas de côtes rompues, pas de jambes cassées[14] ! »

Après avoir payé 820 francs des « *Fleurs en bouquet* » (n° 92 du catalogue de la vente)[15], et 135 francs une « *Étude de Marocain* » (n° 130, localisation inconnue), Chocquet a payé 125 francs une aquarelle, « *Mars-el-Kébir, côte d'Afrique* » (n° 574)[16]. Il a même réussi à obtenir une des feuilles du lot 597 « *Ruines de l'Abbaye de Valmont [...]* », en l'occurrence une aquarelle représentant une vue des ruines de l'abbaye, et enfin un dessin du lot 625 « *Études diverses de fleurs* » comprenant 77 feuilles, dont la représentation d'« *Hortensias jaunes*

Fig. 51 Eugène Delacroix, *Parterre de fleurs avec hortensias roses, scylles bleutés et anémones rouges*, 1849, aquarelle et mine de plomb sur papier, 18,7 × 29,6 cm, Musée du Louvre, Paris, département des Arts graphiques

et roses » (fig. 51)[17]. Cette dernière aquarelle fut acquise par Edgar Degas à la vente de la Collection Chocquet 1899 pour 300 francs[18].

Quelques mois plus tard, Chocquet participe à l'exposition organisée du 13 août au 11 décembre 1864 à la mémoire du peintre par la Société nationale des Beaux-Arts dans les salles lui appartenant, 26, boulevard des Italiens[19]. Son nom apparaît au catalogue, dans la section des « Tableaux », aux nos 112 « *Fleurs* » (n.l.), 113 « *Marine* » (voir cat. 2)[20], 114 « *L'Annonciation* »[21], 115 « *Paysage, dessous de bois* » (n.l.), et dans celle des « Dessins », aux nos 215 « *Les Musiciens du Maroc* » (aquarelle)[22], 216 « *Un tigre* » (aquarelle n.l.) et 217 « *Combat d'arabes* » (dessin à la plume n.l.).

Cette énumération a le mérite de montrer qu'en deux ans tout au plus, Chocquet a déjà en sa possession un petit groupe d'œuvres de Delacroix, d'importance inégale (car à cette époque son salaire est modeste), mais bien révélatrices de l'éclectisme de ses choix. Ce n'est qu'à partir de 1882, lorsque sa femme hérite du patrimoine considérable laissé par sa mère Armande Julienne Buisson, que Chocquet pourra envisager des achats plus onéreux. En 1865, il reprend le chemin de l'Hôtel Drouot. Le 11 février, il est présent à la vente des *Tableaux, aquarelles, dessins, croquis, études, planches gravées à l'eau-forte par Eugène Delacroix provenant du cabinet de M. F. V.*, autrement dit Frédéric Villot[23], et en repart avec une peinture, « *Mulâtresse* » (n° 5 du catalogue ; coll. part.)[24] ainsi qu'un dessin à la plume, « *Femme juive tenant une rose* » (n° 36 ; voir cat. 4)[25]. Il y revient le 21 avril, sans doute averti que la collection dispersée à titre anonyme était en fait celle d'Achille Piron, ami d'enfance de Delacroix, qui l'avait désigné comme son légataire universel[26]. Il débourse 657 francs pour une peinture, « *La Muse inspirant Hésiode* » (fig. 69)[27] et respectivement 212 francs et 300 francs pour deux aquarelles, « *La Captivité à Babylone* » (voir cat. 5) et « *Groupe de fleurs* » (fig. 53)[28].

En 1877, si l'on se reporte aux notes manuscrites d'Alfred Robaut[29], la collection de Chocquet s'est enrichie tant en peintures qu'en dessins. Robaut avait commencé à s'intéresser à Delacroix sur les conseils de son beau-père, le peintre Constant Dutilleux, lui-même grand admirateur du maître, avec qui il avait entretenu une correspondance suivie. Non seulement Robaut avait été l'un des principaux enchérisseurs à la vente de l'atelier de Delacroix en 1864, mais il avait réalisé deux séries de fac-similés de dessins du maître et entrepris presque simultanément d'établir le catalogue complet de son œuvre[30]. Méthodiquement et sans ménager sa peine, il interrogeait les marchands et les collectionneurs privés et suivait assidûment les ventes publiques. Parmi les œuvres que Robaut note avoir vues chez Chocquet au mois d'août 1877, figurent des acquisitions assurément récentes, *Effet de neige à Champrosay*[31], *Cheval au galop*[32], *Cheval vu de profil à gauche*[33], *Cheval gris pommelé*[34], *Le Tasse en prison*[35], *Le Christ marchant sur les eaux*[36] et *Le Naufrage* (cat. 2, voir fig. 52)[37].

Revenu voir Chocquet en 1879, Robaut a remarqué chez lui une petite esquisse « aux tons vineux », *Jésus et le paralytique*[38]. Curieusement, il ne mentionne pas les deux dessins achetés par Chocquet à la vente Alfred Sensier, le 15 décembre 1877, *Hamlet*[39], étude pour l'une des planches de la suite lithographique d'*Hamlet*, et *Ovide chez les Scythes* (cat. 7), mais ceux-ci n'étaient peut-être pas accrochés, faute de place. Robaut ne cite pas davantage la petite esquisse à l'huile que Chocquet avait achetée 45 francs le 10 avril 1879 à la vente Léon Riesener, cousin de Delacroix, laconiquement décrite dans le catalogue au n° 224 comme « d'après une gravure de Rubens[40] » (fig. 42). Soit Chocquet n'avait pas jugé bon de la lui montrer, soit Robaut est venu lui rendre visite plus tard dans l'année. Connaissant la curiosité notoire de Robaut, on peut également s'étonner qu'il ne parle pas des deux peintures de Delacroix visibles derrière les portraits de Victor Chocquet et de sa femme auxquels nous avons fait allusion en commençant. Chocquet les aurait-il enlevés après le départ de Renoir ? C'est peu vraisemblable. À cette époque, comme le souligne Anne Distel en rapportant une

Fig. 52 Alfred Robaut, dessin d'après la peinture de Delacroix *Le Naufrage*, avec notice manuscrite : « Un naufrage toile de 10 environ ? / Signé & daté en bas à dr[oite] : / Eug Delacroix 1862. / Chez M Choquet [sic] août 1877. », Bibliothèque nationale de France, Paris (Dc 183-l-fol-0002)

confidence de Renoir à Vollard, Chocquet vénérait Delacroix comme son « dieu[41] ».

Nous ignorons si Robaut a cherché à revoir Chocquet, mais, de toute évidence, il ne l'a jamais perdu de vue ! À relever les diverses notices de son catalogue où est mentionné le nom de Chocquet, il est évident que l'historien, pour parvenir au but qu'il s'était fixé, a actualisé ses informations. Et s'il a été démontré par la suite que son travail n'était pas aussi fiable qu'il prétendait l'être, il n'en demeure pas moins que grâce à lui, nous pouvons entrevoir la collection des Delacroix de Chocquet en 1885. Mais tel n'était pas notre propos…

Chocquet ayant reporté dans les années 1870 tout son intérêt sur Renoir, puis sur Cézanne, il nous incombait d'en savoir plus sur les œuvres de Delacroix trouvées chez lui à sa mort en 1891. À cet effet, l'inventaire après le décès de Madame Chocquet, établi par Maître Félix Huguenot entre les 4 et 26 avril 1899, ainsi que le catalogue de la vente chez Petit par suite du décès de Mme Vve Chocquet, les 1er, 3 et 4 juillet 1899, où sont décrites et partiellement reproduites 23 peintures, dont 15 encadrées, ainsi que 59 œuvres graphiques, dont 35 aquarelles et pastels et 24 dessins, se sont avérés fort utiles. Force est de reconnaître toutefois que nous avons été dans l'impossibilité de tracer l'origine d'une grande partie des œuvres, étant donné les descriptifs souvent très succincts donnés dans ces deux documents, principalement en ce qui concerne les dessins, aquarelles et pastels[42], et l'approximation – au demeurant compréhensible – des indications techniques. Chocquet ne semble pas avoir fait partie de ces collectionneurs qui tenaient un inventaire détaillé de leurs acquisitions. N'avait-il pas répondu en 1874 à Philippe Burty, désireux de consulter les notes qu'il aurait pu prendre au cours de la vente de l'atelier de Delacroix :

« Je vous donnerai avec plaisir les renseignements que j'ai sur la vente Delacroix mais je vous engage à faire vous-même quand et bon vous semblera la liste de mes dessins aquarelles et peintures persuadé que vous ferez cela avec plus de méthode et de discernement que moi[43]. »

Au cours de notre enquête, nous avons découvert par ailleurs des œuvres de Delacroix ne figurant pas dans l'imposant catalogue que nous venons de mentionner : le *Portrait d'Aspasie* que Chocquet semble bien avoir acheté à la vente Villot le 11 février 1865[44], l'étude au lavis gris pour le tableau conservé dans la cathédrale d'Ajaccio, *La Vierge du Sacré-Cœur*, que Robaut catalogue comme appartenant à Chocquet[45], ou le dessin à la plume en rapport avec l'eau-forte *Rencontre de cavaliers maures*[46]. Ces deux derniers dessins qui n'apparaissent pas, semble-t-il, dans l'inventaire après décès, auraient-ils été inclus dans ce qu'Anne Distel nomme la « petite vente » Chocquet du 5 juillet 1899, à l'Hôtel Drouot[47] ? De surcroît, au risque de décourager nos lecteurs, il nous faut rappeler que l'authenticité de certains des Delacroix catalogués en 1899 a été par la suite discutée : ainsi l'« admirable esquisse » pour « *La Bataille de Taillebourg* » (n° 48)[48], le portrait de « *Femme dans un intérieur* » (n° 50)[49] ou encore l'« *Étude de cheval.* De trois quarts à droite et de dos, lancé au galop. » (n° 59)[50].

Dans ces conditions, prétendre juger de l'ensemble des œuvres de Delacroix réunies par Chocquet relevait de la plus grande témérité ! Et pourtant, nous avons accepté de tenter pareille aventure. Nous avons découvert ainsi la collection d'un amateur qui était issu d'un milieu pourtant peu orienté vers les beaux-arts, et dont les goûts simples n'en étaient pas moins d'une grande originalité. Chocquet, qui s'est formé peu à peu, sans se laisser influencer par la mode, a vraisemblablement privilégié le plaisir de l'œil au lieu de rechercher le spectaculaire. Il nous a paru plus séduit par le dessinateur que par le peintre, si l'on considère la prédominance, dans la collection, des œuvres graphiques de Delacroix.

À notre avis, Chocquet a ressenti durablement le contrecoup de la frénésie qui s'était emparée de tous ceux qui avaient découvert, à la vente de l'atelier de Delacroix en 1864, des milliers de dessins jusque-là totalement inconnus. Nous savons en effet, par des témoignages contemporains, que non seulement les dessins avaient été particulièrement appréciés, mais que leurs enchères étaient montées plus rapidement que pour les peintures. « Ce qui a vraiment étonné tout le monde à cette vente publique des aquarelles, des dessins et des griffonnements de Delacroix, c'est l'inépuisable abondance du maître, la variété de ses motifs et l'acharnement qu'il mettait à rendre sous toutes les formes les sujets dont il avait été frappé[51]. »

L'inventaire après décès de Mme Vve Chocquet fait état d'une soixantaine d'œuvres sur papier pour une vingtaine de peintures de Delacroix. Parmi celles qui ont été identifiées, on ne trouve ni chefs-d'œuvre reconnus comme tels par la critique, ni grands formats (ce qui n'a rien d'étonnant, étant donné la taille de l'appartement de la rue de Rivoli). Chocquet semble avoir eu une nette prédilection pour les paysages, et plus spécialement pour les marines. Viennent ensuite les sujets africains et les études pour les grands décors, dont le plafond de la Bibliothèque de la Chambre des Députés et celui du Salon de la Paix à l'Hôtel de Ville. Un peu inattendu, car cette partie de l'œuvre de Delacroix

Fig. 53 Eugène Delacroix, *Bouquet de fleurs*, vers 1849, aquarelle, craie noire et gouache, rehaussé de pastel, sur papier gris, 65 × 65,4 cm, Musée national Eugène Delacroix, Paris, dépôt du Musée du Louvre, département des Arts graphiques

Fig. 54 Eugène Delacroix, *Une cour à Tanger*, 1832, aquarelle et mine de plomb sur papier, 20,7 × 29,4 cm, Musée du Louvre, Paris, département des Arts graphiques

n'était pas en faveur auprès des contemporains de Chocquet, le petit groupe de sujets religieux : mais peut-être est-ce là une concession à la grande piété de sa femme, comme nous l'a suggéré Anne Distel. À ce propos, Chocquet savait-il, lorsqu'il acheta en 1862 *L'Annonciation* (fig. 50), qu'il tenait entre ses mains la première pensée du tableau commandé à Delacroix en 1840 pour une chapelle de l'église Saint-Denis-du-Sacrement, et que l'artiste avait eu tant de mal à faire accepter par le curé[52] ? Vraisemblablement pas. C'est donc le caractère intimiste de la scène, plutôt que son intérêt historique, qui a pu le séduire. Et l'on comprend dès lors qu'il ait placé *L'Annonciation* dans la même pièce que la petite esquisse pour *La Vierge des Moissons*.[53]

Mise en valeur d'une collection

Contrairement à ce que nous supposions, Chocquet montrait volontiers ses collections, sans pour autant chercher à se faire remarquer. Nous ne saurons donc jamais – et nous le regrettons – comment était disposée sa collection dans son appartement de la rue de Rivoli. Mais grâce à la description détaillée d'Anne Distel (voir inventaire, p. 207-249), nous pouvons tenter du moins une visite virtuelle de l'immeuble de la rue Monsigny.

Il apparaît ainsi que l'essentiel des œuvres de Delacroix réunies par Chocquet se trouvait au premier étage, dans deux pièces. Toutefois, au rez-de-chaussée, sitôt passé le vestibule, trois petites peintures de Delacroix – deux esquisses et un paysage – étaient accrochées dans le salon à deux fenêtres donnant sur la rue, essentiellement orné de paysages et de portraits peints par Monet, Sisley, Courbet, Pissarro, Renoir et Cézanne. Selon nous, c'est dans cette pièce que devait se trouver le lumineux « *Paysage avec rocher* » (voir cat. 1 et inventaire p. 213).

Montons à présent au premier étage. Aux murs d'un petit salon donnant sur la rue, éclairé par une fenêtre et doté

Fig. 55 Eugène Delacroix, *La Nuit*, 1828 (?), pastel sur papier, 22,2 × 37,2 cm, Musée du Louvre, Paris, département des Arts graphiques

d'un mobilier quelque peu disparate, étaient accrochés la majeure partie des Delacroix chers au cœur de Chocquet, soit 15 peintures et 40 dessins, voisinant avec des dessins, aquarelles, pastels d'artistes aussi divers que Tassaert, Daumier, Cézanne, Courbet, Renoir, Berthe Morisot, Monet… À l'évidence, Delacroix était à l'honneur dans cette pièce, d'où notre frustration de ne pas avoir la moindre idée de la disposition adoptée par Chocquet. De l'ensemble des dessins, aquarelles ou croquis, décrits par lots dans l'inventaire après décès avec de sommaires indications de sujets – figures, paysages, marines, fleurs –, un seul paysage a été jusqu'à présent identifié (fig. 55, voir inventaire p. 233), dont nous trouvons une description lyrique dans le catalogue de la vente de Mme Vve Chocquet, (n° 112) : « Une nuit de lune, qui laisse encore s'accrocher des gouttes d'or aux feuilles rouillées des arbres.[54] » Une harmonie de bleus intenses contrastant avec des noirs et des bruns teintés de roux caractérise en effet ce pastel, intitulé *La Nuit*, l'un des plus beaux exécutés par Delacroix[55]. Quant aux peintures, les quatre dont l'identification est certaine forment un groupe plutôt disparate : une esquisse pour *La Bataille de Nancy*, tableau commandé à Delacroix en 1828 (fig. 43)[56], une « *Femme dans un intérieur* », identifié plus tard comme le portrait de *Madame François Simon*[57], un sujet littéraire, *Scène de Faust*[58], et un sujet mythologique, *Hercule délivre Hésione* (voir cat. 6 et inventaire p. 228-230).

Toujours au premier étage, mais côté cour, une pièce éclairée par une fenêtre était exclusivement dévolue au dessin : s'y trouvaient, vraisemblablement accrochés cadre à cadre selon les goûts de l'époque, des aquarelles et des pastels de Delacroix (une vingtaine), mais aussi de Monet, Cézanne, Pissarro, Renoir, Tassaert et Courbet (voir inventaire p. 234-239). Comme il n'est pas toujours indiqué dans l'inventaire après décès si les œuvres étaient sous verre, nous avons supposé que Chocquet avait peut-être rangé les feuilles non montées dans des cartons. Mais, comme nous l'a fait remarquer Anne Distel, rien n'est moins sûr : après tout, rédiger ce type d'inventaire ne requérait pas forcément de compétences particulières !

Quoi qu'il en soit, la tentation est grande de supposer que Delacroix occupait une place de choix sur l'un des murs, avec, bien en vue, l'une des premières acquisitions de Chocquet, et non des moindres, simplement décrite dans l'inventaire après décès comme « *Une grande aquarelle, fleurs* » (voir fig. 53 et inventaire p. 235)[59] : en fait une monumentale composition florale exécutée par Delacroix vers 1849, au moment où il songeait à envoyer au Salon des tableaux de fleurs, et qui devait plus tard attirer l'attention de Cézanne (voir cat. 28). Pouvaient se trouver, également sur cette cimaise, deux aquarelles en forme de pendentif se rapportant au plafond de la Bibliothèque de la Chambre des Députés, l'un des plus importants chantiers décoratifs attribués à Delacroix et que celui-ci avait terminé en 1847 : *La Captivité à Babylone* (cat. 5) ainsi qu'*Alexandre et les poèmes d'Homère* (voir inventaire p. 235)[60]. Il devait y avoir aussi dans cette pièce quelques témoignages colorés du voyage de Delacroix en Afrique du Nord en 1832, groupés autour de l'éblouissant « *Intérieur mauresque* » (voir fig. 54 et inventaire p. 236)[61] et du *Cavalier arabe dans une fantasia* (voir inventaire p. 239)[62] : par exemple la *Vue de la côte à Mers el-Kébir*[63], que Chocquet avait achetée à la vente de l'Atelier de Delacroix en 1864, et un *Jeune Arabe assis contre un mur*[64]. Si nous avons la confirmation de la présence d'un curieux pastel, *Le Christ marchant sur les eaux*[65], nous pouvons seulement supposer que, parmi les autres paysages, il pouvait y avoir des souvenirs des séjours de Delacroix en Normandie : *Vue des ruines de l'abbaye de Valmont*[66], *Soleil couchant sur la mer calme*[67] ou *Le Phare*[68].

Rendons-nous à présent au deuxième étage. Dans une chambre à coucher spacieuse, meublée entre autres d'un « grand lit à colonnes et baldaquin en bois sculpté » et de quatre commodes, éclairée par deux fenêtres donnant sur la rue, sept – ou huit ? – peintures de Delacroix étaient disposées sur les murs parmi lesquelles la toute première acquisition de Chocquet, *L'Annonciation*[69] et l'énigmatique « *Grotte au bord de la Mer* » (voir cat. 2 et inventaire p. 244)[70]. Au troisième étage, enfin, dans une pièce sans affectation particulière, où l'inventaire après décès mentionne la présence d'un berceau, d'un bidet, d'un métier à tapisserie et de six caisses de chiffons et jouets d'enfants, était entreposée une trentaine d'œuvres d'artistes divers. Parmi celles-ci, un dessin de Delacroix, sous verre (voir inventaire p. 247). Décrit dans l'inventaire après décès comme représentant une scène biblique, il apparaît dans le catalogue de la vente de Mme Vve Chocquet (n° 169, voir inventaire p. 247) sous le titre : « *Étude pour une décoration* », avec cette description : « Deux figures : l'une assise, le bras gauche entourant l'épaule de sa compagne, tient un livre ouvert sur ses genoux. L'autre, presque agenouillée, indique du doigt ce qu'elle lit[71] », précision qui nous permet de relier la feuille au tableau peint par Delacroix chez George Sand en 1842, *L'Éducation de la Vierge* (Paris, Musée national Eugène Delacroix)[72].

Notre visite est terminée : si nous ne sommes pas parvenus à la documenter davantage, du moins nous espérons ne pas avoir déçu celles et ceux qui auront accepté de la suivre. D'une pièce à l'autre, les œuvres que nous avons découvertes ont certainement procuré à Chocquet, admirateur sincère de Delacroix, l'un des plus grands bonheurs de sa vie.

1 *Portrait de Victor Chocquet*, Cambridge, Massachusetts, Fogg Art Museum (Daulte 176 ; Dauberville 541) ; *Portrait de Madame Chocquet, en blanc*, Staatsgalerie Stuttgart (Daulte 142 ; Dauberville 416)

2 Paris, Musée du Louvre, dépôt du Musée des Beaux-Arts, Alger. Voir Johnson V 533, VI, pl. 21. À la vente de l'atelier de Delacroix (vente Delacroix 1864, n° 26), l'œuvre a été cataloguée à tort sous le titre « *La Muse inspirant Hésiode* ». Cette erreur a été reprise dans le catalogue de la vente Piron 1865 (n° 7) et dans celui de la vente Chocquet Petit en 1899 (n° 57).

3 Vente Chocquet Petit, n° 49 : « *Médée.* Une des plus belles recherches de Delacroix pour sa *Médée furieuse.* La tête de l'enfant le plus âgé est presque cachée : le dernier né est nu, sur une draperie rouge, retenue à l'épaule de Médée par une bretelle verte. La robe est noire, avec une doublure rouge. » Dans l'inventaire établi après le décès de Chocquet, l'esquisse est mentionnée précisément – mais seulement attribuée à Eugène Delacroix – parmi les œuvres se trouvant au premier étage, dans le petit salon éclairé par une fenêtre donnant sur la rue. Johnson III 261, copie n° 5, (localisation inconnue).

4 Paris, Musée du Louvre, département des Arts graphiques, A 712, recto (AR20 L41). Voir Valentine de Chillaz, *Musée du Louvre, Département des Arts graphiques, Musée d'Orsay, Inventaire général des Autographes*, Paris 1997, Aut. 712, p. 120.

5 Delacroix avait été chargé de cette chapelle en 1849 mais n'y travailla véritablement qu'après 1855, consacrant le mur gauche à *La Lutte de Jacob avec l'Ange*, le mur droit à *Héliodore chassé du temple* et le plafond à *Saint Michel terrassant le démon.*

6 La galerie avait été ouverte 26 boulevard des Italiens, à l'initiative de Louis Martinet (1814-1895) : l'œuvre la plus remarquée cette année-là fut *La Mort de Sardanapale* (Paris, Musée du Louvre) : « Le *Sardanapale* revu, c'est la jeunesse retrouvée », s'est exclamé Baudelaire en sortant de l'exposition (Baudelaire 1976, t. II, p. 734). Il est fort possible que Chocquet se soit rendu à la galerie.

7 Johnson III 415, IV, pl. 224 ; III 206, IV, pl. 30

8 Johnson III 343, IV, pl. 153 ; III 417, IV, pl. 211 ; III 416, IV, pl. 225

9 Dix de ces dessins sont connus, tous exécutés à la plume et à l'encre brune, et datés entre le 2 janvier et le 24 février 1862. Voir Prat 1998, p. 329-339.

10 Johnson III 237, IV, pl. 57 ; III 238, IV, pl. 58 ; III 239, IV, pl. 59

11 Paris, , national Eugène Delacroix. Johnson III 425, IV, pl. 236 ; vente Chocquet Petit, n° 45

12 Localisation inconnue. Moreau 1873, p. 290. Chocquet aurait payé l'aquarelle 355 francs lors de la vente Barroilhet en 1862.

13 Delacroix avait stipulé dans son testament que toutes les œuvres qui se trouvaient chez lui à sa mort devaient être vendues aux enchères. La vente eut lieu du 17 au 19 février pour les tableaux, du 22 au 27 février pour les dessins, le 29 février étant consacré à la dispersion des gravures (vente Delacroix 1864).

14 Silvestre 1864, p. 9

15 Johnson III 500, p. 261, IV, pl. 297 (comme *A vase of Flowers with Dahlias and Snapdragon [Un vase de fleurs avec dahlias et muflier] ;* localisation inconnue). Johnson identifie ce tableau avec une œuvre mise aux enchères à la vente Chocquet Petit, n° 67ter, sous le titre « *Fleurs* ». Ce lot supplémentaire sera ajouté à la main dans les différents exemplaires annotés du catalogue de la vente : « 67ter Delacroix Fleurs 3250 [francs] ».

16 Alger, Musée national des beaux-arts. Vente Chocquet Petit, n° 113, sous le titre « *Marss-el-Kebir* ». Robaut 1635 : « *Mers-el-Kébir, côte d'Afrique* ». Cat. expo. Paris 2003, p. 72 : *Vue de la côte à Mers el-Kébir*, repr. coul.

17 Paris, Musée du Louvre, Département des Arts graphiques, RF 9250 et RF 4508 (Sérullaz 1984, t. I, n° 167 et n° 1232, repr.). Pour la feuille représentant l'Abbaye de Valmont, Chocquet a payé 115 francs, et pour l'aquarelle de fleurs, 46 francs.

18 Vente Chocquet Petit, n° 119. L'aquarelle figure encore dans le catalogue de la vente de la Collection Degas en 1918 (vente Degas 1918, n° 116).

19 Voir cat. expo. Paris 1864. La commission constituée à cet effet et présidée par le comte Walewski et Théophile Gautier, comprenait des proches de Delacroix, des artistes, des critiques, des collectionneurs et des marchands.

20 Vente Chocquet Petit, n° 47, sous le titre « *Le Naufrage* ». Voir note 37.

21 Voir note 11.

22 Peut-être vente Chocquet Petit, n° 136, sous le titre « *Musiciens Arabes* » (localisation inconnue)

23 Vente Villot 1865

24 Johnson I 80, II, pl. 71 (coll. Feilchenfeldt, Zurich) et cat. expo. Madrid/Barcelona 2011, n° 12, repr. Pour ce portrait peint par Delacroix vers 1824, Chocquet a payé 141 francs.

25 Vente Chocquet Petit, n° 161, sous le titre « *L'Algérienne à la rose* »

26 Camarade de Delacroix au lycée Impérial (Louis-le-Grand), Achille Piron (1798-1865) avait fait toute sa carrière dans l'administration des Postes. Il avait acheté un grand nombre d'œuvres de Delacroix à la vente de 1864.

27 Voir note 2. Nous pensons, mais sans en avoir la preuve formelle, que Chocquet a bien acheté cette œuvre à la vente Piron 1865.

28 Paris, Musée du Louvre, département des Arts graphiques, RF 31 719. Sérullaz 1984, t. I, n° 1233, repr. ; vente Chocquet Petit, n° 111, sous le titre « *Roses et hortensias* »

29 Il s'agit des notes accompagnant cinq grands volumes de dessins et de calques de Robaut conservés à la Bibliothèque nationale de France, département des Estampes, Dc 183 h, i, j, k, l, fos. Voir à ce sujet Louis-Antoine Prat, *L'œuvre d'Alfred Robaut d'après Delacroix*, mémoire de diplôme de l'École du Louvre, sous la direction de Maurice Sérullaz [...], 1974-1975.

30 À la vente de l'atelier de Delacroix, Robaut avait acheté près de 300 dessins du maître. La première série du *Fac-similé de Dessins et Croquis Originaux d'Eugène Delacroix* parut en juillet 1864, avec 27 dessins tirés sur 25 planches, la seconde en février 1865 avec 32 dessins sur 28 planches. Robaut avait prévu de publier une troisième série, mais celle-ci, limitée à une quinzaine de planches, ne fut pas éditée sous la forme d'un volume. *L'œuvre complet d'Eugène Delacroix, peintures, dessins, gravures, lithographies, catalogué par Alfred Robaut, commenté par Ernest Chesneau*, parut en 1885 chez Charavay frères, 4 rue de Furstenberg à Paris (Robaut 1885). Alfred Robaut en était le maître d'ouvrage, aidé par Ernest Chesneau et Fernand Calmettes.

31 Johnson I 160, II, pl. 141 (chez Knoedler à Paris en 1968). Vente Chocquet Petit, n° 51, sous le titre « *La Neige* » (panneau)

32 Johnson I D12, œuvre douteuse (localisation inconnue). Vente Chocquet Petit, n° 59, sous le titre « *Étude de cheval* ». Pour Robaut, l'exécution de cette œuvre était « molle » !

33 Johnson I 42, II, p. 36 (localisation inconnue). Vente Chocquet Petit, n° 58, sous le titre « *Étude de cheval, de profil à gauche* »

34 Johnson I L57, II, pl. 147 (localisation inconnue). Vente Chocquet Petit, n° 60, sous le titre « *Étude de cheval gris pommelé, de profil à gauche* ». Robaut a noté que Chocquet le tenait d'Eugène Detrimont et l'avait fait agrandir. Serait-ce le tableau mentionné par Delacroix dans son *Journal* le 28 mars 1824 : « Au manège. Peint le cheval gris » (Delacroix Journal, t. I, p. 130) ?

35 Cette oeuvre pourrait être le dessin qui figurait dans le catalogue de la vente Chocquet Petit, n° 133, sous le titre « *Le Prisonnier.* Dessin au lavis de sépia » (Robaut 185 avec fig. : « *Le Tasse en prison* »). Les dimensions qui y sont indiquées ne sont pas compatibles avec celles des travaux préparatoires connus pour les deux versions du tableau *Le Tasse en prison* (Courtesy Nathan Fine Art, Potsdam/Zurich, Winterthour, Collection Oskar Reinhart « Am Römerholz » ; voir cat. expo. Winterthour 2008, cat. 6, 15a, 15b). En ce qui concerne le dessin de Chocquet, il s'agit probablement d'une étude sur ce sujet, disparue depuis lors.

36 Cambridge, Massachusetts, Fogg Art Museum. Johnson Pastels 38, repr. Mentionnée dans le catalogue de la vente Chocquet Petit, n° 144, sous le titre « *Jésus marchant sur les flots.* Pastel ». Chocquet l'aurait acquise auprès

d'un certain Clabburn (peut-être le fabricant d'écharpes William Houghton Clabburn de Norwich ?) qui l'avait lui-même acheté à la vente de l'atelier de Delacroix en 1864.

37 Vente Chocquet Petit, n° 47. La note de Robaut (fig. 52) sur *Le Naufrage* se trouve dans le volume Dc 183 l-fol de ses notices (voir note 29).

38 Johnson I L112, II, pl. 155 (localisation inconnue). Vente Chocquet Petit, n° 53

39 Détroit, Institute of Arts. Vente Chocquet Petit, n° 172 : « *Le Roi* [corrigé à la main en "Hamlet, l'ombre de son père"]. Le roi soulève la visière de son casque et se fait reconnaître ; le chevalier, son épée à la main, semble reculer, de surprise ou d'effroi. Au fond, le château fortifié [...] ». La scène est tirée de la tragédie de Shakespeare, *Hamlet*, acte I, scène V (« Je suis l'esprit de ton père » / « I am thy father's spirit ») ; la lithographie correspondante est datée de 1843. Robaut connaissait le dessin puisqu'il avait obtenu d'Alfred Sensier l'autorisation d'en faire un fac-similé en 1865 (2e série, n° 56). En 1885, il le décrira dans son ouvrage au n° 570, accompagné d'une petite vignette, avec pour seules mentions « Fac-similé A. Robaut » et « Vente posthume : 165 F à M. Alfred Sensier. » Robaut devait pourtant bien savoir que le dessin avait été vendu en 1877 à Chocquet.

40 Johnson III L 119 (coll. part., Paris, 1963). Vente Chocquet Petit, n° 64, sous le titre « *Esquisse, d'après une gravure de Rubens* ». Pour quelle raison Chocquet a-t-il choisi cette copie, en lieu et place d'une œuvre originale ? Aurait-il été ému par la petite note que Riesener avait glissée entre la toile et le châssis : « peint devant moi, Léon Riesener » ? D'après l'inventaire après décès, l'esquisse à l'huile se trouvait au premier étage dans un petit salon donnant sur la rue, éclairé par une fenêtre (voir inventaire, p. 232).

41 Vollard 1919, p. 77

42 Grâce aux illustrations du catalogue de la vente Chocquet Petit, nous avons pu néanmoins rectifier ou préciser les titres donnés à certaines œuvres, parfois même retrouver leur passage dans telle ou telle collection particulière. Ainsi le n° 140 ne saurait être une « *Italienne portant une corbeille sur la tête* » mais une *Paysanne des Eaux-Bonnes* (localisation inconnue). Le sujet de l'« *Esquisse d'un pendentif, pour la décoration de la Chambre des Députés* » (n° 143) est *Alexandre faisant enfermer les œuvres d'Homère dans une cassette* (coll. part. en 1969). La page de croquis cataloguée au n° 163 est une copie partielle d'une peinture de Rubens conservée au musée des Beaux-Arts de Caen, *La Rencontre d'Abraham et de Melchisédech* (elle se trouvait chez Peter Nathan à Zurich en 1987, aujourd'hui coll. part.).

43 Joëts 1935, p. 124 et Rewald 1969, p. 43 note 30

44 Voir note 24. Dans le catalogue de la vente Villot 1865, l'œuvre est décrite sous le titre « *Mulâtresse* » : « Elle est représentée presque de face, en buste, la gorge nue. Fond rouge. »

45 Robaut 1885, n° 38 : « *Vierge Consolatrice des Affligés* », repr. Paris, Musée du Louvre, département des Arts graphiques, RF 9196. Sérullaz 1984, t. I, n° 6, repr. Le dessin faisait partie d'un groupe de 19 feuilles divisé en deux lots à la vente de l'atelier de Delacroix en 1864, sous le n° 303 : « Notre-Dame des Douleurs. Études pour un tableau du *Sacré Cœur de Jésus*, à Nantes. Dessins et croquis. » Nous ignorons à quel moment Chocquet a fait l'acquisition de ce dessin.

46 Robaut 1885, n° 563 (localisation inconnue). L'eau-forte est signée et datée 1834. Le dessin pourrait être celui de l'ancienne Collection Claude Roger-Marx, repr. in Escholier 1927, p. 23.

47 Le *Portrait d'Aspasie* appartenait déjà à Léon Riesener depuis 1873. Voir Johnson I 80.

48 Localisation inconnue. Johnson III 260 la cite parmi les copies pour le tableau du musée de Versailles. Au reste, dans l'inventaire après décès, l'œuvre était attribuée à Delacroix.

49 Birmingham, Museum and Art Gallery. Johnson III D 25, IV, pl. 317, met en doute son authenticité mais confirme l'identité du modèle, à savoir Mme François Simon. D'après Burty (Delacroix Lettres, p. 353), le portrait se trouvait chez Chocquet en 1878.

50 Voir note 32.

51 Silvestre 1864, p. 43

52 Après mûre réflexion, Delacroix avait proposé au curé de représenter la déploration du Christ, mais ce n'est qu'à la suite de longues et délicates négociations qu'il finit par obtenir son accord.

53 Johnson I 151 et L106 (localisation inconnue). Il est précisé dans le catalogue de la vente Chocquet Petit, n° 56, qu'il s'agit d'une des esquisses pour le tableau commandé à Delacroix pour l'église d'Orcemont.

54 Vente Chocquet Petit, n° 112

55 Paris, Musée du Louvre, département des Arts graphiques, RF 4049. Sérullaz 1984, t. I, n° 1214, repr. (acquis par Isaac de Camondo à la vente Chocquet Petit, n° 112) ; Johnson Pastels 39. Nous ignorons à quelle date Chocquet en a fait l'acquisition.

56 Copenhague, Ny Carlsberg Glyptotek. Johnson I 142, II, pl. 124. Dans le catalogue de la vente Chocquet Petit, l'œuvre était décrite au n° 46 comme une esquisse pour « *Le Roi Jean à la bataille de Poitiers* ».

57 Voir note 49.

58 Johnson I 117, II, pl. 103. Vente Chocquet Petit, n° 62 : « *Faust.* Esquisse. » Anc. coll. Claude Roger-Marx ; recto : *Le Bal chez les Capulets*, coll. part. Il se pourrait que Chocquet ait acquis ce petit tableau auprès de Philippe Burty, qui l'avait lui-même acheté à la vente Delacroix 1864, n° 146. Johnson (Johnson, t. I, p. 107-108) ne sait pas exactement s'il s'agit en fait d'un seul et même travail.

59 Voir note 28, sous le titre « *Roses et hortensias* ».

60 Coll. part. D'après la reproduction accompagnant le n° 143 du catalogue de la vente Chocquet Petit, nous pensons qu'il s'agit en effet de l'aquarelle figurant dans le cat. expo. Kyōto/Tōkyō 1969, au n° A-9, repr.

61 Paris, Musée du Louvre, département des Arts graphiques, RF 3375. Sérullaz 1984, t. II, n° 1664, repr. Cette aquarelle avait été exécutée par Delacroix lors de son séjour à Tanger en 1832. Elle lui servit pour mettre au point la composition du tableau présenté au Salon de 1841, *La Noce juive* (Paris, Musée du Louvre). Nous n'avons pas pu avoir confirmation de son achat par Chocquet à la vente Dauzats 1869, n° 388. Dans la vente Chocquet Petit, n° 115, l'aquarelle figure sous le titre « *Cour intérieure de maison arabe* ».

62 Coll. part. À la vente Chocquet Petit (n° 142), cette aquarelle fut achetée par Durand-Ruel pour Edgar Degas. Voir cat. expo. New York 1997, p. 30, n° 215.

63 Voir note 16.

64 Paris, Musée Carnavalet. vente Chocquet Petit, n° 137, repr. Voir cat. expo. Paris 1994, n° 21, repr.

65 Voir note 36.

66 Voir note 17.

67 Coll. part. Le catalogue de la Vente Chocquet Petit décrit sous ce titre au n° 121 une aquarelle portant les timbres de la vente Delacroix 1864 et de la vente Riesener 1879. Nous pensons qu'il pourrait s'agir de l'aquarelle in cat. expo. Francfort 1987, n° J 5, repr.

68 Coll. part. Voir cat. expo. Paris 1993, n° 65, repr. : *La Jetée et la Baie de Dieppe au soleil couchant* (anc. coll. Maurice Gobin). Cette aquarelle correspond bien à la reproduction accompagnant le n° 138 de la vente Chocquet Petit.

69 Voir note 11.

70 Voir note 37.

71 Londres, The British Museum, Trustees of the British Museum, inv. 1875.3.43. Nous ignorons à quelle date Chocquet a acheté le dessin.

72 En effet, dans plusieurs exemplaires du catalogue de la vente Chocquet Petit, on trouve au n° 169 une note de l'époque, ajoutée à la main « *L'Education de la Vierge* » (pour une copie annotée numérique voir par exemple : https://ia601407.us.archive.org/24/items/georgespetit00gale/georgespetit00gale.pdf).

Chocquet et Cézanne – une amitié singulière

Jayne Warman

« Cézanne aura eu, pendant longtemps, une singulière destinée artistique. On pourrait le définir comme un personnage à la fois obscur et célèbre, n'ayant que de rares contacts avec le public et tenu comme une influence parmi les inquiets et les chercheurs de la peinture, connu de quelques-uns seulement, vivant dans un isolement farouche, reparaissant, disparaissant brusquement aux yeux de ses intimes[1].»

La déclaration de Gustave Geffroy s'avère d'une étonnante justesse. En 1894, Paul Cézanne était en effet parti la plupart du temps s'isoler dans sa terre natale à Aix-en-Provence – réaction dictée sans nul doute par son besoin d'échapper au rejet et aux railleries dont il avait fait l'objet durant des décennies dans la capitale française. Il ignorait encore qu'en novembre de l'année suivante, il ferait sensation à Paris lorsqu'un jeune marchand d'art audacieux, Ambroise Vollard, le propulserait sous le feu des projecteurs en organisant sa première exposition personnelle. Jusque-là, les peintures de Cézanne ne se rencontraient guère que dans son cercle intime – la famille, les amis, le marchand de couleurs Julien Tanguy – ainsi que chez une poignée de collectionneurs, parmi lesquels figuraient en bonne place le Dr Paul Gachet et Victor Chocquet. La soudaine célébrité que lui valut l'exposition Vollard vit surgir un groupe de grands collectionneurs, dont aucun ne connaissait l'artiste personnellement. L'industriel français Auguste Pellerin, qui amassa la plus grande collection de Cézanne du vivant de l'artiste, ne devait jamais le croiser ; le Hollandais Cornelis Hoogendijk, qui acquit près de trois douzaines de Cézanne dans une frénésie acheteuse entre 1898 et 1900, n'entra jamais directement en contact avec le peintre ; quant à l'ancien expatrié américain Egisto Fabbri, qui se vantait de posséder seize Cézanne en mai 1899, et qui en acheta finalement plus de trente, il tenta en vain de rencontrer l'artiste (voir cat. 26)[2]. D'autres collectionneurs encore, tels le Comte Isaac de Camondo, le Baron Denys Cochin, Charles Loeser, Henry et Louisine Havemeyer, Sergueï Chtchoukine et Ivan Morozov, acquirent un grand nombre d'œuvres majeures de Cézanne de son vivant, sans jamais faire sa connaissance. D'ailleurs, la plupart de ses futurs acheteurs n'avaient jamais entendu parler de lui avant l'exposition de 1895. Mais en ce qui concerne Cézanne et Chocquet, les rapports furent tout autres : dès 1875, ce dernier avait acquis une première peinture de Cézanne, une étude de baigneurs (cat. 13), et c'est ainsi que naquit entre le peintre et le mécène une relation artistique et personnelle mutuellement enrichissante, qui devait durer jusqu'à la mort du collectionneur en 1891. En dehors des membres de sa famille, c'est Chocquet que Cézanne portraitura le plus au cours de ces années-là (cat. 15, 16, 17, 20, 21, ainsi que *Victor Chocquet, d'après une photographie*, fig. 76b, Rewald 460, et *Portrait de Victor Chocquet*, fig. 65, Rewald 671). Il réalisa en outre de nombreux dessins, au minimum quatre paysages de la propriété de Chocquet en Normandie (cat. 24, 25, 26, et *Le Clos normand [Hattenville]*, fig. 64, Rewald 507), une nature morte de son appartement parisien (fig. 63, Rewald 337), et pas moins de trois commandes (cat. 27, ainsi que *La Mer à l'Estaque*, fig. 58, Rewald 279, et *La Vasque au paon*, fig. 78, Rewald 643). Au total, Chocquet acquit plus de quarante œuvres de Cézanne. Comme en témoigne le nombre des peintures dont la création est directement liée à l'initiative du collectionneur, les deux amis durent passer ensemble de nombreuses heures agréables. Il est difficile d'imaginer que c'est le même artiste qui a rabroué son bon ami Claude Monet au lendemain d'une joyeuse soirée : « J'ai été bien heureux de te revoir, mais il est préférable que notre rencontre soit la dernière de notre vie[3]. »

Tout porte à croire que Victor Chocquet était un collectionneur né, doté d'un instinct infaillible. Son poste d'agent des douanes, qu'il abhorrait et pour lequel il était mal payé, ne lui permettait pas de dépenser beaucoup d'argent pour des œuvres d'art et des objets de grande valeur. Il pallia donc ce manque en acquérant des meubles et des tableaux réalisés par des artistes inconnus ou sous-évalués, à des prix défiant toute concurrence. Chocquet assistait régulièrement à des ventes aux enchères et ne cessait de visiter des galeries et des antiquaires à Paris. Son idole était Eugène Delacroix, dont il commença modestement à collectionner le travail avant même qu'il n'épouse Marie Buisson en 1857. Cinq ans après son mariage, il alla jusqu'à demander à Delacroix, qui avait dépassé la soixantaine, de réaliser un portrait de sa femme, ou de lui-même (voir Anne Distel p. 54 et Arlette Sérullaz p. 77-78), ce que l'artiste déclina en raison de sa vue défaillante. Néanmoins, Chocquet continua d'acquérir des œuvres de Delacroix et finit par en posséder plus de quatre-vingts. Somme toute, c'est cette passion pour ce peintre d'un certain âge qui réunit Cézanne et Chocquet : « Delacroix a servi d'intermédiaire entre vous et moi[4] », devait confesser l'artiste par la suite.

Il faut reconnaître que la plupart des écrits évoquant l'amitié entre Cézanne et Chocquet reposent essentiellement sur des sources secondaires et des spéculations. La correspondance entre les deux hommes est extrêmement réduite ; dans de rares cas seulement, il existe des dates d'acquisition et une documentation qui s'y rapporte, et, comme bon nombre de choses touchant à la vie du peintre, ce que l'on sait de leur amitié reste entouré de mystère. Des « amis bien intentionnés » de Chocquet l'ayant dissuadé d'assister à la première exposition impressionniste de 1874[5], il ne devait donc pas avoir entendu parler de Cézanne à l'époque, et n'avait certainement pas vu les trois toiles que l'artiste avait prêtées pour l'exposition[6]. En revanche, il se rendit à une vente organisée par les impressionnistes à l'Hôtel Drouot le 24 mars 1875, où il put apercevoir quelques tableaux de Pierre-Auguste Renoir, qui lui rappelaient le travail de Delacroix. Selon Renoir, Chocquet prit contact avec lui le soir même en le priant de peindre un portrait de sa femme (cat. 8), commande que le peintre ne put refuser[7]. Lorsque Renoir rendit visite à Chocquet, dans son appartement meublé avec goût rue de Rivoli, il l'encouragea à acheter un Cézanne. Ainsi qu'il devait le rappeler par la suite, « Je le conduisis donc chez le père Tanguy où il prit une petite *Étude de nus* [cat. 13]. Il était ravi de son acquisition », et sur le chemin du retour, Chocquet déclara : « Comme cela fera bien entre un Delacroix et un Courbet[8] ! »

Les circonstances exactes de la première rencontre entre Cézanne et Chocquet ne sont pas connues, mais il se pourrait bien que Renoir en soit à l'origine. L'entrevue dût avoir lieu entre la fin de l'année 1875, peu de temps après le premier achat de Chocquet à Tanguy, et février 1876, lorsque Cézanne emmena le collectionneur à Argenteuil pour faire la connaissance de Claude Monet[9]. Cézanne décida de ne pas participer à la seconde exposition impressionniste inaugurée le premier avril, et regagna la Provence au cours de ce même mois. En revanche, Chocquet assista à l'exposition, et fit parvenir à l'artiste – avec lequel il s'était entre-temps manifestement lié d'amitié – des catalogues, des critiques portant sur l'évènement, ainsi que des nouvelles – positives ou négatives – de la scène artistique parisienne[10]. Quelques mois plus tard, Cézanne écrivit à Pissarro pour lui annoncer qu'il se trouvait à l'Estaque, où il avait « commencé deux petits motifs où il y a la mer, pour Monsieur Chocquet, qui m'en avait parlé. […] Si le temps devient propice peut-être pourrais-je les pousser jusqu'au bout. […] Mais il y a des motifs qui demanderaient trois ou quatre mois de travail[11] ». L'une des deux peintures qu'il mentionne dans sa lettre, et qui devait entrer en possession de Chocquet, est sans nul doute *La Mer à l'Estaque* (fig. 58, Rewald 279) ; quant à l'autre tableau, il pourrait s'agir de *La Baie de l'Estaque vue de l'est* (Rochester, Memorial Art Gallery, University of Rochester, Rewald 394), que Cézanne avait probablement commencée en 1876 et qu'il retravailla par la suite.

Cézanne revint à Paris au début de septembre 1876, puis demeura dans le Nord jusqu'en mars 1878. Pour l'artiste,

Fig. 56 Paul Cézanne, *La Maison du pendu, Auvers-sur-Oise*, vers 1873, huile sur toile, 55 × 66 cm, Musée d'Orsay, Paris

cette période fut certainement très productive. C'est ainsi qu'il écrivit à ses parents le 10 septembre : « Je n'ai pu encore aller voir Pissarro ni les autres personnes de ma connaissance, vu que je me suis mis à peindre de suite en arrivant le lendemain[12]. » Durant les huit mois qui séparent son retour à Paris et l'ouverture de la troisième exposition impressionniste en avril 1877, où étaient exposés quatorze de ses tableaux réalisés entre 1875 et 1877, il semble avoir travaillé à bon nombre de portraits, natures mortes, scènes de baigneurs et compositions de personnages, ainsi qu'à quelques paysages. Parmi ces œuvres, on dénombre entre autres un portrait très travaillé de son ami (cat. 15 et fig. 60), ainsi qu'un petit tableau représentant un tigre couché (fig. 59). Ces deux peintures étaient si bien achevées qu'elles auraient pu être présentées au vernissage en avril. En effet, elles font partie des seuls quatre tableaux à pouvoir être clairement identifiés grâce à leur titre et à leur description dans la presse[13]. L'inventaire de la rue Monsigny (voir p. 214 et 246) et le catalogue de la vente de 1899 nous informent que ces deux toiles, ainsi qu'une troisième (fig. 36), se trouvaient dans la collection de Chocquet. Comme les prêteurs ne sont pas nommément cités dans le catalogue de la troisième exposition impressionniste, il est impossible d'établir avec certitude si Chocquet était alors déjà en possession de ces trois tableaux et s'il les avait mis à disposition pour cette manifestation. Les onze autres œuvres de Cézanne dans l'exposition sont d'autant plus difficiles à identifier que les titres étaient très vaguement formulés dans le catalogue – peut-être était-ce voulu par le peintre, qui désirait garder une certaine liberté de choix et se réserver jusqu'à l'ouverture la possibilité d'échanger certaines pièces à la dernière minute. Dans ce contexte, Théodore Reff a émis une hypothèse tout à fait plausible, généralement entérinée par les experts depuis lors[14]. Il a supposé que les peintures portant une signature d'un même rouge bien défini étaient destinées à la troisième exposition impressionniste. Rewald associe cette thèse à Chocquet[15] : sa collection révèle de nombreuses œuvres signées de la sorte, et onze d'entre elles ont été vraisemblablement – ou même sûrement pour certaines – présentées à l'exposition de 1877[16]. Il est concevable que Chocquet ait conseillé le peintre dans sa sélection de tableaux, et lui ait suggéré de signer ceux qu'il voulait exposer[17]. Cependant, on ignore si le collectionneur les a acquis avant, pendant ou après l'exposition. Par ailleurs, trois aquarelles réalisées avant 1870 ont

Fig. 57 Paul Cézanne, *Trois baigneuses*, 1874-1875, huile sur toile, 19,5 × 22,5 cm, Musée d'Orsay, Paris

Fig. 58 Paul Cézanne, *La Mer à l'Estaque*, 1876, huile sur toile, 42 × 59 cm, Arp Museum Bahnhof Rolandseck, Remagen, Collection Rau pour l'UNICEF

été également présentées à cette occasion[18]. Elles ont elles aussi intégré la Collection Chocquet à un moment donné.

Chaque fois que les œuvres de Cézanne ont été présentées au public – soit au Salon officiel, aux deux expositions impressionnistes auxquelles il a participé, soit à sa rétrospective en 1895 – elles ont été immanquablement rejetées, moquées ou tournées en dérision, et ont même fait l'objet de caricatures et de plaisanteries désobligeantes. Un critique de l'exposition de 1877 avait écrit dans le *Moniteur des arts* : « Mais que dire des peintures de M. Paul Cézanne ? Ses natures mortes, ses fleurs, ses paysages qu'il intitule "études d'après nature," ses baigneurs, sa figure de femme, toujours d'après nature, nous font l'effet de plaisanteries détestables. [...] Nous recommandons surtout à nos lecteurs deux aquarelles qui sont certainement le défi le plus outrageant qu'on ait jamais porté à l'art en général et à l'impression en particulier. Si c'est là le but de la peinture, il est non seulement inutile, mais dangereux de savoir dessiner et peindre. Et si le Louvre de l'avenir devait montrer de pareilles choses aux générations futures, il faudrait que la langue française se résignât à changer le nom de beaux-arts qu'elle a eu la faiblesse de conserver jusqu'à présent[19]. » Un autre détracteur s'empressera de lui faire écho : « Les *Natures mortes* de M. Paul Cézanne ne sont pas encore assez mortes : j'ai vu des spectateurs horripilés qui les eussent tuées volontiers[20]. »

Deux tableaux furent l'objet d'une attention (et de moqueries) bien particulières dans la presse : il s'agit respectivement du portrait de Chocquet (cat. 15) et d'une composition de baigneurs, *Baigneurs au repos* (fig. 72, Rewald 261). Un critique nota : « Il voit la chair humaine couleur de brique, et il vous la fait voir, à votre tour, sous le même aspect. Il a une *Tête d'homme* qui mettrait en gaieté une douzaine de fondeurs de cloches. Nous ne parlons pas de ses *Baigneurs*. C'est trop drôle[21]. » Un autre alla jusqu'à comparer cette tête à celle d'un « Billoir en chocolat[22] », Billoir étant à l'époque un assassin tristement célèbre. Un autre encore se demanda même avec inquiétude si elle ne risquait pas de provoquer des lésions prénatables, et conseilla au lecteur, au cas où il irait voir l'exposition en compagnie d'une femme enceinte, de passer devant le portrait le plus rapidement possible :

« Cette tête, couleur de revers de botte, d'un aspect si étrange, pourrait l'impressionner trop vivement et donner la fièvre jaune à son fruit avant son entrée dans le monde[23]. » Chocquet fut outré à juste titre par l'attitude négative de la presse et par la réaction du public. Georges Rivière se souviendra plus tard que Chocquet n'hésitait pas à affronter tous ces esprits chagrins en leur faisant honte et en s'élevant contre eux. Il s'efforçait de les raisonner et de les convaincre de la justesse de ses opinions. « M. Chocquet expliquait à ses auditeurs les beautés qu'il trouvait en Cézanne et son éloquence les impressionnait si elle ne les convainquait pas[24]. » Selon Théodore Duret, Chocquet fut lui-même tourné en ridicule, mais n'en défendit pas moins avec ténacité l'artiste qu'il admirait tant. Duret dira plus tard en plaisantant « M. Choquet [sic], en 1873, s'était lié d'amitié avec Cézanne, qui passa dès lors une partie de son temps à peindre chez lui et pour lui, en ville et à la campagne[25]. » Cézanne n'exposa plus jamais avec les impressionnistes, mais son lien avec Chocquet s'en trouva d'autant plus renforcé que celui-ci s'était fait l'ardent défenseur de son art.

En 1877, Cézanne peignit deux autres portraits de son mécène et ami. L'un d'eux est un portrait en buste de Chocquet (cat. 16), dont la pose rappelle celui du collectionneur réalisé par Renoir vers 1875 (fig. 48). Il s'agit probablement d'une étude pour un portrait très similaire (cat. 17), qui représente Chocquet tel un parfait bourgeois, assis sur un fauteuil Louis XVI dans sa salle à manger. Dans les trois tableaux, Chocquet apparaît chaque fois les mains croisées et fixe le spectateur. Cézanne réalisa trois autres portraits du collectionneur, dont deux à partir d'une photographie (cat. 21, ainsi que *Victor Chocquet, d'après une photographie*, fig. 76b, Rewald 460) et un dernier *Portrait de Victor Chocquet* (fig. 65, Rewald 671) peint vers 1889. Le collectionneur devait alors être âgé de soixante-huit ans.

On n'a que peu d'informations sur les méthodes de travail de Cézanne. En ce qui concerne ses portraits, le modèle devait souvent rester assis, totalement immobile « comme une pomme[26] », et observer un silence absolu, ce qui fut notamment le cas avec Vollard (*Portrait de M. Ambroise Vollard*, Paris, Musée des Beaux-Arts de la Ville de Paris, Petit

Fig. 59 Paul Cézanne, *Tigre, d'après Barye*, 1876-1877, huile sur toile, 29 × 37 cm, localisation inconnue

Fig. 60 Paul Cézanne, *Portrait de Victor Chocquet*, 1875-1877, huile sur toile, 46 × 36 cm, collection particulière

Fig. 61 Paul Cézanne, *Portrait de Victor Chocquet (buste)*, vers 1877, huile sur toile, 35,2 × 27,3 cm, Virginia Museum of Fine Arts, Richmond, Virginia, Collection of Mr. and Mrs. Paul Mellon (cat. 16)

Fig. 62 Paul Cézanne, *Portrait de Victor Chocquet assis*, 1877, huile sur toile, 45,7 × 38,1 cm, Columbus Museum of Art, Columbus, Ohio, acquisition Howald Fund (cat. 17)

Palais, Rewald 811). Mais l'artiste pouvait tout aussi bien mettre soudainement fin à une séance, partir sur le champ et demander à son modèle de lui envoyer des vêtements sans plus d'explications. C'est ce qui arriva avec Geffroy par exemple (*Portrait de Gustave Geffroy*, Paris, Musée d'Orsay, Rewald 791). Ou encore il se sentait tellement frustré en réalisant un portrait qu'il le détruisait dans un accès de rage, comme il le fit pour Alfred Hauge (*Portrait d'Alfred Hauge*, West Palm Beach, Florida, Norton Museum of Art, Rewald 835)[27]. En revanche, lorsqu'il portraitura Chocquet, l'artiste dut étudier très attentivement les traits du visage de son modèle, car ces tableaux reflètent une certaine empathie révélant la vie intérieure du collectionneur. Comme l'a souligné Rewald, « les longues séances établissent souvent une relation profonde entre un peintre et son modèle, surtout lorsqu'ils sont amis. [...] Le peintre acquit ainsi un profond respect moral pour Chocquet, et le collectionneur profitait de l'occasion unique d'entrevoir la manière lente et difficile avec laquelle Cézanne luttait pour s'exprimer, rarement satisfait des résultats obtenus[28]. »

La période qui suit l'exposition impressionniste de 1877 ne livre pas suffisamment d'informations pour établir un calendrier précis des rencontres entre Cézanne et son ami ; seules quelques lettres et une série de peintures réalisées dans les divers domiciles de Chocquet témoignent de la continuité de leurs relations. Nous savons qu'à la fin des années 1870, Cézanne peignit plusieurs natures mortes ainsi que deux autres portraits (fig. 61, 62, cat. 16, 17) dans l'appartement des

Fig. 63 Paul Cézanne, *Un dessert*, 1877-1879, huile sur toile, 59 × 73 cm, Philadelphia Museum of Art, Philadelphie, Pennsylvania, Collection of Mr. and Mrs. Carroll S. Tyson, Jr.

Chocquet, rue de Rivoli, que le collectionneur avait probablement commandés. L'une des natures mortes, *Un dessert* (fig. 63, Rewald 337), représente une commode Louis XV ornée de marqueterie et de ferrures en bronze doré, sur laquelle reposent une carafe en verre taillé et une coupe de champagne. Venturi décrit cette œuvre comme « prenant plaisir au précieux et au fini, [un] chef-d'œuvre de réalisation[29] ». On peut aisément imaginer le peintre et son mécène discuter de leur passion commune pour Delacroix durant ces visites. Un jour, comme le rapporte Rivière, Chocquet « avait étalé un certain nombre [d'aquarelles et de dessins] sur le tapis du salon pour les montrer à Cézanne », et c'est alors que « ces deux êtres supersensibles, à genoux, penchés sur les feuilles de papier jauni qui pour eux étaient autant de reliques, se mirent à pleurer[30]. » Il est probable que Cézanne ait emprunté à Chocquet une ou deux œuvres du vieux maître pour les copier[31]. Rivière ajoute : « Dans cet appartement [...] modeste et cependant somptueux par les œuvres d'art qu'il renfermait, Cézanne se sentait entouré d'une sympathie discrète et il en a toujours gardé à son ami Chocquet un souvenir reconnaissant[32]. »

L'amitié de Cézanne pour Chocquet crût dans les mêmes proportions que ses soucis financiers. 1878 fut une année particulièrement difficile pour l'artiste, comme en témoignent ses lettres à Émile Zola[33]. À l'époque, il avait déjà rencontré Hortense Fiquet dont il avait eu un fils. Pendant six ans, il cacha sa liaison et cette naissance à un père dont il redoutait la sévérité, bien que ce dernier ait eu quelques

Fig. 64 Paul Cézanne, *Le Clos normand (Hattenville)*, 1882, huile sur toile, 50 × 65 cm, Albertina, Vienne, Collection Batliner

soupçons[34]. Dans ses lettres à Zola, Cézanne, alors dans le besoin, prie son ami d'enfance de verser de l'argent directement à Hortense. Subodorant la précarité financière de l'artiste, il est tout à fait possible que Chocquet lui ait acheté des tableaux sans passer par Tanguy en lui demandant de les signer tout de suite. Dans une lettre à Chocquet que Cézanne écrit de Pontoise le 16 mai 1881, il fait référence à une « toile de 40 » que Tanguy devait lui remettre et qui ne possédait pas de cadre, et se proposait « de faire porter chez [lui] la bordure du susdit tableau[35]. » En l'occurrence, il s'agissait de *Neige fondante à Fontainebleau* (cat. 22), qu'il avait peint entre 1879 et 1880 d'après une photographie. Chocquet garda le tableau dans sa collection jusqu'en 1889, puis parvint à l'échanger contre *La Maison du pendu, Auvers-sur-Oise* (fig. 56, Rewald 202), qui appartenait alors au comte Armand Doria[36].

Le fils de Paul Cézanne, âgé de dix ans à l'époque, se souvint s'être rendu avec ses parents chez les Chocquet à Hattenville dans le courant de l'été 1882 (sa mère, Hortense Fiquet, et Marie Chocquet s'entendaient visiblement très bien)[37]. Durant ce séjour en Normandie, Cézanne réalisa trois paysages représentant une maison cachée derrière les pommiers d'un verger (cat. 24 et 25 ainsi que *Le Clos normand [Hattenville]*, fig. 64 ; Rewald 507), qu'Anne Distel est parvenue justement à identifier comme la résidence des Chocquet à Hattenville (p. 42, fig. 25). Une quatrième toile (cat. 26) a été exécutée à la même époque, mais semble représenter un autre bâtiment discernable à travers les arbres.

Bien qu'aucune de ces peintures n'ait été signée, elles appartenaient à l'origine toutes les quatre à Chocquet, ce qui a incité Rewald à penser que l'artiste les avait commencées à Hattenville, pour les terminer à Aix, qu'il regagna en octobre 1882[38]. Mais il est également possible que Cézanne ait laissé les peintures sur place, en espérant pouvoir les retravailler lors d'une visite ultérieure.

Lorsque le 28 avril 1886, le peintre épousa Hortense Fiquet[39], sa compagne de longue date, il reçut une lettre de félicitations de Chocquet. Dans sa réponse, Cézanne déclara combien il était touché par les paroles aimables de son ami. Il avoua sincèrement à Chocquet : « je me permettrai de dire ceci : que j'aurais désiré avoir cet équilibre intellectuel qui vous caractérise et vous permet d'atteindre sûrement le but proposé. [...] Le hasard ne m'a pas doté d'une semblable assiette, c'est le seul regret que j'aie des choses de cette terre. Quant au reste je n'ai pas à me plaindre. [...] Monsieur Chocquet, je désirerais que cette lettre trouve grâce devant vous et qu'elle ne vous fatigue point[40] ». Ces mots sont d'autant plus poignants qu'ils viennent d'un

Fig. 65 Paul Cézanne, *Portrait de Victor Chocquet*, vers 1889, huile sur toile, 81 × 65 cm, collection particulière

homme que beaucoup considéraient comme peu sociable et irascible !

Cézanne rendit visite à Chocquet en juin 1889, probablement de nouveau avec sa famille. C'est à cette occasion qu'il portraitura le collectionneur pour la dernière fois dans son jardin à Hattenville (fig. 65, Rewald 671). En mars de l'année suivante, les Chocquet achetèrent un petit hôtel particulier au 7, rue Monsigny, à Paris. Chocquet commanda deux dessus-de-porte (cat. 27 et *La Vasque au paon*, fig. 78, Rewald 643) et fit l'acquisition d'une nature morte, *Le Vase de tulipes* (Chicago, The Art Institute of Chicago, Rewald 719). En août, Hortense Cézanne, qui était en vacances, écrivit une lettre chaleureuse et un peu bavarde à son amie Madame Chocquet, lui exprimant sa compassion pour tous les travaux nécessaires à l'installation d'une nouvelle maison : « Vous devez être très occupée de votre hôtel car ce n'est pas une petite affaire que de faire réparer et aménager quatre étages. » Et d'ajouter : « Monsieur Chocquet doit être très occupé de tous ses tableaux, meubles et jolis bibelots[41]. »

Victor Chocquet ne parvint jamais à finir d'installer sa collection dans son nouveau et dernier domicile parisien. Il devait en effet décéder le 7 avril 1891, à l'âge de soixante-neuf ans. Cézanne et sa famille durent être profondément affectés par la perte de leur cher ami et commanditaire. Pourtant, il n'existe aucune correspondance connue entre les Cézanne et la veuve de Chocquet, contrairement à ses échanges épistolaires avec Monet et Renoir. Il est également peu probable que l'artiste ait assisté à l'enterrement du collectionneur à Yvetot[42]. Les deux dessus-de-porte n'étaient pas encore terminés lorsque Chocquet mourut, mais ils furent déposés par la suite à son domicile parisien (voir cat. 27). Après la mort de son époux, Marie Chocquet s'installa à Yvetot. La maison de la rue Monsigny demeura presque toujours close durant les dernières années de sa vie.

Environ un an après la mort de Chocquet, Cézanne reprit un sujet qu'il avait entamé à la fin des années 1870, son *Apothéose de Delacroix* (voir cat. 30, 31, 32). Aussi bien dans l'aquarelle (fig. 82 ; Rewald Watercolours 68) que dans l'esquisse à l'huile réalisée plus tard (fig. 81b ; Rewald 746), Chocquet apparaît à l'extrême gauche, les bras levés pour témoigner sa vénération au maître romantique, qui s'élève dans les cieux, soutenu par des anges. Comme Delacroix avait servi d'« intermédiaire » entre Chocquet et Cézanne, selon les propres dires de ce dernier, il est tout à fait possible que l'esquisse à l'huile rende autant hommage au collectionneur qu'à l'artiste célébré. Toutefois, la peinture n'a jamais été achevée, et dans une lettre à Émile Bernard, Cézanne devait admettre deux ans avant sa mort : « Je ne sais si ma précaire santé me permettra de réaliser jamais mon rêve de faire son apothéose[43]. »

Les Cézanne de Chocquet – un mystère qui subsiste

Victor Chocquet aurait un jour déclaré : « Je n'ai pas besoin qu'on m'explique pourquoi et comment je dois aimer la peinture[44]. » Il collectionnait pour son propre plaisir. Selon Rivière, « Cézanne, Renoir et Monet étaient ses préférés[45] », mais manifestement, Chocquet avait une prédilection pour les tableaux de Cézanne. Il appréciait notamment cette conception novatrice du « modelé » que l'artiste obtenait en appliquant la couleur par petites touches. Ce n'est pas un hasard si la plupart des Cézanne que possédait Chocquet se distinguent par leurs vigoureux empâtements.

Nous ne saurons sans doute jamais quand, ni par l'entremise de qui Chocquet a acquis ses Cézanne – qu'il les aient achetés, reçus en cadeaux ou commandés, ou encore que le peintre les ait laissés dans l'un ou l'autre des domiciles du collectionneur. Nous ne saurons sans doute jamais non plus combien d'œuvres comprenait au total la Collection Chocquet. Mais ce que nous savons avec certitude, c'est que la majorité des tableaux de Cézanne et quelques-uns de ses travaux sur papier réunis par le collectionneur ont été peints (voire acquis) avant 1880, et que presque tous ont été probablement signés à la demande de ce dernier. Parmi ces œuvres signées, on dénombre douze paysages, deux portraits, cinq compositions de personnages, six natures mortes, et deux scènes de baigneurs. Aucun des neuf tableaux parvenus dans la collection à partir de 1880 ne porte la signature de l'artiste, bien que les deux amis se soient beaucoup vus à l'époque, notamment à Hattenville en 1882 et 1889. La toile intitulée *Mardi Gras* (fig. 39, Rewald 618), peinte en 1888 (sans doute la peinture de figures la plus importante de la collection, et la « plus aboutie » d'un point de vue actuel), est restée non signée, de même que le *Vase de tulipes*, déjà mentionné ci-dessus (Rewald 719). Pourquoi Chocquet n'a-t-il pas insisté pour que l'artiste appose sa signature sur ces deux dernières acquisitions ? Le mystère subsiste.

Chocquet n'a jamais acquis d'autoportrait de l'artiste, ni ne lui a jamais demandé (pour autant que nous le sachions) de portraiturer son épouse. Il semble que Marie Chocquet n'ait guère été séduite par l'art de Cézanne, lui préférant Renoir. Le collectionneur a toutefois acheté un portrait au

Fig. 66a Pierre-Auguste Renoir, *Portrait de Cézanne*, 1880, pastel sur papier, 53,7 × 43,5 cm, collection particulière

Fig. 66b Paul Cézanne, *Portrait de Cézanne, d'après Renoir*, 1881-1882, huile sur toile, 57 × 47 cm, Musée d'État de l'Ermitage, Saint-Pétersbourg, ancienne Collection du Dr Otto Krebs, Weimar

pastel de Cézanne, exécuté par Renoir en 1880 (fig. 66a). Il s'agissait probablement d'un travail de commande, bien que les circonstances précises de l'acquisition ne soient pas connues. En revanche, nous savons que Cézanne a réalisé une copie fidèle à l'huile de ce pastel (fig. 66b, Rewald 446). L'a-t-il emprunté directement à Renoir dans ce but ? L'a-t-il copié en rendant visite à Chocquet à Hattenville – ou à Paris ? Avait-il peut-être l'intention de faire don de la version peinte à son mécène, puis s'est-il finalement ravisé pour des raisons personnelles ou artistiques ? Quoi qu'il en soit, l'autoportrait de Cézanne réalisé d'après le pastel de Renoir n'a jamais intégré la Collection de Chocquet, mais a été offert – épisode qui mérite d'être souligné – à Camille Pissarro[46].

Madame veuve Chocquet s'éteignit le 24 mars 1899, sans testament ni héritiers directs. Les biens provenant de ses différentes propriétés en Normandie furent inventoriés sans difficultés (aucun tableau de Cézanne n'est mentionné). Par contre, dans le domicile parisien qui abritait l'essentiel de la collection de peintures de son mari (et surtout ses Cézanne), l'inventaire fut dressé à la hâte par un greffier inexpérimenté, qui ignorait manifestement tout de l'art et de sa valeur[47]. Une date de vente aux enchères fut bientôt fixée du 1er au 4 juillet 1899, à la galerie Georges Petit, à Paris, qui publia pour l'occasion un somptueux catalogue (une vente supplémentaire fut organisée le 5 juillet concernant « des peintures moins importantes » ; voir à ce sujet l'essai d'Anne Distel, p. 50-51). À l'époque, la vente semble avoir suscité un grand enthousiasme dans la capitale française parmi les peintres impressionnistes et leurs collectionneurs. Pissarro écrit à son fils Lucien : « Grand événement artistique en perspective : le père Chocquet étant décédé ainsi que sa veuve, sa collection va se disperser aux enchères. Il y a trente-trois Cézanne de premier ordre, des Monet, des Renoir, et une seule chose de moi. Les Cézanne vont se vendre très cher[48] ». Monet, également fasciné par l'événement, encouragea Paul Durand-Ruel et le comte de Camondo à acheter des tableaux de Cézanne[49]. Cependant, le jugement d'un journaliste dans le *New York Herald*, s'avéra moins flatteur : « des trente et un tableaux de Cézanne, tous […] se distinguent par la dureté et la froideur qui semblent caractéristiques de l'œuvre de l'artiste. La plus réussie est un paysage absent du catalogue, intitulé *Maison du Pendu*. La plus importante, intitulée *Mardi Gras*, représente un arlequin et clown. Je dois avouer ne leur trouver aucune beauté[50]. » Cézanne dut être parfaitement conscient de l'effervescence suscitée par la vente aux enchères, mais il semble lui avoir accordé peu d'attention ; toujours est-il qu'il n'y assista pas. Selon Vollard, l'artiste l'encouragea à prendre part à la dispersion, et à regarder plus précisément les œuvres de Delacroix ; il attira notamment son attention sur une grande et importante aquarelle, *Bouquet de fleurs* (fig. 53), que Chocquet avait acquise lors de la vente après décès d'Achille Piron, le 21 avril 1865. Vollard acheta l'aquarelle à la vente chez Petit, et l'offrit en 1902 à Cézanne, qui en réalisa une copie à l'huile (cat. 28)[51].

Le catalogue de la vente comprend bon nombre d'erreurs et d'omissions, ce qui ne facilite guère l'identification des tableaux mis en vente. Mais malgré ces imprécisions, il reste, complété par les procès verbaux, le document le plus important pour reconstituer la Collection Chocquet, notamment le groupe des Cézanne. À ce sujet, il faut mentionner ici tout d'abord les recherches résolument novatrices de John Rewald, qui ont été publiées pour la première fois en 1969[52]. Anne Distel a su déceler, quant à elle, de nouvelles informations essentielles sur la Collection Chocquet en tant qu'ensemble, et contribué ainsi à approfondir largement l'étude scientifique de ce grand collectionneur (voir son essai, p. 33-75, et sa publication de l'inventaire, p. 207-249). De plus, l'ouverture des archives Vollard accueillies par le musée d'Orsay de Paris a permis aux chercheurs de confirmer – voire d'infirmer parfois – certaines hypothèses antérieures émises sur les Cézanne de Chocquet[53]. On ne peut qu'espérer d'autres découvertes, et qui sait, peut-être retrouvera-t-on un jour une pile de lettres ou de factures dans l'un des anciens domiciles de Chocquet.

Dans son introduction au catalogue de la vente chez Georges Petit, Théodore Duret rend hommage au collectionneur et au fervent soutien qu'il a apporté à Cézanne : « M. Chocquet […] était surtout infatigable au sujet de Cézanne, qu'il mettait au tout premier rang. Et comme la peinture de Cézanne, par son côté de grandeur et de tragédie, était précisément celle qui excitait alors le plus d'opposition, beaucoup s'amusaient de l'enthousiasme de M. Chocquet, qui leur paraissait quelque chose comme une douce folie[54]. »

Les Cézanne de Victor Chocquet ont été dispersés à travers le monde. Certes, de nombreuses questions demeurent encore sans réponse ; néanmoins, au-delà de tous les mystères qui subsistent (entourant aussi la figure du peintre), il nous reste – et c'est là l'essentiel – une œuvre qui témoigne d'une amitié inhabituelle mais non moins solide entre un artiste et son mécène.

1 Geffroy 1894

2 Egisto Fabbri à Paul Cézanne, Paris, 28 mai 1899 ; Cézanne à Fabbri, Paris, 31 mai 1899, in Cézanne Correspondance, p. 269-270

3 Gimpel 1963, p. 180

4 Paul Cézanne à Victor Chocquet, Gardanne, 11. Mai. 1886, in Cézanne Correspondance, p. 226

5 Rewald 1969, p. 38 ; version remaniée in Rewald 1985, p. 125

6 Il s'agissait de *La Maison du pendu, Auvers-sur-Oise* (fig. 56, Rewald 202), *Une moderne Olympia*, Paris, Musée d'Orsay (Rewald 225) et *La Maison du père Lacroix, Auvers-sur-Oise*, Washington, D.C., National Gallery of Art, Chester Dale Collection (Rewald 201).

7 Vollard 1919, p. 77

8 Ibid.

9 Claude Monet, lettre à Chocquet, Argenteuil, 4 février 1876, in Joëts 1935, p. 122 ; également in Wildenstein, t. I, p. 430, lettre n° 86

10 Lettre de Cézanne à Camille Pissarro, [Aix], avril 1876, in Cézanne Correspondance, p. 150

11 Lettre de Cézanne à Pissarro, L'Estaque, 2 juillet 1876, in Cézanne Correspondance, p. 152

12 Lettre de Cézanne à ses parents, [Paris], samedi 10 septembre 1876, in Cézanne Correspondance, p. 155-156

13 *Les Pêcheurs – Journée de juillet* (fig. 36, Rewald 237), *Portrait de Victor Chocquet* (fig. 60, cat. 15), *Baigneurs au repos, III* (fig. 72, Rewald 261), *Tigre, d'après Barye* (fig. 59, Rewald 298) et probablement *Portrait de Madame Cézanne* (Zurich, coll. part., Rewald 387)

14 Reff 1962, p. 255, note 17

15 Rewald, t. I, p. 178

16 *Tigre, d'après Barye* (fig. 59, Rewald 298), *Portrait de Victor Chocquet* (cat. 15), *Les Pêcheurs – Journée de juillet* (fig. 36, Rewald 237), *Marronniers et Ferme du Jas de Bouffan*, coll. part. (Rewald 268), *La Route* ou *Le Mur d'enceinte*, New York, Julian and Josie Robertson Collection (Rewald 275), *Auvers-sur-Oise, vu des environs*, Japon, coll. part. (Rewald 277), *La Mer à l'Estaque* (fig. 58, Rewald 279), *Fleurs dans un vase* (cat. 18, Rewald 315), *Pommes et gâteaux* (fig. 74, Rewald 329), *Un dessert* (fig. 63, Rewald 337) et *Le Plat de pommes* (fig. 5, Rewald 348).

17 Trente-quatre œuvres, dont vingt possédées par Chocquet, sont signées en rouge. Une analyse technologique des signatures de Cézanne permettrait peut-être d'établir si ces signatures ont été apposées dans l'humide, ou ultérieurement.

18 Rewald Watercolours 8, 10, 17. Chocquet posséda aussi *Les Pots de fleurs* (Rewald Watercolours 194) ; les circonstances dans lesquelles cette œuvre a été acquise sont aussi peu connues que dans le cas des autres œuvres.

19 Filloneau 1877

20 Bernadille 1877

21 Debans 1877

22 Vassy 1877

23 Leroy 1877a

24 Rivière 1923, p. 85-86

25 Duret 1906, p. 187

26 Vollard 1914, p. 92 : « Je vous le dis, en vérité, il faut vous tenir comme une pomme. »

27 Voir Vollard 1921, p. 106 ; Rewald, t. I, n° 791, p. 476 et Julien Leclerq, « Galerie Vollard », in *Chronique des Arts*, 25 novembre 1899, p. 330-331 ; Colrat 2011.

28 Rewald 1969, p. 54 ; Rewald 1985, p. 144

29 Venturi, t. I, p. 109, n° 197

30 Rivière 1921, p. 38-40

31 Ceci concerne probablement par exemple la peinture de Delacroix *Agar et Ismaël*, que Cézanne copia (*Agar dans le désert, d'après Delacroix*, succession Baron von Simolin, Rewald 745). Lors des ventes de la collection Chocquet, Vollard avait acheté le Delacroix pour 55 francs, puis l'avait inséré dans son inventaire [A] sous le numéro 3,343 (« peinture. Agar et Ismaël dans le désert – près d'Agar un cruche cassé ; au loin dans l'horizon des montagnes roses, 24 × 27 ½ »). Vollard enregistra aussi la copie du Delacroix par Cézanne dans le même inventaire [A] sous le numéro 3,362 (« peinture à l'huile – Agar et Ismaël dans le désert, copie du tableau de Delacroix, Vte Chocquet, no. 3,343 voir ci-dessus, 52 × 58 »). Il avait acheté cette copie de Cézanne directement pour 100 francs. En revanche, Vollard a du acheter le Delacroix non à la vente Chocquet chez Petit mais à celle de l'hôtel Drouot.

32 Rivière 1923, p. 80-81

33 Voir Cézanne Correspondance, p. 160-178.

34 Chocquet aurait mentionné par inadvertance la paternité de Cézanne dans une lettre adressée au peintre, mais ouverte par son père ; voir lettre de Cézanne à Émile Zola, [L'Estaque], 23 mars 1878, in Cézanne Correspondance, p. 160-161.

35 Lettre de Cézanne à Victor Chocquet, Pontoise, 16 mai [18]81 (Cézanne Correspondance, p. 199. En ce qui concerne la « toile de 40 », il s'agit d'une toile d'un format d'environ 75 × 100 cm.

36 Le 30 juin 1889, Cézanne écrivit à Doria pour le remercier d'avoir bien voulu prêter *La Maison du pendu, Auvers-sur-Oise* à l'Exposition universelle, qui avait ouvert le 6 mai. Chocquet, qui avait été à l'origine de la présence de l'artiste au sein de cette exposition, dut avoir été très enthousiasmé par cette œuvre, puisqu'il fit affaire avec Doria dès le mois de décembre. Dans une lettre du 18 décembre 1889, Cézanne demande à Chocquet de la prêter pour une autre exposition à Bruxelles, organisée par l'Association des Vingt (Cézanne Correspondance, p. 228 et 230).

37 Au sujet de Cézanne fils, voir Rewald, t. I, p. 338 (notice n° 507). Dans les quelques lettres existantes de Cézanne à Chocquet, l'auteur donne souvent des nouvelles d'Hortense et du petit Paul, en s'enquérant du bien-être du collectionneur et de son épouse. La belle-mère de Chocquet était décédée le 24 mars 1882, laissant sa fille seule héritière de ses propriétés de grande valeur en Normandie. Les Cézanne passèrent les mois d'été chez les Chocquet, peut-être pour les distraire de leur deuil récent. Voir Rewald 1969, p. 61 ; Rewald 1985, p. 152.

38 Rewald 1969, p. 61-64 ; Rewald 1985, p. 152

39 Les parents de l'artiste et sa sœur Marie assistèrent au mariage. Le père de Cézanne mourut six mois plus tard, le 23 octobre.

40 Lettre de Cézanne à Victor Chocquet, Gardanne, 11 mai 1886, Cézanne Correspondance, p. 226-227

41 Lettre de Hortense Cézanne à Madame Chocquet, Emagny, datée du 1er août 1890, ibid., p. 233

42 Cézanne trouvait certainement les enterrements déprimants. Selon les dires d'Émile Bernard, l'artiste n'assista même pas à celui de sa mère, décédée en 1887, « parce qu'il devait aller *au motif* » (Bernard 1907, p. 402-403).

43 Lettre de Cézanne à Émile Bernard, Aix, 12 mai 1904, Cézanne Correspondance, p. 301

44 Fels 1925b, p. 15, cit. d'après Rewald 1969, p. 56

45 Rivière 1921, p. 40

46 Voir Rewald, t. I, p. 302, n° 446.

47 *Mardi Gras* (fig. 39, Rewald 618), par exemple, fut évalué avec quatre autres peintures à moins de 100 francs, mais vendu pour 4400 francs aux enchères (Rewald 1969, p. 74 ; Rewald 1985, p. 161) ; voir inventaire, p. 220.

48 Lettre de Pissarro à son fils Lucien, Paris, 204 rue de Rivoli, 1er juin 1899 (Pissarro 1950, p. 468 ; Pissarro Correspondance, t. V, p. 28)

49 Durand-Ruel acheta dix-sept Cézanne lors de la vente (ainsi que le portrait au pastel de Cézanne par Renoir, fig. 66a) ; Camondo fit l'acquisition d'une peinture, *La Maison du pendu, Auvers-sur-Oise* (fig. 56, Rewald 202) ainsi que d'une aquarelle, *Les Pots de fleurs* (Rewald Watercolours 194), qui ont été toutes deux léguées au Louvre à sa mort.

50 *New York Herald* (*European Edition*), 29 juin 1899 : « I should speak of the thirty-one pictures by Cézanne, all of which are distinguished by the hardness and coldness which appear to me to be characteristic of this artist's work. The best is a landscape not in the catalogue, called *Maison du Pendu*. The most important, which is called *Mardi Gras*, represents a harlequin and clown. I must confess that I can see no beauty in it. » (Rewald 1969, p. 80; Rewald 1985, p. 163)

51 Vollard 1914, p. 104 ; voir aussi lettre de Cézanne à Vollard du 23 janvier 1902, dans laquelle il remercie pour son cadeau (Cézanne Correspondance, p. 278-279).

52 Rewald 1969

53 On a longtemps supposé, par exemple, que Chocquet possédait *Le Vase de fleurs sur une table ronde* (Rewald 318), lot 21 de l'enchère. Il s'agissait plus vraisemblablement de *Géraniums et pieds-d'alouette dans un petit vase de Delft* (coll. part., Rewald 226), que Vollard avait acheté 950 francs.

54 Théodore Duret, « M. Chocquet », in vente Chocquet Petit, p. 7

Victor Chocquet, un collectionneur d'objets d'art du XVIIIe ?

Anne Forray-Carlier

En introduction au catalogue de la vente après décès de Marie Chocquet, veuve de Victor Chocquet, l'un des premiers collectionneurs de peintures impressionnistes, Théodore Duret écrivait : « Ce logis était tout rempli de vieux meubles, et de dessins et de tableaux bordés de jolis cadres en bois sculptés. On y reconnaissait le raffinement de l'homme de goût qui, sans avoir beaucoup d'argent à dépenser, sait, à force de recherches et de persévérance, se composer un intérieur adapté à sa manière d'être. » (p. 12). Le reste du propos met en avant la bonté qui caractérisait l'homme ainsi que son goût sûr et délicat, ne s'attardant sur aucun objet en particulier. Dernière vente de la saison à la galerie Petit, sous le ministère des Maîtres Aulard, Chevallier et Brière, les experts Georges Petit et Charles Mannheim avaient sans doute jugé superflu d'accompagner les 179 derniers lots de quelques reproductions, ne permettant pas ainsi de satisfaire une curiosité légitime en matière d'objets d'art et d'ameublement[1].

La tâche est donc ardue pour qui cherche à apprécier la nature des meubles et objets constituant l'ameublement de cet homme qui se passionna pour la création picturale de son temps, se nouant d'amitié avec quelques artistes, leur venant en aide avec les moyens dont il disposait, « sans avoir beaucoup d'argent à dépenser » comme le rappelait Théodore Duret. L'énoncé des lots n'est pas d'un grand secours, tout au plus trois à quatre lignes où sont indiqués, de manière succincte, matériaux, époque et noms de peintres ou doreur pour la manufacture de Sèvres. Sans toutefois apporter des descriptions plus détaillées, les comptes rendus de la vente publiés dans la presse[2] permettent de connaître les pièces qui éveillèrent l'intérêt des acquéreurs, indice de la qualité de certaines d'entre elles. Visible deux jours avant la vente, le jeudi 29 juin sur rendez-vous et le vendredi 30 juin pour le public, le contenu de la vente suscita deux premiers articles dans les colonnes de l'édition française du *New York Herald*. Son auteur s'attarde surtout sur les porcelaines de Sèvres, retenant quatre des premiers lots ; il cite un lot concernant une paire de vases en porcelaine de Tournai, une pièce en Chantilly et quelques-unes en Nevers sur les 92 lots relatifs à la céramique. Quelques lignes sont ensuite consacrées au mobilier, où sont mentionnées deux commodes et une petite table en marqueterie d'époque Louis XV, deux pendules et deux paires de candélabres d'époque Louis XVI.

Parmi les personnes remarquées à la vente par le journaliste du *Matin* furent présents le vicomte et la vicomtesse de La Rédorte, M. et Mme Lucien Desmarais, le marquis de Saint-Germain, le comte de Breteuil, le baron d'Oberkampf, le collectionneur Léon Michel-Lévy (1846-1925), l'homme de lettres Guy de Charnacé (1825-1909). Amateurs, familiers des ventes, certains d'entre eux se portèrent acquéreurs de quelques lots. Léon Michel-Lévy, lui-même curieux d'objets mobiliers du XVIIIe siècle acheta pour 1 080 francs le lot 304 décrit ainsi : « Paire de flambeaux du temps de Louis XVI, en bronze doré, formés d'une figurine d'Amour debout sur base cylindrique en marbre rouge griotte. » Le vicomte de La Rédorte jeta, lui, son dévolu sur une petite commode de marqueterie de fleurs à deux tiroirs et bronze doré signalée comme du « temps de Louis XV »[3]. M. Desmarais[4] se porta acquéreur pour la somme de 6 900 francs – l'une des plus élevée de la vente en matière d'art décoratif – d'une table-bureau ovale en marqueterie d'époque Louis XV que les commentateurs jugèrent très restaurée[5]. Enfin, le prix le plus important fut obtenu par le lot 348, une table-bureau de dame datée par les experts de la fin de l'époque Louis XV, en marqueterie, vendue 8 500 francs à un certain M. Laltesse[6].

Ce sont de bien maigres informations sur la nature même de la collection. En les confrontant à l'inventaire après décès de Marie Chocquet, dressé le 4 avril 1899 rue de Monsigny (p. 207-249), il est possible toutefois de se faire une opinion sur la nature de « ce logis rempli de vieux meubles[7] ». Aménagé sur quatre niveaux, l'appartement comptait un grand salon au rez-de-chaussée éclairé par deux fenêtres sur la rue, deux autres salons au premier étage dont un plus petit, une pièce qui semble avoir été un bureau, tandis que le second étage se composait des chambres à coucher. Le dernier étage était réservé à la domesticité et à des pièces à usage de débarras. Chez ce passionné de peintures, nombreux sont les tableaux, dessins et aquarelles. Dans le salon du rez-de-chaussée, pas moins de 114 peintures, dont plus de la moitié sans cadres ! Cette accumulation se retrouve dans le petit salon du premier étage tandis que la pièce pouvant être identifiée comme un bureau concentrait dessins et aquarelles. Ces tableaux étaient-ils tous accrochés aux murs ou bien étaient-ils entassés dans un coin ? On peut penser que les plus importants d'entre eux figuraient en bonne place. En ce qui concerne le mobilier, l'inventaire indique que Chocquet avait sacrifié au goût pour les styles historiques. Sans surprise, la pièce désignée comme « Salon à deux fenêtres sur rue » comprenait un ensemble de meubles en bois sculpté (p. 208). On y trouve un meuble en noyer en trois parties dit Henri II, une crédence Louis XIII en chêne sculpté, une petite table dite Louis XIV également de chêne sculpté, un grand fauteuil Louis XIII de bois sculpté accompagné de onze chaises « style Louis XIII Louis XIV » et un paravent à quatre feuilles en cuir et peluche. Ensemble auquel s'ajoute curieusement une armoire Louis XV décrite « à deux corps forme arrondie en chêne sculpté », sans doute faut-il y voir une armoire régence[8] . Le tout laisse supposer que la pièce devait servir de salle à manger, car il était alors fréquent de disposer de tels meubles dans la pièce où se prenaient les repas[9]. Par contre, la cheminée recevait une pendule Louis XVI, deux flambeaux et deux candélabres Louis XVI décrits par l'inventaire. Enfin, une vitrine de style Louis XVI en bois de rose et garnie de bronzes dorés accueillait une partie de la collection de céramiques que l'on retrouve présentée dans deux autres vitrines de style dans chacun des salons à l'étage. À cela rien d'étonnant, le concept de meuble-vitrine apparaît précisément dans la seconde moitié du XIXe siècle, au moment où se développent les collections de petits objets en tout genre. Ce sont alors les styles Louis XV et Louis XVI remis récemment à l'honneur qui sont choisis pour modèle et parfois « revisités » pour servir d'écrin aux pièces précieuses[10].

Les deux salons du premier étage, offraient l'un, un ameublement mêlant les époques Louis XV et Louis XVI, l'autre un mélange plus déconcertant, fournissant un résumé des styles de Louis XIII à Louis XVI (p. 221-227). La première chambre à coucher présentait un aménagement assez homogène de meubles Louis XVI à l'exception d'une petite commode Louis XV. La seconde comprenait « un grand lit à colonnes et baldaquin en bois sculptés avec panneaux Renaissance avec sa literie ». La juxtaposition des termes « baldaquin » et « panneaux Renaissance » a de quoi faire sourire. Il faut certainement y voir un lit composé de panneaux anciens, une composition de quelque habile marchand de curiosités. Ce lit trônait au milieu d'un ensemble homogène de meubles Louis XV rassemblant pas moins de quatre commodes ! On retrouve sur la cheminée une garniture Louis XVI. Enfin la dernière chambre se composait d'un ameublement plutôt Louis XV.

L'abondance de meubles se rapportant aux styles de l'ancien régime et la quasi absence de meubles XIXe invitent à quelques réflexions. Tout d'abord l'intérêt de Chocquet pour le mobilier ancien ne peut être nié. Si l'on se réfère uniquement au catalogue de la vente de 1899 sur les 78 lots d'objets mobiliers, 25 sont dits d'époque Louis XV et 23 Louis XVI. Le meuble de marqueterie enrichi de bronzes dorés semble avoir eu sa préférence. Dans le domaine des pendules et luminaires, le bronze doré Louis XVI domine très nettement. Étonnamment, les sièges sont plus divers, souvent à l'unité, parfois en paire et seulement deux ensembles, l'un composé de six fauteuils Louis XVI en bois doré couverts de damas rouge, l'autre de huit chaises en bois sculpté à dossier à arcades et colonnettes couvertes de tapisserie au point désignées comme XVIIIe. Soulignons à ce propos les différences qui apparaissent entre l'inventaire après décès et le catalogue de la vente. Ce dernier au lot 314 décrit six fauteuils quand on n'en trouve que quatre correspondant à cette description dans l'inventaire situés dans le salon du premier étage donnant sur la rue (p. 223). De même les huit chaises du lot 315 sont difficilement reconnaissables dans l'inventaire, voire absentes. À l'inverse, les onze chaises « styles Louis XIII Louis XIV » en bois sculptées inventoriées dans le salon du rez-de-chaussée n'apparaissent pas à la vente[11]. La prudence s'impose donc dans l'analyse des documents dont on dispose. Si l'inventaire après décès peut révéler un aménagement intérieur, il le reflète à l'instant de la prisée. Or celle-ci est intervenue dans un appartement délaissé par Marie Chocquet depuis le décès de son époux. En effet, rappelons que, depuis 1883, Victor et Marie Chocquet vivaient de moins en moins à Paris et qu'en 1890, ils avaient décidé de quitter l'appartement de la rue de Rivoli où s'entassaient meubles, porcelaines et peintures pour la maison située au 7 rue Monsigny[12]. Treize mois plus tard, Victor Chocquet décédait. Il ne jouit donc guère de son nouvel intérieur que sa veuve quitta pour habiter Yvetot jusqu'à sa mort. Sans doute cet intérieur de collectionneur lui rappelait-il trop de souvenirs ? On peut éventuellement y voir aussi l'indice d'une passion qu'elle ne partageait pas pleinement ?

Interrogeons-nous maintenant sur ce goût pour le mobilier ancien. L'avait-il acquis de son enfance à Lille dans l'entourage familial ? Lorsqu'il arrive à Paris en 1844, possédait-il déjà quelques pièces de cet ameublement vendu en 1899 ? Ses biographes s'entendent à le présenter comme autodidacte, aimant la fréquentation des salles de vente, lieu idéal d'apprentissage. Fut-il aussi un visiteur assidu des deux dernières expositions des produits de l'Industrie et des expositions universelles qui se déroulèrent à Paris ? La discrétion qui l'entoure ne permettra pas d'en savoir plus, tout au plus peut-on supposer que même s'il débuta ses achats dès 1844 – ses appointements sont alors modestes –, on peut raisonnablement considérer que ses acquisitions devinrent plus nombreuses à la fin des années 1860. Le marché offre alors une marchandise XVIIIe abondante. La pratique de la collection se développe dans les milieux bourgeois. Largement remise en question tout au long du XIXe siècle, la notion de beaux-arts semble péricliter au profit d'un essor de l'objet d'art et du bibelot. Comme pour plusieurs amateurs de son temps, et nous pouvons citer de nouveau Léon Michel-Lévy, mais aussi Paul Eudel, Georges de Bellio, Charles Ephrussi, les œuvres rassemblées relèvent bien des tendances identifiées pour cette époque, touchant à l'historicisme[13]. Le XVIIIe cependant est le siècle qui a la préférence de Chocquet[14]. Reste qu'il est difficile d'apprécier la qualité des objets qu'il rassembla, tous ne devaient pas être des chefs-d'œuvre. L'auteur, anonyme, de l'article du *New York Herald*[15] écrivait : « Parmi les meubles et les œuvres d'art, il y a quelques bons spécimens de porcelaine de Sèvres et quelques spécimens convenables de meubles du XVIIIe, mais rien de grande valeur. » Les prix obtenus à la vente laissent entendre que ces pièces XVIIIe côtoyaient certainement des pièces de style que l'œil aguerri de certains marchands et amateurs avait repérées[16]. Le fait que l'expert Mannheim emporta respectivement pour 3 100 et 2 720 francs deux commodes (lots 336 et 338 de la vente), tandis que toutes les autres faisaient des prix bien plus modestes, laisse supposer que tout n'était pas de la même qualité, ce que les résultats de la vente et l'étude des acquéreurs attestent. Nous en trouvons encore confirmation dans l'ouvrage que consacra Édouard-Thomas Williamson, ancien administrateur du Mobilier National, aux ventes publiques de 1899[17]. Évoquant la vente Chocquet, il mentionne bien entendu les peintures impressionnistes et ne cite que 10 lots d'objets d'art, quatre pièces de Sèvres, une pièce en Chantilly, une pendule au cadran signé de l'horloger Henri Voisin[18] et quatre meubles, dont trois correspondent à ceux qui firent les prix les plus élevés et la console demi-lune du lot 354. Quatre peintures de la Collection Chocquet lèvent un petit coin de voile et évoquent quelques pièces de mobilier. Les deux premières sont les portraits que Pierre-Auguste Renoir fit de Victor Chocquet et de son épouse dans les années 1875-1876 (cat 9, 8). Représenté en buste, presque de face, Victor Chocquet est assis dans un fauteuil en bois doré couvert d'une étoffe tirant sur le rouge. Si la sculpture de la traverse supérieure du dossier n'est pas détaillée, le rang de perles visible à gauche suffit à désigner un fauteuil à dossier en médaillon bien représentatif du style Louis XVI et qui, à n'en pas douter, correspond à l'un des six fauteuils du lot 314 de la vente ou de l'un des quatre fauteuils signalés dans l'inventaire du salon du premier étage (p. 223). Deux ans plus tard, Paul Cézanne le portraiturait, cette fois-ci en pied, assis dans ce même fauteuil, levant ainsi tout doute possible (cat. 17). Sur le portrait de Marie Chocquet, le siège sur lequel elle est assise n'est pas identifiable.

En revanche, à l'arrière-plan, se distingue une petite table de marqueterie Louis XV à dessus de marbre, aux pieds galbés réunis par une tablette d'entretoise. Sans doute s'agit-il du lot 332 de la vente (mais pourrait aussi correspondre au lot 343), tout comme trois petites tables désignées dans l'inventaire peuvent être candidates à l'identification. C'est dire la difficulté de l'exercice ! Cézanne est l'auteur du quatrième tableau, une nature morte (fig. 63), peinte en 1877 ou 1879, figurant quelques fruits dans un plat de faïence, un verre et une carafe disposés sur une nappe blanche, le tout reposant sur une petite table de marqueterie Louis XV enrichie de bronze doré avec une tablette en ceinture[19]. Le lot 344 de la vente pourrait lui correspondre et fut vendu 1 500 francs au marchand Jacob. Enfin, le portrait de Chocquet par Cézanne, déjà cité (cat. 17), montre lui aussi à l'arrière-plan un bureau à dos-d'âne que l'on peut identifier avec les lots 342 ou 345. Ces toiles, aux cadrages serrés n'offrent hélas pas plus d'informations. Tout au plus deux d'entre elles confirment bien l'accrochage bord à bord des tableaux aux murs. Aucune n'apporte d'information sur la collection de céramiques. Les deux verres et ce qui semble être un compotier de faïence dans la nature morte de Cézanne ne permettent aucun rapprochement avec les indications données par l'inventaire ou le catalogue de la vente. Au nombre de 431 pièces, les porcelaines rassemblées par Chocquet constituent-elles à proprement parler une collection ? Composé surtout de petites pièces : assiettes, tasses et leur soucoupe, petits pots, pots à crème, sucriers, théières, petits plateaux carrés ou ovales et petits vases, cet ensemble forme un tout assez disparate, le reflet d'achats au gré des ventes. Aucune pièce majeure n'est à relever, tout comme on constate l'absence totale de pièces de forme pour garnitures, tels grands vases et pots-pourris, ou de groupes en biscuit.

Au terme de cette analyse des documents que l'on possède sur les meubles et objets d'ameublement de Victor Chocquet, peut-on le considérer comme un collectionneur de meubles et objets d'ameublement du XVIIIe siècle ? Sans être une référence absolue, l'ouvrage écrit par Alphonse Maze-Censier, *Le livre des collectionneurs*, et publié à Paris en 1885, peut nous permettre de replacer la collection de Victor Chocquet dans le contexte de ces années. Ce dernier n'y est jamais cité, que l'on se réfère au chapitre des « curieux de meubles et de bois sculptés », à celui consacré à la céramique ou encore aux « curieux de cuivre ciselés et de bronzes d'ameublement », trois des domaines pour lesquels plusieurs objets firent des prix non négligeables lors de la vente. Cela indiquerait-il que la collection d'objets d'art et d'ameublement de Chocquet fut jugée plus secondaire que celles des amateurs cités par Maze-Censier ? Ou bien a-t-on ici la confirmation du retrait dans lequel vivait Chocquet et, somme toute, de son unique passion pour l'œuvre de Delacroix et celles des impressionnistes ? Des collectionneurs comme Paul Eudel (1837-1911) ou Félix Doistau (1846-1936, certes cadet de Chocquet de 25 ans), issus d'un milieu social comparable mais aux carrières professionnelles différentes, sont cités par Maze-Censier et rassemblèrent des œuvres assez similaires à celles de Chocquet mais ne s'intéressèrent pas à la peinture de leur temps. La passion pour l'impressionnisme l'avait donc bien emporté chez Victor Chocquet, faisant finalement de ce curieux l'un des premiers à associer dans son intérieur mobilier et objets d'art du XVIIIe siècle à la création contemporaine, principe que quelques grands collectionneurs d'aujourd'hui reproduisent en mêlant art contemporain et somptueux meubles du XVIIIe français !

1 Plusieurs catalogues ont été imprimés pour cette vente, du plus luxueux comportant 30 planches et reproduisant 41 tableaux (exemplaires conservés à la Bibliothèque centrale des Musées nationaux, Bibliothèque du Musée d'Orsay [MO 4° T 391], Bibliothèque de l'INHA [VP1899/257]) à la simple liste énonçant les lots (Résumé du catalogue) en passant par un catalogue dépourvu d'illustrations (exemplaire conservé à la Bibliothèque du musée des Arts décoratifs [Br 2034] et Bibliothèque Nationale de France [YD-1 (A, 1899-07-01) -4].

2 *Le Matin*, édition du 5 juillet 1899 et *New York Herald*, même date. Voir aussi dans ce même journal l'édition du 30 juin 1899 annonçant la vente. Je remercie Anne Distel de m'avoir communiqué les références de ces articles.

3 Vente Chocquet Petit, n° 337

4 Il pourrait s'agir de l'industriel (Desmarais frères) et chevalier de la Légion d'honneur Lucien Desmarais, 1865-1934, marié avec Germaine Edith Pavie.

5 Vente Chocquet Petit, n° 346

6 Même chose pour cet acheteur, s'agit-il d'un amateur ou d'un marchand ? Le *New York Herald* orthographie son nom « Laltesse », les inscriptions manuscrites reportées sur quelques exemplaires des catalogues donnent « Lattès ou Mattes ».

7 Archives privées de l'étude de Me Perinne et associés, successeurs de Me Huguenot

8 L'exposition des produits de l'Industrie de 1839 révéla le goût nouveau pour les meubles sculptés puisant leur inspiration tant dans le Moyen Âge que dans la Renaissance. Cet intérêt favorisa le marché de la curiosité qui proposa à sa clientèle meubles neufs et meubles anciens « restaurés », rendant la part difficile aujourd'hui dans l'appréciation de ces meubles à travers les seuls documents d'archives.

9 Voir les ouvrages de synthèses sur le décor intérieur comme Mario Praz, *L'ameublement, psychologie et évolution de la décoration intérieure*, Milan/Paris 1964 et Peter Thornton, *Authentic Decor. The Domestic Interior 1620-1920*, Londres 1984.

10 Voir Anne Dion, « 1844, l'exposition des produits de l'industrie », in *Un âge d'or des arts décoratifs 1814-1848*, Paris 1991, p. 422-423.

11 N'oublions pas qu'une seconde vente a suivie celle des 1er, 3 et 4 juillet à la galerie Petit, le 5 juillet à l'hôtel Drouot, salle 6, vente sans catalogue et dont malheureusement le procès-verbal est perdu. L'énoncé de la vente est d'ailleurs éloquent : *Tableaux modernes, études et esquisses, paysages, figures, sujets de genre, mobilier meublant, piano d'Erard, meubles à tous usages, vaisselle, rideaux, tentures, carpettes, literie et objets divers, vins en bouteilles, après décès de Mme Vve Chocquet* – tout ce qui restait de l'intérieur de la rue Monsigny et qui ne fut pas jugé digne de la première vente.

12 Achat signé le 22 mars 1890 pour 150 000 francs. Cité par Rewald 1969, p. 68 (Rewald 1985, p. 155)

13 Voir cat. expo. *À l'apogée de l'impressionnisme. La collection Georges de Bellio*, Musée Marmottan, Paris, 10 octobre 2007 - 3 février 2008, Lausanne 2007.

14 Sans hisser sa collection de meubles et d'objets d'art au niveau de celle de Jacques Doucet (1853-1929) que ce dernier commença à constituer vers 1880 et dont il se sépara en 1912 dans une vente qui fit date, on note un parallèle par la présence de mobilier du XVIIIe siècle mêlé à de la peinture impressionniste. Il en est de même avec la collection d'Isaac de Camondo (1851-1911).

15 New York Herald (Paris), article du 29 juin 1899 (cité après Rewald 1969, p. 80 ; Rewald 1985, p. 163) : « Among the furniture and works of art there are some good specimens of Sèvres porcelain and some fair specimens of eigthteenth century furniture, but nothing of great value. » Selon Blot 1934, p. 32 et 42, l'auteur anonyme est George Bal.

16 Parmi les marchands présents à la vente, on note : Mmes Balloy, Dennery, Doucet, MM. Desaché, Houzeau, Jacob pour ceux qui se portèrent acquéreurs de plusieurs lots. Les marchands de porcelaines étaient également présents comme Le Roy de Bruxelles et Léonce Caillot (1848-1924).

17 Williamson 1900, p. 237-243, surtout p. 243

18 Antoine-Henry Voisin dit Henry Voisin (1733-1815) appartient à une famille d'horlogers parisiens. Il tenait boutique à l'angle de la rue Dauphine et du quai des Grands Augustins.

19 Et non une commode comme l'indique Joseph J. Rishel dans le commentaire qu'il fit du tableau. On perçoit très nettement que la nappe retombe dans l'angle gauche indiquant un meuble de petites dimensions, par ailleurs dans la partie visible de la ceinture du meuble apparaît distinctement une tablette qui fait davantage songer à une petite table chiffonnière. Voir cat. expo. Philadelphie 1983, p. 9.

Gardanne 11 Mai 1886.

Monsieur Chocquet

Touché de votre dernière lettre, je voulais répondre assez vite. Mais toujours, quoique peu occupé, car vu la santé faiblissante, ou des séries de temps intempestifs, on remet au lendemain!

Donc, je ne voudrais pas m'appesantir lourdement sur vous, j'entends au moral; mais enfin, puisque Delacroix a servi d'intermédiaire entre vous et moi, je me permettrai de dire ceci: que j'aurai[s] désiré avoir cet équilibre intellectuel qui vous caractérise, et vous permet d'atteindre sûrement le but proposé. Votre bonne lettre[,] ajoutée à celle de Madame Chocquet, témoigne d'un grand équilibre des facultés vivantes. – Aussi comme je suis très frappé de cette sérénité, je cause là-dessus avec vous. Le hasard ne m'a pas doté d'une semblable assiette, c'est le seul regret, que j'aie des choses de cette terre. Quant au reste, je n'ai pas à me plaindre. Toujours le ciel, les choses sans bornes de la nature m'attirent et me procurent l'occasion de regarder avec plaisir.

Pour ce qui est de la réalisation des souhaits, pour les choses les plus simples et qui sembleraient devoir découler de soi-même, par exemple, un sort malencontreux serait apparemment attaché à nuire à la réussite. Car j'avais quelques vignes, mais des gelées inattendues sont venues couper le fil de l'espérance. Et le souhait eût été au contraire de voir une belle frondaison. Aussi je ne pourrai souhaiter pour vous que la réussite de vos plantations, et un beau développement de végétation. Le vert étant une couleur des plus gaies, et qui fait le plus de bien aux yeux. Pour finir, je vous dirai, que je m'occupe toujours de peinture, et qu'il y aurait des trésors à emporter de ce pays-ci, qui n'a pas trouvé encore un interprète à la hauteur des richesses qu'il déploie. –

Monsieur Chocquet, je désirerai[s] que cette lettre trouve grâce devant vous, et qu'elle ne vous fatigue point; sur ce, je me permettrai de déposer l'humble hommage de nos salutations, et d'en faire participer Madame Chocquet, et l'expression des souhaits que je désire pour que vous conserviez toujours une bonne santé, –

Je suis comme par le passé, votre reconnaissant
Paul Cézanne
Le petit est à l'école, et sa maman se porte bien. –

Musée des lettres et manuscrits, Paris (inv. 65860). Source : Cézanne Correspondance, p. 226-227 (après consultation de l'autographe, légèrement adapté en conséquence)

1
Eugène Delacroix
Rochers, vers 1822

Huile sur papier marouflé sur toile, 21,5 × 30,5 cm
Musée de Valence, Art et Archéologie

Historique : Vente Atelier Delacroix, Paris, Hôtel Drouot, 17-19 février 1864, cachet de cire rouge au verso, sans doute partie du n° 219 : « Quinze études diverses de paysages » ; Victor Chocquet ; Marie Chocquet, sa veuve, vente, Paris, galerie Georges Petit, 1er juillet 1899, partie du n° 106, 110 francs à Bernheim Jeune ; vendu par Bernheim Jeune à Camille Pissarro, 30 mars 1900 ; Camille Pissarro (1830-1903), sa vente, Paris, galerie Georges Petit, 3 décembre 1928, n° 75, repr., 23 100 francs à Maurice Gobin (1882-1960) ; chez Thierry Normand, Paris ; acquis par le Musée de Valence, Art et Archéologie en 2006 (inv. 2006.6.1)
Bibliographie : Rewald, 1969, p. 74 ; Johnson III 477, t. IV, pl. 278, t. VII, p. 334-335 ; cat. expo. Tours 1998, n° 9, repr.

Ce paysage librement brossé a été exécuté au cours de l'été 1822, lors du second séjour de Delacroix en Touraine, chez son frère, le général Charles-Henri Delacroix. Le site a été identifié par le Dr Jean-Luc Stéphant comme étant une formation rocheuse à Pont-Chalais, lieu-dit situé à deux kilomètres au nord-est du Louroux, où le frère de Delacroix s'était établi à partir de 1817[1]. Au cours de son séjour, Delacroix avait fait quelques dessins de rochers dans un album, aujourd'hui démembré, dont quelques feuilles sont conservées à la Kunsthalle de Brême (fig. 67). Ces études, croquées sur le vif, ont vraisemblablement servi de point de départ à la peinture.

Dans l'ensemble des œuvres de Delacroix réunies par Victor Chocquet, les paysages tiennent la première place : près d'une vingtaine, si l'on se reporte à l'inventaire après décès, sans compter les vues africaines. Parmi les peintures, les *Rochers* – qui appartinrent un temps au peintre Camille Pissarro – correspondent peut-être au « *Paysage avec rocher* » décrit dans l'inventaire du 7 rue Monsigny établi en avril 1899 à la mort de Marie Chocquet comme se trouvant au rez-de-chaussée, dans le salon à deux fenêtres donnant sur la rue, et faisant partie d'un lot (prisé 50 francs) de six petites peintures sans cadre (voir inventaire, p. 213). Il ne nous a pas été possible jusqu'à présent de déterminer à quelle date et auprès de qui Chocquet l'avait trouvé, mais il pourrait fort bien s'agir de l'une de ses premières acquisitions. *AS*

1 Johnson, t. VII, p. 334-335

Fig. 67, Eugène Delacroix, Carnet de dessins de Brème, inv. n° 1962/453, p. 4, *Plateau rocheux, trois plantes – et deux études de feuilles*
Kunsthalle Bremen – Der Kunstverein in Bremen, Kupferstichkabinett

2
Eugène Delacroix
Le Naufrage, 1862

Huile sur toile, 38,1 × 45,1 cm
Signé et daté en bas à droite : *Eug. Delacroix/1862*.
The Museum of Fine Arts, Houston, Texas, acquisition financée par le Agnes Cullen Arnold Endowment Fund

Historique : Victor Chocquet, Paris (1864) ; Marie (Buisson) Chocquet ; vente Chocquet Petit, n° 47, repr., 9 500 francs à : Paul Durand-Ruel ; baron Denys Cochin, Paris (1916) ; (Dr. iur. Franz Anton ?) Boner, Berlin (1930) ; collection particulière, Zurich (1956) ; Mme Léonardo Bénatov, Paris ; Sotheby's, Londres, 6 mai 1959, n° 83, repr. ; The Matthiesen Gallery, Londres, vendu en 2004 à : The Museum of Fine Arts, Houston, Texas, acquisition financée par le Agnes Cullen Arnold Endowment Fund (inv. 2004.1693)
Bibliographie : Rewald 1969, p. 77, 79 ; Johnson III 490, t. IV, pl. 289

Chocquet a-t-il été impressionné par le caractère quelque peu théâtral de la scène ou simplement séduit par le rendu habile de l'eau écumante ? Quoi qu'il en soit, nous pouvons souligner le choix original d'un collectionneur débutant, qui avait tenté vainement de convaincre Delacroix de réaliser un portrait (voir p. 54 et 77-78) et n'a finalement jamais eu l'occasion de rencontrer le maître. Daté de 1862, *Le Naufrage* n'a pas été exécuté sur nature, puisque cette année-là Delacroix ne se rendit pas au bord de la mer ; toutefois les nombreuses études qu'il avait réalisées au cours de ses différents séjours sur la côte normande lui ont permis de traduire avec fidélité le mouvement des vagues.

L'inventaire établi après le décès de Marie Chocquet en avril 1899 (voir p. 244) mentionne cette marine dans un lot de trois tableaux prisé 1500 francs, qui se trouvaient au deuxième étage de la rue Monsigny, dans une grande chambre à coucher donnant sur la rue. La description donnée est relativement précise malgré une erreur de lecture pour la date : « Une peinture signée Eugène Delacroix 1840 *(Grotte au bord de la Mer)* ». Si nous savons que Victor Chocquet l'avait prêtée à l'exposition organisée en 1864 par la Société nationale des beaux-arts[1], nous ignorons en revanche quand et dans quelles circonstances il en avait fait l'acquisition. Cependant, il y a tout lieu de penser qu'il possédait ce tableau depuis peu. À la vente de Marie Chocquet, l'œuvre qui avait été remarquée par le chroniqueur du *New York Herald* fut acquise par Paul Durand-Ruel[2]. Le marchand la revendit plus tard à l'un de ses clients attitrés, le baron Denys Cochin (1851-1922), homme politique, écrivain et amateur d'art averti. Le catalogue de la vente de sa collection à Paris, galerie Georges Petit, le 26 mars 1919, inclut ainsi des tableaux de Corot, Courbet, David, Delacroix (mais *Le Naufrage* n'y figure pas), Goya, Manet, et Puvis de Chavannes. *AS*

1 Cat. expo. Paris 1864, n° 113, « *Marine* »

2 « Among the twenty-three pictures by Eugène Delacroix, which I have just seen, the best are No. 45, *L'Annonciation*, No. 47, *Le Naufrage*, and No. 50, portrait of a woman and interior. » (*New York Herald* [European Edition], 29 juin 1899, cit. d'après Rewald 1969, p. 79 ; Rewald 1985, p. 163).

3
Eugène Delacroix
Le Christ au Jardin des Oliviers, vers 1826

Aquarelle, sur traits de graphite, rehauts de gomme arabique, sur papier vélin, 24,5 × 20 cm
Au verso, annotation à la plume et encre brune, de la main de Frédéric Villot : « *Je l'ai gravé. J'avais d'abord copié la tête exactement. D. [Delacroix] me dit qu'elle ressemblait à celle d'un bossu et qu'il fallait que j'en refisse une de mon invention. Je grattais la tête de mon eau-forte dont il n'y eut que deux ou trois épreuves tirées par moi et j'en fis une autre au burin qui plut beaucoup à Delacroix.* »
Musée du Louvre, Paris, département des Arts graphiques

Historique : Frédéric Villot (1809-1875), Paris ; vente Villot 1865, n° 16, « *Le Christ au jardin des Oliviers* », 180 francs (à Victor Chocquet ?) ; comte Armand Doria (1824-1896), Paris ; vente Doria 1899, n° 258, 1900 francs ; Charles Guasco, Paris ; vente Guasco 1900, n° 110 ; Paul-Arthur Chéramy (1840-1912), Paris ; vente Chéramy 1908, n° 300, 650 francs à : Paul Mathey, Paris ; vente Drouot 1909, n° 26 ; Raymond Koechlin (1860-1931), Paris ; legs en 1932 au : Musée du Louvre, Paris, département des Arts graphiques (inv. RF 23 325)

Bibliographie : Robaut 182 ; cat. expo. Paris 1885, n° 260 ; cat. expo. Paris 1930, n° 263, repr. ; Sérullaz 1952, n° 80 ; cat. expo. Paris 1963, n° 91 ; Sérullaz 1984, t. I, n° 93, repr. ; cat. expo. Francfort 1987, n° K1, repr. ; Bergerol 1998, p. 148, repr. ; Sérullaz 2004, n° 4, repr.

Le 17 septembre 1845, Delacroix écrivait dans un petit calepin : « Prêté à Villot une aquarelle : *Le Christ au Jardin des Oliviers*, figure seule, et le calque d'icelui[1]. » Compte tenu de l'annotation portée au verso de cette feuille, il y a tout lieu de penser que celle-ci est certainement l'aquarelle décrite par Delacroix. En revanche, il nous faut bien reconnaître que nous n'avons aucune information concernant la présence de cette œuvre dans les collections de Victor Chocquet. Sa mention dans la liste de l'historique, qui avait été établie au moment où Raymond Koechlin avait légué la feuille au Louvres, n'a pu être vérifiée. Toujours est-il que la feuille se trouvait en possession du comte Armand Doria, qui l'avait prêtée à l'exposition Delacroix en 1885, et qu'elle figura dans sa vente après décès en 1899.

L'aquarelle est à mettre en rapport avec le tableau commandé à Delacroix en 1824 par le comte de Rambuteau, alors préfet de la Seine, pour l'église Saint-Paul-Saint Louis[2]. Que Delacroix l'ait prêtée à Villot n'a rien d'étonnant : les deux hommes s'étaient rencontrés dans les années 1830, et leur correspondance témoigne d'une amitié sincère. À l'évidence, ils avaient plaisir à discuter des sujets les plus divers, le peintre faisant souvent appel à Villot pour des conseils aussi bien techniques que stylistiques. Un temps interrompues à la suite d'une brouille, leurs relations reprirent un cours normal, de sorte que Villot put affirmer en 1865 avoir vécu avec Delacroix « pendant 35 ans dans des rapports d'une amitié en quelque sorte fraternelle[3] ». *AS*

1 *Delacroix Journal*, p. 1664
2 Johnson I 154
3 « Avant-propos », in vente Villot 1865, p. III

4
Eugène Delacroix
L'Algérienne à la rose (Pauline Villot en costume algérien), vers 1833

Plume et encre brune, 18,5 × 15,5 cm
Signé en bas à la plume et encre brune du rébus : *2 la* [note de musique] +
Thaw Collection, The Morgan Library & Museum, New York

Historique : Frédéric Villot (1809-1875), Paris ; vente Villot 1865, n° 36, sous le titre « *Femme juive tenant une rose [...]* » 91 francs à[1] : Victor Chocquet, Paris ; Marie (Buisson) Chocquet ; vente Chocquet Petit, n° 161, sous le titre « *L'Algérienne à la rose* » repr., 850 francs à : Henri Haro (pour Chéramy ?) ; Paul-Arthur Chéramy (1840-1912), Paris ; vente Chéramy 1913, n° 143, sous le titre « *Portrait d'une jeune femme mauresque tenant une fleur* », 195 francs à[2] : Marcel Guérin (1873-1948), Paris ; Daniel Guérin, son fils (1904-1988), Paris ; Mr. and Mrs. Eugene Victor Thaw, New York ; Thaw Collection, The Morgan Library & Museum, New York (inv. EVT 280)

Bibliographie : Robaut 477, repr. ; Escholier 1927, p. 186-189, repr. p. 187 ; cat. expo. Paris 1933, p. 127 ; Daulte 1953, p. 55 ; cat. expo. Paris 1963, p. 31-32, repr. ; cat. expo. New York 1975, n° 84 ; cat. expo. Francfort-sur-le-Main 1987, n° C7, repr.

Lorsqu'il en fit l'acquisition à la vente Villot, Victor Chocquet ne savait sans doute pas que ce séduisant portrait, simplement intitulé dans le catalogue : « *Femme juive tenant une rose* » (voir p. 82), était en fait celui de la propre épouse de Frédéric Villot, Pauline Barbier (1811-1875). Au reste, se doutait-il qu'il avait entre les mains un dessin auquel Delacroix tenait tout particulièrement ? La signature-rébus finement apposée sous le buste apparaît en effet seulement sur les œuvres – dessins ou gravures – que l'artiste destinait à des amis très chers : elle se trouve ainsi au bas du *Portrait de Chopin en Dante* conservé au musée du Louvre (département des Arts graphiques, RF 20). Le nom du modèle n'apparaît pas davantage dans le catalogue de la vente Chocquet ni dans celui de la vente Chéramy. En 1885, Alfred Robaut catalogua le dessin comme « *Jeune femme du Maroc* » avec ce commentaire ambigu : « La femme est jolie et de type européen ; mais il faut se rendre à l'évidence du costume[3]. » Curieusement, d'ailleurs, Robaut n'avait pas pris la peine de signaler que son confrère Ernest Chesneau avait reproduit le dessin dans la revue *L'Art* en avril 1882 en précisant[4] : « Jeune femme de Maroc. Dessin à la plume, fait par Eugène Delacroix chez M. Frédéric Villot, secrétaire général des Musées nationaux. » Sauf erreur, Raymond Escholier serait le premier à avoir reproduit le dessin sous le titre « *Pauline Villot en Mauresque*[5] ».

L'Algérienne à la rose a sans doute été exécutée peu après le voyage de Delacroix en Afrique du nord (1832) : en quelques traits de plume rapides et sûrs, l'artiste a restitué avec une grande maîtrise l'élégance de son modèle, dont le fin visage émerge des plis savants du voile. Nous savons qu'à cette époque, il fut loin d'être insensible à la compagnie de la jeune femme, et il se pourrait fort bien qu'il ait entretenu une liaison avec elle. AS

1 Voir exemplaire annoté du catalogue de la vente Villot 1865 à la Frick Library, New York.
2 Voir exemplaire annoté du catalogue de la vente Chéramy 1913 à la Frick Library, New York.
3 Robaut 477, p. 127
4 Chesneau 1882, p. 73
5 Escholier 1927, p. 187

5

Eugène Delacroix

La Captivité à Babylone, vers 1845-1847

Aquarelle, rehauts de gouache, sur traits de graphite, sur papier vélin chamois ; forme hexagonale, 24,9 × 31,3 cm
Musée du Louvre, Paris, département des Arts graphiques

Historique : vente Delacroix 1864, marque en bas à droite (Lugt 838a), n° 279, sous le titre « *La Captivité de Babylone* », 640 francs à : Achille Piron (1798-1865), Paris ; vente Piron 1865, n° 18, sous le titre « *La Captivité de Babylone* », 212 francs (à Victor Chocquet ?) ; Victor Chocquet, Paris ; Marie (Buisson) Chocquet ; vente Chocquet Petit, n° 141, repr., sous le titre « *La poésie élégiaque* », 570 francs à : Henri Haro (pour Paul-Arthur Chéramy ?) ; Paul-Arthur Chéramy (1840-1912), Paris ; vente Chéramy 1908, n° 299, sous le titre « *La Captivité de Babylone* », 4 600 francs à Schoeller ; vente Chéramy 1913, n° 95, 1 250 francs à : Joseph (Josse) Hessel, Paris ; Paul Leprieur (1860-1918), Paris ; vente Leprieur 1919, n° 38, 4 200 francs à : la Société des Amis du Louvre, qui l'offre au : Musée du Louvre, Paris, département des Arts graphiques (inv. RF 4774)
Bibliographie : Robaut 856 ; Meier-Graefe/Klossowski 1908, p. 98, n° 193 ; cat. expo. Paris 1963, n° 372 ; Sérullaz 1984, t. I, n° 298, repr. ; Johnson, t. V, p. 54 ; Bergerol 1998, p. 156

Victor Chocquet semble avoir particulièrement apprécié les œuvres décoratives de Delacroix, puisque l'inventaire établi après le décès de sa veuve comprend onze études – peintes ou dessinées – pour les grands décors réalisés par le maître, la majeure partie étant en rapport avec le plafond de la Bibliothèque de la Chambre des Députés (inventaire, p. 242). Cette feuille a été l'une de ses premières acquisitions. Elle est décrite dans l'inventaire comme se trouvant au premier étage du 7 rue Monsigny (inventaire, p. 235), dans une pièce sur cour, faisant partie d'un lot (prisé 700 francs) de six œuvres de Delacroix dont « deux aquarelles pour tympans ».

Il s'agit d'une étude quasi définitive pour l'un des pendentifs de la coupole de la *Théologie*, à la bibliothèque du Palais Bourbon (actuelle Assemblée nationale), que Delacroix avait été chargé de décorer en août 1838, peu après avoir terminé le Salon du Roi. Le plafond qui faisait l'objet de cette commande comprenait, aux extrémités, deux hémicycles en cul-de-four et cinq coupoles comportant chacune quatre pendentifs, soit en tout 22 compositions. Assisté de deux de ses élèves, Émile Lassalle-Bordes et Louis de Planet, Delacroix, qui travaillait alors au palais du Luxembourg, ne put terminer le chantier du Palais Bourbon qu'en 1847 – au grand mécontentement des députés –, mais l'accueil de la critique fut des plus élogieux. Le peintre avait pris soin de donner une description complète de son travail à Théophile Thoré, qui la publia dans *Le Constitutionnel* le 31 janvier 1848. Les visiteurs savaient donc que Delacroix avait opté pour des sujets ayant trait à la philosophie, à l'histoire et à l'histoire naturelle, mais aussi à la législation, à l'éloquence, à la littérature, à la poésie et à la théologie, afin de rappeler les divisions adoptées dans la plupart des bibliothèques.

Les sujets de la coupole de la Théologie – celle de la quatrième travée – étaient tirés pour deux d'entre eux de l'Ancien Testament, et les deux autres, du Nouveau Testament. *La Captivité à Babylone* est ainsi décrite par Delacroix[1] : « Une famille éplorée assise au bord du fleuve, contemple douloureusement les flots en pensant à la patrie absente. Dans la campagne, auprès des murs de la ville, des Hébreux, dispersés, occupés de vils travaux, ou succombant à la tristesse. » AS

1 Delacroix 1848

6
Eugène Delacroix
Hercule délivre Hésione, vers 1853-1854

Huile sur toile ; forme cintrée, 22,5 × 26,9 cm
Ordrupgaard, Copenhague

Historique : vente Delacroix 1864, n° 44, sous le titre « *Il [Hercule] délivre Hésione* », 305 francs à : Paul Joseph Verde Delisle ? (1829-1877) ; Victor Chocquet, Paris (vers 1875) ; Marie (Buisson) Chocquet, Paris ; vente Chocquet Petit, n° 55, 500 francs à Durand-Ruel (pour Edgar Degas) ; Edgar Degas, Paris ; vente Degas 1918, n° 34, 5 000 francs à galerie Trotti (pour Wilhelm Hansen ?) ; Wilhelm Hansen (1868-1936), Ordrupgaard ; Henny Hansen (1870-1951), sa veuve ; legs à l'État danois en 1952 : Ordrupgaard, Copenhague (inv. 239 WH)
Bibliographie : Sérullaz 1963, p. 144 ; Rewald 1969, p. 76 ; Johnson V 591, t. VI, pl. 59

D'après l'inventaire établi en avril 1899, après le décès de Marie Chocquet, nous savons que cette œuvre se trouvait au premier étage du 7 rue Monsigny, dans le petit salon éclairé par une fenêtre donnant sur la rue : « Une esquisse par Eugène Delacroix, forme cintrée (*Andromède*) » (inventaire, p. 229). Mais il faut surtout rappeler que ce petit tableau est visible derrière la figure de Victor Chocquet dans le portrait (fig. 68) peint par Renoir vers 1875 et conservé au Fogg Art Museum. Si nous pouvons ainsi avoir une idée approximative de l'époque de son achat par Chocquet, nous avons surtout la preuve que ce dernier y tenait suffisamment pour l'avoir accroché dans le salon du petit appartement qu'il occupait alors avec son épouse, 198 rue de Rivoli, et s'être placé devant lorsque Renoir fit son portrait. Plus précisément, c'est après avoir vu – par hasard – des œuvres de Renoir à l'Hôtel Drouot, le 24 mars 1875, que Chocquet avait écrit au peintre – qu'il ne connaissait pas encore –, afin de savoir s'il accepterait de faire le portrait de sa femme, étant entendu que le portrait devrait inclure une étude de Delacroix qu'il possédait (voir l'essai d'Anne Distel, p. 54-55).

Hercule délivre Hésione est l'une des esquisses pour les lunettes du Salon de la Paix à l'Hôtel de Ville de Paris, que Delacroix avait été chargé de décorer en octobre 1851, et qui fut détruit dans l'incendie qui ravagea le bâtiment le 24 mai 1871.

Le salon confié à Delacroix comportait un plafond circulaire de cinq mètres de diamètre, flanqué de huit caissons rectangulaires. Entre les portes, les fenêtres et la haute cheminée, onze tympans cintrés formaient une frise. Aidé de Pierre Andrieu, son principal collaborateur, le peintre se mit à l'œuvre dès février 1852, mais dans de mauvaises conditions car la salle était alors encombrée d'ouvriers et fort mal éclairée. L'essentiel fut réalisé dans l'atelier de Delacroix, rue Notre-Dame-de-Lorette, puis passablement retravaillé sur place : c'est seulement au printemps 1854 que l'artiste put montrer le décor définitivement achevé. Le plafond montrait *La Paix vient consoler les hommes et ramène l'abondance*. Les caissons étaient consacrés respectivement à *Cérès*, *Clio*, *Bacchus*, *Vénus*, *Mercure*, *Neptune*, *Minerve* et *Mars*, tandis que les principaux épisodes de la *Vie d'Hercule* étaient évoqués sur les tympans. « Le développement épique du plafond central, la placidité des caissons, la variété des sujets tirés de la vie d'Hercule forment un tout harmonieux qui permet heureusement d'oublier l'ornementation architecturale du salon de la Paix », constatait à ce propos le critique Pierre Pétroz[1]. Et de féliciter Delacroix pour avoir décidé de placer les épisodes de la vie d'Hercule non pas suivant l'ordre chronologique mais en fonction de leur harmonie visuelle. *AS*

1 Pétroz 1854, p. 5

Fig. 68 Pierre-Auguste Renoir, *Portrait de Victor Chocquet*, vers 1875, huile sur toile, 53 × 43,5 cm, Fogg Art Museum, Cambridge, Massachusetts, legs Grenville L. Winthrop

7
Eugène Delacroix
Ovide chez les Scythes, vers 1855

Mine de plomb sur quatre morceaux de papier collés ensemble, 34,5 × 52,5 cm
Marqué en haut à gauche d'une main inconnue : *les vents allument le bûcher de Patrocle / Achille fait des libations, prisonniers égorgés, chevaux, / armes, captives assistant, l'armée au fond* ;
en haut à droite : *voir les calques du / Mquis De Newcastle*[1]
Kunstmuseum Basel, Kupferstichkabinett

Historique : vente Delacroix 1864, n° 366 ; vente Sensier 1877, n° 133, 45 francs à : Victor Chocquet, Paris ; Marie (Buisson) Chocquet ; vente Chocquet Petit, n° 175, sous le titre « *Ovide en exil chez les Scythes* », à : Paul Durand-Ruel, Paris, à : Edgar Degas, Paris ; vente Degas 1918, n° 162, repr., sous le titre « *Campement arabe* » ; Bernheim-Jeune, Paris (inv. 21172) ; Werner Reinhart (1884-1951), Winterthour, 1952 à : Peter Reinhart (1907-1988), Winterthour[2] ; Daniel Barr, New York ; Claudius Ochsner, Zurich, 2009 à : Kunstmuseum Basel, Kupferstichkabinett (inv. 1009.36)
Bibliographie : Robaut 1374, avec reproduction au trait ; cat. expo. Winterthour 1942, supplément n° 453 ; Johnson, t. III, n° 334, p. 151, t. III, n° 345, note 1 ; cat. expo. New York 1997, p. 35 et note 165 ; cat. expo. New York 1997a, p. 35, n° 258 (repr. inversée) ; cat. expo. Winterthour 2008, n° 26, p. 16 ; cat. expo. Bâle 2009, n° 62

Ce dessin évoque la destinée du poète latin Ovide. Exilé par l'empereur Auguste en l'an 8 apr. J.C., il dût passer le reste de son existence chez les Scythes à Tomis, ville portuaire sur les bords du Pont-Euxin (aujourd'hui la mer Noire). Ce n'est pourtant pas cette ville qui est donnée à voir sur le dessin, mais un vaste paysage avec une haute montagne, qui s'élève au-dessus des rives d'un lac ou d'un bras de mer. Au premier plan, les protagonistes sont réunis en demi-cercle, comme sur une scène. Sur la gauche, un jeune garçon accompagné d'un chien s'approche précautionneusement du poète étendu sur une petite butte, tandis qu'au centre, des Scythes viennent lui offrir des vivres. À droite, tournant le dos à la scène centrale, se dresse une jument, qu'une jeune femme est en train de traire ; des hommes assis au sol observent la scène ou la commentent. Au centre, mais cette fois à l'arrière-plan, on aperçoit d'autres personnages comme une mère et son enfant, ainsi qu'un cavalier.

Delacroix recourt à des couches horizontales claires et sombres pour développer la spatialité du paysage. Des hachures verticales ou en zigzag caractérisent les versants escarpés de la montagne, qui baignent dans l'ombre. L'ensemble est dessiné d'une main légère, et les personnages sont modelés en douceur à l'aide de traits fluctuants. On relève sans cesse des repentirs, tout particulièrement dans les jambes antérieures du cheval. Des lignes qui se répètent et peuvent doubler les contours, sont autant de vecteurs pour exprimer le mouvement et les émotions. On ne remarque que peu d'indications d'une implantation humaine. Seuls quelques toits évoquant un village se devinent au centre de l'œuvre. Les êtres qui s'empressent autour du poète semblent avoir découvert, peut-être même par hasard, la présence de cet étranger, et sont sans doute aussi surpris que lui de cette rencontre inattendue. Sans savoir qui il est, ils lui témoignent des marques de respect et d'attention, qui avait dû faire défaut au poète dans sa patrie. Comme s'il émergeait du sommeil, il dégage sa tête de l'extrémité de son long manteau pour se tourner vers les Scythes qui s'approchent ; les yeux mi-clos, il les perçoit, presque à contrecœur. Delacroix immortalise ici le moment crucial où Ovide prend pleinement conscience de sa situation. Chez les Scythes, il se voit honoré d'une très grande estime alors qu'il se trouve dans un état d'extrême avilissement, comme le symbolise sa position allongée à même le sol : ici, il est respecté non pas comme artiste ou génie, mais simplement pour l'être humain qu'il est. En lui attribuant ce rôle, Delacroix l'inscrit dans le paysage qui l'entoure, dont il semble devenir partie intégrante.

Delacroix, qui s'est beaucoup penché sur ce thème, l'a représenté à plusieurs reprises dans une fresque[3], une étude à l'huile disparue[4], une peinture datée de 1859 (Londres, The National Gallery), qui avait été exposée au Salon de cette année-là[5], une seconde esquisse à l'huile datée de 1862 (New York, The Metropolitan Museum of Art)[6] ainsi que plusieurs dessins, dont fait partie la feuille en question[7]. Chocquet possédait l'esquisse à l'huile[8] disparue, ainsi que le présent dessin traitant du même sujet. Il avait acheté ce dernier à la vente de la Collection Alfred Sensier le 10 décembre 1877 à l'hôtel Drouot pour la somme de 45 francs[9].

La thématique exacerbée de cette évocation caractérisant le dessin bâlois, ne se trouve aussi clairement formulée que dans l'esquisse à l'huile également en possession de Chocquet, ce qui parle en faveur de la sensibilité particulière du collectionneur. D'ailleurs, la perception de ce thème chez Delacroix se démarque nettement des autres interprétations que ses illustres contemporains, tel Baudelaire, avaient avancées dans

leurs recensions du grand tableau du Salon, comme l'a souligné Henri Loyrette[10]. Tandis qu'ils considèrent l'exil du poète comme une expérience douloureuse, empreinte de la nostalgie d'une civilisation perdue, Delacroix l'appréhende comme le retour – thérapeutique, voire cathartique – d'un artiste vers la nature, que la civilisation lui avait justement rendu étrangère. Lee Johnson a fait mention d'une déclaration de Delacroix, qui ne pourrait pas mieux correspondre à cette interprétation du dessin : « Cadre pour l'histoire du sentiment d'un cœur et d'une imagination malade, celle d'un homme qui, après avoir vécu de la vie du monde, se trouve devenu esclave chez les barbares, ou jeté dans une île déserte comme Robinson, forcé d'user des forces de son corps et de son industrie, – ce qui le fait revenir aux sentiments naturels et calme son imagination. [...] *Ovide chez les Scythes*[11]. »

Le destin tragique du poète latin revêtait pour Delacroix un caractère exemplaire. À travers les changements politiques et sociaux qui suivirent l'effondrement de l'Ancien Régime, il se vit remis en question dans sa propre perception d'artiste. Par ailleurs, il considérait la croissance de l'industrialisation en France avec beaucoup de scepticisme, voyant en elle une destruction de la nature[12]. *MRF/CM*

1 Il s'agit d'un texte sur les funérailles de Patrocle dans l'Iliade d'Homère, chant XXIII, qui diverge de la représentation imagée.

2 Lettre de Peter Reinhart aux héritiers de Werner Reinhart, 28 janvier 1952, ACOR

3 Delacroix a d'abord utilisé le sujet pour l'un des pendentifs à la bibliothèque du Palais Bourbon (Sérullaz 1963, fig. 55 ; Johnson, t. III, n° 334, p. 151).

4 Johnson III 318, t. IV, pl. 143. Johnson date l'esquisse à l'huile vers 1855.

5 L'esquisse à l'huile citée précédemment (vers 1855) a probablement servi à Delacroix pour la préparation de la peinture de 1859. Cette dernière peut être mise en relation avec une commande du banquier Benoît Fould, datant de 1856 (Johnson III 334, t. IV, pl. 142). Au sujet de la réception de la peinture au Salon de 1859, voir Loyrette 1995.

6 Johnson III 345, t. IV, pl. 143

7 Voir Johnson t. III, n° 334, p.151.

8 Voir Manet 1979, p. 236 ; voir également inventaire, p. 243. Dans le catalogue de la vente Chocquet après décès, cette œuvre a été décrite comme une « Très importante esquisse » ; vente Chocquet Petit n° 52, sous le titre *« Ovide en exil chez les Scythes »*.

9 Je tiens à remercier Arlette Sérullaz pour cette importante précision. Vente Sensier 1877, n° 133 : acquis par Chocquet sous le titre *« Ovide chez les Scythes »*, selon le procès-verbal de la vente. Si le catalogue de la vente n'indique pas les dimensions du dessin, il le désigne en revanche comme « Carton du tableau », ce qui laisse présumer un travail préparatoire de grand format. Dans le catalogue de la vente Chocquet après décès la feuille en question est décrite d'une façon très similaire : vente Chocquet Petit, n° 175 : *« Ovide chez les Scythes*. Étude pour la composition du tableau. » Le dessin bâlois, qui est effectivement de grandes dimensions, correspond sans aucun doute au « carton » de la vente Sensier. Il présente les mêmes dimensions que l'esquisse à l'huile disparue (37 × 55 cm ; Johnson III 318) et se trouve donc être plus grand que l'esquisse de New York (32,1 × 50,2 cm, Johnson III 345). Comme Johnson le suppose, il pourrait avoir été réalisé en même temps que l'esquisse à l'huile de la vente Chocquet, qu'il date vers 1855, en tant que travail préparatoire pour le tableau du Salon de 1859 à Londres (Johnson, t. III, n° 334, p. 151).

10 Voir à ce sujet Loyrette 1995

11 Johnson, t. III, p. 151, et Johnson 1996 ; Delacroix Journal, p. 1552

12 Voir à ce sujet Loyrette 1995 et cat. expo. Winterthour 2008, p. 16.

8
Pierre-Auguste Renoir
Portrait de Madame Chocquet, en blanc, 1875

Huile sur toile, H. 73 ; L. 60 cm
Signé, daté à droite, à mi-hauteur : *Renoir 75*
Staatsgalerie Stuttgart

Historique : Victor Chocquet, Paris ; Marie (Buisson) Chocquet ; mentionné dans l'inventaire après-décès de Mme Veuve Chocquet, Paris, avril 1899 ; (probablement) vente Chocquet Drouot (sans catalogue), à : Durand-Ruel, Paris ; Georges Bernheim, Paris ; Georges Viau, Paris ; Trygve Sagen, Oslo ; Walther Halvorsen, Oslo ; Ragnar Moltzau, Oslo ; acquis du précédent par la Staatsgalerie Stuttgart, 1959 (inv. 2564)
Expositions : cat. expo. Strasbourg 1907, n° 226 (appartient à M. Durand-Ruel) ; cat. expo. Paris 1917, n° 54 (appartient à M. Georges Bernheim) ; cat. expo. Zurich 1957, n° 81, repr. ; cat. expo. Karlsruhe 1961, repr. ; cat. expo. Tübingen 1996, n° 26, repr. ; cat. expo. Stuttgart 2002, n° 116, repr. ; cat. expo. Bâle 2012, n° 42, repr.
Bibliographie : Daulte 142 ; Dauberville 416 ; Duret 1906, p. 138 ; Meier-Graefe 1912, p. 53 ; Vollard 1919, p. 77 ; Duret 1924, p. 54 ; Roger-Marx 1933, p. 29 ; Joëts 1935, repr. p. 123 ; Rewald 1969, p. 39, 44, fig. 2 ; Rewald 1985, p. 126, 132, fig. 67 ; White 1984 et White 1985, p. 56, repr. p. 60 ; Distel 1989, p. 132, fig. 113 ; Bailey 1997, p. 34, fig. 46

Selon Ambroise Vollard, Victor Chocquet, à l'issue de la vente organisée par Monet, Berthe Morisot, Renoir et Sisley, le 24 mars 1875, à l'Hôtel Drouot[1], manifestation qui avait attiré son attention sur ces artistes, commanda immédiatement à Renoir un portrait de sa femme, en lui demandant d'y inclure une étude de Delacroix[2]. Renoir a effectivement daté ce portrait de Madame Chocquet de 1875 et, grand admirateur lui-même de Delacroix, il a reproduit respectueusement, à l'arrière-plan, une étude du maître pour la décoration de la Chambre des Députés, maintenant intitulée *Numa et Egérie* (Paris, Musée du Louvre, dépôt du Musée des beaux arts d'Alger), qui appartenait alors à Chocquet[3].

D'un format plus important que les effigies de Victor Chocquet (fig. 68, cat. 9), le portrait de Madame Chocquet, se situe dans la lignée des portraits de commande tels que les peignait Renoir depuis 1865 : le modèle, en demi figure, est situé dans son environnement quotidien, que nous savons être un petit appartement parisien de la rue de Rivoli ; la note intime est donnée par le vêtement, une tenue d'intérieur en mousseline d'un blanc bleuté, raffinée mais peu ornée ; une échappée vers une autre pièce permet de suggérer d'autres tableaux au mur, avec leurs cadres dorés et une petite table (laque et bronzes dorés ?) aux élégantes courbes propres au mobilier du XVIIIe siècle français, tant prisé par Victor Chocquet et admiré par Renoir. Le modèle, au visage encore jeune bien qu'approchant la quarantaine, est souriant, placide, dans une pose sans affectation ; l'œil du spectateur note l'anneau de mariage à sa main gauche, une bague (ou plusieurs mises ensemble) à la main droite mais surtout le pendentif attaché au cou par le traditionnel ruban de velours noir, une croix normande ornée de la colombe du Saint-Esprit tenant dans son bec un rameau, rappelant les origines provinciales du modèle[4].

Sans reprendre ici les éléments biographiques la concernant évoqués dans l'essai consacré au collectionneur Victor Chocquet, son mari (p. 38-54), nous rappellerons seulement que Marie Chocquet (1837-1899), au contraire d'autres épouses d'amateurs de Renoir comme Marguerite Charpentier et Marguerite Bérard, également peintes par Renoir[5], ne semble pas avoir partagé la passion pour la peinture impressionniste de son époux. Courtoisement évoquée dans les correspondances entre Victor Chocquet et les artistes qu'il fréquentait, elle fut probablement cependant une hôtesse agréable pour ces peintres, Cézanne notamment, dont l'épouse semble avoir été particulièrement amie de Mme Chocquet. Elle se prêta aussi de bonne grâce aux séances de poses occasionnées par les autres représentations que Renoir a laissées d'elle, debout devant le balcon de l'appartement de la rue de Rivoli, *À la fenêtre* (*Portrait de Mme Chocquet en pied*)[6] ou assise, lisant, *Liseuse (Madame Chocquet lisant)* (fig. 22a)[7], qui rappelle beaucoup la représentation contemporaine de *Camille au métier* (Philadelphie, The Barnes Foundation)[8]. Ces deux tableaux figurant Marie Chocquet furent exposés à la deuxième exposition du groupe impressionniste en 1876[9] et ont donc probablement été peints à la belle saison, en 1875, comme le portrait plus formel de Stuttgart. Il est à noter que ce portrait, jugé intime, ne fut pas exposé en 1876 et fut pareillement écarté de la vente principale de la succession Chocquet à la galerie Georges Petit, contrairement aux deux autres qui s'apparentaient à

Fig. 69 Eugène Delacroix, *Numa et Égérie*, 1843-1844, huile sur papier, marouflé sur toile, 25 × 30 cm, Musée du Louvre, Paris, dépôt du Musée National des Beaux-Arts, Alger

des figures de genre. Bien que Marie Chocquet ait été brune, on peut même se demander si la *Femme au piano* (Chicago, The Art Institute of Chicago)[10], aux cheveux blond-roux, qui a aussi figuré à l'exposition de 1876, n'a pas été inspirée par elle car elle semble avoir été pianiste, plusieurs pianos figurant dans son héritage.

Stylistiquement, le lumineux portrait de Madame Chocquet, qui rappelle les figures posées par un modèle favori de Renoir à cette époque, la petite actrice de boulevard, Henriot[11], se situe entre celui de *Madame Édouard Bernier* (New York, The Metropolitan Museum of Art)[12], daté de 1871, encore très imprégné du souvenir de Courbet et de Manet, et ceux, datés respectivement de 1876-1877 et 1878, franchement impressionnistes, de *Madame Georges Charpentier* (Paris, Musée d'Orsay et New York, The Metropolitan Museum of Art)[13]. Si l'on en croit Théodore Duret, Chocquet fut très satisfait des portraits de sa femme au point qu'il « entrainait les gens chez lui pour les leur montrer, à titre d'exemple[14] », un encouragement certain à la carrière de portraitiste de Renoir en plein développement. *AD*

1 Vente Monet et al. 1875

2 Vollard 1919, p. 75-77. Voir l'essai d'Anne Distel, p. 56-57.

3 Johnson V 533

4 Le catalogue de la vente Chocquet Yvetot mentionne douze bagues, « une croix normande en argent montée en broche » et des bijoux de plus grande valeur (broche et bracelet ornés de « gros diamants ») que Mme Chocquet n'arbore pas ici. Certains furent probablement hérités plus tard de sa mère.

5 Daulte 226 ; Dauberville 465 ou bien Daulte 283 ; Dauberville 436

6 Moscou, Musée d'État des beaux-arts Pouchkine. Daulte 173 ; Dauberville 378. Mme Chocquet semble y porter aussi la croix normande visible sur le portrait de Stuttgart.

7 Collection particulière. Daulte 174 ; Dauberville 376

8 Wildenstein 366

9 Porcheron 1876: « La dame qui se chauffe le dos à une caisse de fleurs placée devant sa fenêtre, sa liseuse dont la robe contient tous les tons de l'arc-en-ciel sont bien amusantes » identifiant derechef les nos 210 et 213.

10 Daulte 187 ; Dauberville 372

11 Daulte a répertorié treize tableaux pour lesquels Madame Henriot avait servi de modèle entre 1874 et 1876, notamment : *Madame Henriot en travesti (Le Page)*, Columbus, Ohio, Columbus Museum of Art (Daulte 123 ; Dauberville 370) et le *Portrait de Madame Henriot*, Washington, D. C., National Gallery of Art (Daulte 190 ; Dauberville 419).

12 Daulte 69; Dauberville 412

13 Daulte 226 ; Dauberville 465 ou bien Daulte 266 ; Dauberville 239

14 Duret 1924, p. 54

Cat. 8

9

Pierre-Auguste Renoir

Portrait de Victor Chocquet, 1875-1876

Huile sur toile, 46 × 36 cm
Signé à droite, à mi-hauteur : *Renoir*
Collection Oskar Reinhart « Am Römerholz », Winterthour

Historique : Victor Chocquet, Paris; Marie (Buisson) Chocquet; vente Chocquet Petit, partie de n° 106, adjugé 3 500 F. à : Durand-Ruel, pour 35 000 dollar 1925 à : Oskar Reinhart, Winterthour ; Collection Oskar Reinhart « Am Römerholz », Winterthour (inv. n° 1925-9)
Bibliographie : Daulte 175 ; Dauberville 542 ; Duret 1906, p. 138 ; Meier-Graefe 1911, repr. p. [93] ; Vollard 1918, t. I, pl. 82, n° 327, daté 1876 ; Rivière 1921, p. 37, repr. face p. 36 ; André 1919, p. 7, fig. 7 ; Duret 1924, p. 51, 72 ; Roger-Marx 1933, p. 29, 68, repr. p. 55 ; Joëts 1935, p. 121, repr. p. 122 ; Rewald 1969, p. 44, fig. 1 ; Rewald 1985, p. 132, fig. 68 ; White 1984 et 1985, p. 56-57, repr. p. 60 ; Distel 1989, p. 132, fig. 112 ; Bailey 1997, p. 32-34, fig. 42 ; Fred Leeman, notice du catalogue, in Reinhard-Felice 2005, n° 122, p. 440-442, repr.
Expositions : cat. expo. Paris 1876, n° 214; cat. expo. Paris 1904, Salle Renoir, n° 21, p. 116 ; cat. expo. Londres 1905, n° 230 ; cat. expo. Paris 1907, n° 104 ; cat. expo. Paris 1912, n° 27 ; cat. expo. Zurich 1917, n° 173 ; cat. expo. Bern 1939, n° 182 ; cat. expo. Zurich 1940, n° 112

Reproduit et identifié en tête du catalogue de la vente de la succession de Mme Veuve Chocquet en juillet 1899 (fig. 11), ce portrait de Victor Chocquet par Renoir a fixé pour la postérité les traits du collectionneur. « Portrait d'un fou par un fou », voilà ce qu'en dit Degas, au moment de cette vente, devant Julie Manet[1], un commentaire révélateur de l'opinion acerbe que portait Degas sur Renoir, comme sur Chocquet. Degas, qui possédait déjà un portrait de l'amateur par Cézanne (voir l'essai de Mariantonia Reinhard-Felice, p. 25-30), regrettait pourtant de ne pas avoir acheté le portrait par Renoir à cette occasion (Durand-Ruel en avait été adjudicataire pour la somme relativement élevée de 3 500 F). Ces regrets suggèrent qu'il était conscient de la qualité exceptionnelle de l'œuvre et probablement intrigué par la personnalité du modèle. S'est-il aussi souvenu d'avoir vu cette toile présentée à la deuxième exposition du groupe impressionniste en 1876 ? Le catalogue de cette exposition répertorie en effet, parmi les six œuvres de Renoir prêtées par Victor Chocquet, sous le n° 211, un « *Portrait*. Appartenant à M. Choquet [sic] » et, sous le n° 214, « *Tête d'Homme*. Appartient à M. Choquet [sic] » ; or la lecture de la presse contemporaine relative à l'exposition confirme que les deux portraits par Renoir de Victor Chocquet que nous connaissons, celui de la Collection Oscar Reinhart, ici exposé, et celui du Fogg Art Museum de Cambridge, avec l'esquisse de Delacroix en arrière-plan (fig. 48), y ont à coup sûr figuré[2].

De dimensions similaires, les deux versions proposent une composition centrée sur le visage mais incluant respectivement une ou les deux mains, fines et allongées, un trait caractéristique du modèle. Dans les deux cas, la tenue vestimentaire est celle, informelle, de l'intimité : un veston bleu, un peu débraillé dans la version de Winterthour, un paletot gris à revers gansés dans celle de Cambridge, toujours sur une chemise blanche sans col et sans cravate.

Cette absence de decorum adoptée par le portraitiste, inhabituelle dans un portrait bourgeois, correspondait sûrement à une requête du modèle ou avait, au moins, son assentiment. Colin Bailey a noté que le fond coloré de l'arrière plan, suggérant un papier peint multicolore, que l'on remarque dans le portrait de Winterthour, pourrait être celui de l'atelier du peintre[3] ; cette proposition se justifie si on se souvient que le même fond se retrouve dans le portrait contemporain de la petite *Jeanne Durand-Ruel* (Philadelphie, Barnes Foundation) à propos duquel son père, le marchand de Renoir, Paul Durand-Ruel, a précisé qu'il avait été peint dans l'atelier de l'artiste, rue Saint-Georges[4] ; en revanche, le bois sculpté et doré du dossier du fauteuil de style Louis XVI, garni d'une étoffe violacée, où est assis le modèle, renvoie plutôt à l'intérieur raffiné des Chocquet, qui correspondait aussi au goût de Renoir pour les meubles anciens.

L'évocation de l'intérieur de Chocquet est plus prononcée dans la version de Cambridge incluant une esquisse de Delacroix, qui a effectivement fait partie de la Collection Chocquet. Nous pensons que cette dernière version, plus convenue, doit être le numéro 211 de l'exposition de 1876, tandis que la version de Winterthour est simplement la « *Tête d'homme* », présentée sous le n° 214.

Une des premières critiques parues lors de l'exposition de 1876[5], apprécie un « portrait [...] de M. Choquet [sic], œuvre blonde et fine » mais les commentaires postérieurs

Renoir.

sont en revanche sévères. Marius Chaumelin[6] constate que Renoir, dans ses portraits « est sans pitié pour les hommes ; il met en relief leur laideur naturelle avec une netteté, une clarté, une vérité saisissante. [...] On les dirait exécutés par Goya en un jour de verve caricaturale. » Louis Enault[7] juge que « jamais le burlesque et l'absurde ne sont allés plus loin que dans ces deux portraits d'homme ». Louis Leroy[8] ironise sur le « monsieur aux cheveux verts et bleu de ciel [...] ; son [sic] particulier, tacheté comme un jaguar » tandis que Bertall[9] renchérit en citant un « portrait d'homme, avec des cheveux verts, une barbe rose et un visage taillé dans du mou de veau, tout cela signé par *M. Renoir* ». Il est amusant de noter que ce sont justement ceux qui sont hostiles à la peinture de Renoir qui remarquent le mieux la délicatesse des bleus et des roses qui animent la surface colorée qu'on observe justement dans le portrait de Winterthour.

Il se trouva cependant un visiteur intéressé puisque le marchand Alphonse Legrand, gérant de l'exposition, écrivit, le 6 avril 1876, à Chocquet pour lui demander s'il voulait se défaire du « portrait d'homme peint par Renoir et exposé sous le n° 214 du catalogue »[10]. Mais Chocquet garda son portrait.

Le tableau de la Collection Oscar Reinhart ne porte pas de date mais il ne peut avoir été peint qu'entre le printemps 1875, époque présumée de la rencontre de Renoir et de Chocquet, confirmée par la date du *Portrait de Madame Chocquet, en blanc* (cat. n° 8), et le printemps 1876, avant l'ouverture de l'exposition, le 30 mars. Il est aussi généralement considéré comme postérieur à la version du Fogg Art Museum[11]. L'effigie de Winterthour, frémissante, spontanée, suggère en effet une plus grande intimité entre le peintre et son modèle que le portrait avec l'esquisse de Delacroix, qui renvoie au stéréotype du portrait d'amateur d'art et offre un parallèle avec le portrait, daté de 1875, de Madame Chocquet ; dans la version de la Collection Reinhart, les traits las, plus marqués, traduisent mieux aussi, à nos yeux, la personnalité originale, passionnée et bienveillante de l'amateur.

On peut par ailleurs se demander si Cézanne, peignant Victor Chocquet (cat. n° 15), ne s'est pas inspiré du portrait de Renoir même si l'on n'ose aller jusqu'à imaginer quelques séances de pose initialement communes (Cézanne ayant à l'évidence longuement repris sa toile ensuite) : dans la toile de Cézanne, de dimensions similaires, le visage de l'amateur apparait plus rapproché, en gros-plan, un peu plus de profil, éliminant la main, mais on y retrouve le veston bleu sur la chemise ouverte ; l'arrière-plan, saturé de touches énergiques qui le rendent plus abstrait, rappelle aussi le fond de papier peint fleuri retenu par Renoir.

Ces détails, inhabituels, nous l'avons vu, peuvent n'être que la conséquence de la garde-robe notoirement réduite du modèle et son indifférence aux apparences[12]. Mais il est amusant de noter qu'interloqué par l'étrangeté d'une effigie inhabituelle dans le répertoire du portrait bourgeois contemporain, un critique crut reconnaitre, en 1877, dans le portrait de Chocquet par Cézanne « un ouvrier en blouse bleue[13] », semblable à celui que Gustave Caillebotte oppose, dans son *Pont de l'Europe* (Genève, Musée du Petit-Palais) au bourgeois correct en haut-de-forme. Les autres portraits de Chocquet par Cézanne (voir cat. n° 16 et 17), outre la reprise du veston bleu sur une chemise sans col, révèlent aussi des réminiscences (les mains entrelacées, le fond avec des cadres) du portrait par Renoir du Fogg Art Museum. *AD*

1 Manet 1979, p. 237. En raison du témoignage antérieur de Julie Manet, nous rendons à Degas cette boutade qu'Albert André a prêté à Renoir dans la phrase introductrice de son *Renoir* (André 1919, p. 7), souvent répétée depuis.

2 Berson 1996, t. I, p. 53-113 et en particulier, par ordre de parution, Pothey p.104, Anonyme *(Le Petit Journal)* p. 101, Chaumelin p. 68, Blémont p. 63, Enault p. 82, Leroy p. 88, Bertall p. 57 et 58, Dax p.70. Deux auteurs (Chaumelin et Enault) font état d'une numérotation différente de celle du catalogue (sans doute une liste antérieure à sa parution), soit les numéros 197 et 200 pour faire référence à deux portraits d'homme mais leurs commentaires portent bien sur les portraits de Chocquet par Renoir.

3 Bailey 1997, p. 34

4 Durand-Ruel 2014, p.135. Un fond identique se retrouve dans un autre tableau de la Collection Oskar Reinhart, *La Couseuse* ou *La Modiste* (Daulte 156; Dauberville 400; Reinhard-Felice 2003, n° 123, p. 442, fig. p. 443).

5 Pothey 1876 : « M. Renoir expose plusieurs portraits très différents d'exécution. [...] Vient ensuite celui de M. Choquet, œuvre blonde et fine. » (Berson 1996, p. 104)

6 Chaumelin 1876 (Berson 1996, p. 68)

7 Enault 1876 (Berson 1996, t. I, p. 82)

8 Leroy 1876 (Berson 1996, p. 88)

9 Bertall 1876 (Berson 1996, p.57)

10 Catalogue de vente, *Lettres et manuscrits autographes*, Paris, Hôtel Drouot, 23 juin 1969, n° 197

11 Daulte 176 ; Dauberville 541 ; Bailey 1997, p. 34 et fig. 45 ; Fred Leeman, notice du catalogue, in Reinhard-Felice 2005, n° 122, p. 440

12 Voir notamment l'anecdote contée par Georges Rivière, selon laquelle Chocquet se fait remarquer lors d'une réception au ministère par sa redingote trouée aux coudes en prétextant de la modicité de son salaire. (Rivière 1921, p. 36)

13 Lafenestre 1877

10
Claude Monet
Corbeille de fruits (pommes et raisin), 1879

Huile sur toile
68 × 90 cm
Signé en haut à droite: *Claude Monet*
The Metropolitan Museum of Art, New York, donation Henry R. Luce, 1957

Historique : Claude Monet, vendu en décembre 1879 à : Georges Petit, Paris, sous le titre « *Nature morte* » ; Victor Chocquet, Paris ; Marie (Buisson) Chocquet ; vente Chocquet Petit, n° 79, à : Durand-Ruel, Paris ; Edmond Decap (1855-1927), Paris (1903) ; Mme Maurice Barret-Decap, Biarritz (vers 1932) ; Collection Barret-Decap, Paris (au moins jusqu'en 1941) ; Marcel Kapferer, Paris (à partir de 1947) ; Wildenstein, New York, 1950 à : Henry R. Luce, New York, don 1957 à : The Metropolitan Museum of Art, New York (inv. 57.183)
Bibliographie : Wildenstein 545 ; House 1986, p. 41-42, et 236, n° 117, pl. 56 ; Dixon 1998, p. 95, pl. II ; Joel 2002, p. 106

Corbeille de fruits fait partie d'un groupe de natures mortes directement liées à la biographie de Monet. C'est à cette époque qu'il perdit son épouse Camille, un deuil qui coïncida avec un renouveau dans son œuvre. Alors qu'il travaillait le plus possible en extérieur en tant que paysagiste, et qu'il ne disposait pas d'un véritable atelier en raison des conditions de logement étroites à Vétheuil, il réalisa étonnamment bon nombre de tableaux d'atelier durant ce séjour.[1] On en a partiellement imputé la raison à des interruptions dues aux conditions météorologiques, mais en fait, c'est une demande accrue de la part de ses acheteurs potentiels qui joua un rôle décisif. L'artiste parvint à écouler rapidement et même souvent à des prix élevés toutes les natures mortes de cette période, alors que la vente de ses paysages traînait en longueur et ne rapportait guère[2]. La vente d'une nature morte – selon toute vraisemblance, il s'agissait de la présente peinture – au marchand Georges Petit au prix record de 500 francs l'incita à penser qu'il pourrait participer de nouveau au Salon à Paris l'année suivante[3].

Dans le tableau en question, le peintre nous donne à voir une corbeille regorgeant de fruits sur une table, dont la nappe damassée repoussée en biais, semble retenir quelques fruits tombés. La corbeille, qu'on aperçoit de près, est présentée légèrement inclinée en avant sur une surface quelque peu relevée, suggérant une subtile diagonale descendante. La lumière, qui éclaire cette mise en scène par la droite, fait briller la nappe et les moulures de la table. L'arête du meuble se devine vaguement sous le tissu, et la couleur de son plateau qui apparaît au premier-plan s'harmonise avec le fond sombre – un artifice qui rend difficile à situer l'arrangement compact des fruits sur la table. La nappe joue un rôle actif en tant que surface portante en soi. Passablement renflée, elle révèle une multitude de reflets lumineux, renforcés par le tissage horizontal des carreaux mats et brillants. La présence des fruits près de la corbeille paraît assez vraisemblable, étant donné la profusion de son contenu. En y regardant de plus près, on s'aperçoit que la disposition des fruits ne doit rien au hasard : du côté le plus lumineux, dominent des pommes, voire des

Fig. 70 Claude Monet, *Les Faisans*, 1879-1880, huile sur toile, 68 × 90 cm, collection particulière, France

coings jaune-vert. De par leurs accents rosés, des grappes de raisin blancs forment la transition avec le côté gauche, où prédominent des tons rouges et bleus plus sombres. Des feuilles de fougère insérées, émettant des reflets dorés verdâtres, créent une unité optique entre les fruits eux-mêmes et la corbeille. Qu'ils se trouvent à l'intérieur ou à l'extérieur du panier, tous les objets forment un continuum visuel par le biais des intersections, voire la puissance des ombres portées.

Une autre nature morte, *Nature morte au melon d'Espagne* (1879, localisation inconnue)[4] révèle une composition semblable à celle de *Corbeille de fruits*, si ce n'est le point de vue moins élevé, son format en hauteur, et la présence d'un melon entamé qui vient la compléter. Les deux tableaux sont exactement de mêmes dimensions. De plus, si l'on considère deux natures mortes au gibier dont les mesures sont également les mêmes, l'une en largeur, *Les Faisans* (fig. 70) et l'autre en hauteur, *Faisans, bécasses et perdrix* (localisation inconnue)[5], on a l'impression d'avoir affaire à deux paires de peintures reliées entre elles : chaque nature morte aux fruits est le pendant d'une nature morte au gibier dans le format correspondant. À la ligne discrètement descendante dans les deux tableaux aux fruits, répond une diagonale manifestement ascendante créée par la disposition parallèle du gibier sur le plateau de la table. Certains éléments plastiques tels que la nappe damassée ou l'aménagement de l'arrière-plan se ressemblent, les formats en hauteur étant chaque fois complétés par un autre objet. À l'appui de cette thèse, les deux paires ont été acquises chaque fois par les mêmes acheteurs, si ce n'est que dans le cas de la *Corbeille de fruits*, il s'est écoulé un intervalle d'environ deux mois[6].

Une troisième paire de natures mortes aux fruits et au gibier serait éventuellement envisageable, mais ni les formats ni les acheteurs ne coïncident[7]. Sur le plan stylistique, la peinture aux fruits en question se distingue des tableaux aux fruits mentionnés ci-dessus par une conduite du pinceau nettement plus lâche et par une vue aérienne plus manifeste, qu'elle partage avec des natures mortes réalisées un peu plus tard. Parmi elles, figurent deux autres peintures, qui peuvent être considérées comme des pendants : *Le Panier de pommes* (collection particulière, France) et *Poires et raisin* (Hambourg, Hamburger Kunsthalle)[8]. Ces œuvres de formats semblables ont été acquises par le même acheteur. La similitude frappante entre les deux tableaux, qui donne à voir deux formes différentes de présentation de la nature morte, vient renforcer la thèse proposée ici, selon laquelle Monet aurait travaillé de temps à autre à des pendants.

Au sein de la Collection Chocquet, *Corbeille de fruits* constitue une œuvre plutôt tardive de l'artiste. Comme la plupart de ses peintures de Monet, Victor Chocquet ne l'a pas acquise directement auprès de ce dernier, même s'ils étaient tous deux en rapport constant. À plusieurs reprises, Monet adressa personnellement des lettres au collectionneur pour lui proposer de nouveaux tableaux et lui demander de le rencontrer, comme en cette fin de décembre 1879[9]. Mais ces tentatives ne se soldèrent par aucun achat. *KR*

1 Entre 1878 et 1881, soit sur trois ans environ, Monet réalisa dix-neuf natures mortes. Ce nombre fut seulement dépassé par un travail qu'il exécuta entre l882 et 1885 à la demande de Durand-Ruel pour les portes du grand salon de sa résidence, et qui comprenait trente-six natures mortes (Joel 2002, p. 104).

2 En ce qui concerne le groupe de natures mortes autour de la *Corbeille de fruits*, John House mentionna la qualification suivante : « directement réalisées pour la vente immédiate ». Elles se caractérisent par des diagonales douces, une facture retenue et une palette de tons sourds (House 1986, p. 42). En ce qui concerne la situation des prix pour les paysages, voir Dixon 1998, notamment p. 93-95, et Wildenstein 1996, t. I, p. 145.

3 Rewald 1973, p. 434, en référence à une lettre non publiée de Claude Monet à Théodore Duret, datée du 8 janvier 1880 (New York, The Morgan Library & Museum). Voir également à ce sujet Dixon 1998, p. 95 et p. 112-113, notes de bas de page 28, 29.

4 Wildenstein 544

5 Wildenstein 549 ; Wildenstein 551

6 Selon le registre des ventes de Monet, *Nature morte au melon d'Espagne* et *Faisans, bécasses et perdrix* furent cédés à Theulier en décembre 1879. George Petit acquit après la *Corbeille de fruits (pommes et raisin)* le second tableau *Les Faisans* en février 1880 (Wildenstein 1996, t. II, p. 213 et 215 ; House 1986, p. 41).

7 *Nature morte : pommes et raisin*, 65 × 81,5 cm, Chicago, The Art Institute of Chicago (Wildenstein 546) ; *Faisans et vanneaux*, 68 × 90 cm, Minneapolis, The Minneapolis Institute of Arts (Wildenstein 550).

8 Wildenstein 630 ; Wildenstein 631. Selon Wildenstein, acquises toutes deux par Th. Delius.

9 Lettre de Claude Monet à Victor Chocquet du 28 décembre 1879 (Joëts 1935, p. 122-123. voir également à ce sujet Wildenstein 1996, t. I, p. 152).

11
Édouard Manet
Marée montante, 1873

Huile sur toile, 47 × 58 cm
Signé en bas à gauche : *Manet*
Collection particulière,
Courtesy Nathan Fine Art, Potsdam/Zurich

Historique : Victor Chocquet, Paris ; Marie (Buisson) Chocquet ; vente Chocquet Petit, n° 69, repr., à : Durand Ruel, Paris ; Cassirer, Berlin (1901) ; héritiers Bruno Cassirer ; Emil G. Bührle, Zurich (1951) ; famille Bührle, Zurich ; collection particulière, Courtesy Nathan Fine Art, Potsdam/Zurich

Bibliographie : Rouart/Wildenstein 196 ; cat. expo. Martigny 1996, p. 188, cat. 38 ; Wilson-Bareau/Degener 2003, p. 81-84, pl. 63

En 1873, durant son séjour de vacances à Berck-sur-Mer, paisible localité épargnée par le tourisme, Édouard Manet peignit presque exclusivement des marines et des vues de plages. Ce n'étaient pas les loisirs des vacanciers et le va-et-vient des voyageurs qui l'intéressaient avant tout, mais la nature en soi, seulement ponctuée par l'activité quotidienne des pêcheurs locaux. À cet égard, les tableaux de Berck diffèrent de la plupart des vues de mer précédentes réalisées dans des stations balnéaires à la mode comme Boulogne-sur-Mer ou Arcachon. La plage de sable plate de Berck-sur-Mer, qui s'étire sur des kilomètres, ne permet pas d'avoir une vue d'ensemble sur l'étendue du paysage, comme le ferait un rivage abrupt ou une falaise[1]. Aucun élément dominant n'arrête l'œil, on est bien davantage livré à la nature, et l'on devient soi-même partie intégrante de ce décor sans fin.

Voilà qui se vérifie tout particulièrement dans *Marée montante* : si la ligne d'horizon reste encore clairement tracée, il n'existe plus de séparation nette délimitant la plage et la mer. Une surface agitée, où terre et mer se confondent, s'offre à la vue du spectateur, dans des tons bleu-vert et beige-brun. L'écume laiteuse qui couronne les vagues semble affluer jusqu'au premier plan. Quant au sable de la plage, il tourbillonne dans l'eau, trahissant la puissance des marées. De la même manière, les parties vaseuses de couleur sombre à proximité immédiate trouvent leur correspondance visuelle dans les ombres des nuages qui obscurcissent la mer.

Manet module la surface de l'eau et du sable à l'aide de larges touches horizontales sans effets de volume, uniformisant la composition. L'énergie qui en résulte répond à la puissance de la marée montante. Cet effet se ressent particulièrement en regard du mode pictural beaucoup moins accentué qui évoque le ciel couvert, où la couche de nuages se déchire seulement en haut à droite pour révéler une échappée bleue. Le soleil qui perce se devine à peine dans le bord supérieur du tableau, donnant à ce paysage de plage une luminosité dramatique. On ne décèle ici aucune trace humaine, si ce n'est la présence d'une petite embarcation échouée de travers sur le sable, au bord de l'eau. Sa large coque, conçue pour accoster sur un rivage plat, repose sur le sable, mais son flanc droit est déjà rincé par la marée montante. Il y a quelque chose de fragile, de presque menaçant dans cette scène, la barque semble totalement livrée à la mer qui s'approche. Et pourtant, elle occupe une place déterminante dans la composition. Se profilant parallèlement au bord gauche de la toile, en agrippant à la fois ciel, mer et sable, une surface noire suggère la proue d'un bateau plus grand, ainsi que son ombre. Dans peu de temps, il va pouvoir prendre le large ; en l'absence d'un port, les pêcheurs de Berck étaient dépendants du mouvement des marées. Ce bateau et l'embarcation, tout comme les restes d'un baril au premier plan, contrastent dans leur sombre compacité avec la nature constamment changeante. Pourtant, ils ne sont pas isolés en eux-mêmes : les contours de la proue sont flous, le rebord de la barque présente les mêmes tons de sable que le rivage, et l'épave gît en état de décomposition dans la vase.

La tension entre une nature sauvagement agitée et le calme apparent d'une embarcation de pêcheur anime la scène représentée[2]. Si on la compare à d'autres vues peintes directement, ou tout au moins partiellement sur la plage de Berck, on est frappé par l'étude approfondie du motif et la vigueur d'une écriture très personnelle[3]. C'est peut-être la raison pour laquelle Victor Chocquet avait précisément choisi ce tableau, car il appréciait également chez Cézanne, l'un de ses artistes favoris, une conduite du pinceau tout aussi personnelle et déterminante. Sa collection comportait quatre marines évoquant en gros plan les éléments et les reflets de l'eau. On peut supposer que Chocquet éprouvait un certain plaisir à observer *Marée montante* en pensant à ses trois autres tableaux traitant du même sujet : une marine de Delacroix (cat. 2), une autre de Gustave Courbet[4] et une étude de jeunesse de Claude Monet[5] – un même thème que ces quatre artistes interprètent finalement de manière très différente. *KR*

1 Wilson-Bareau/Degener 2003, p. 83

2 Ronald Pickvance désigna cette œuvre comme la plus tranquille de tous les tableaux de Berck et nota une grande parenté avec les natures mortes (notice de catalogue, in cat. expo. Martigny 1996, n° 38, p. 188).

3 Citons comme exemple les deux tableaux de 1873 *Sur la plage* (Paris, Musée d'Orsay ; Rouart/Wildenstein 188) et *Barques de pêche à Berck-sur-Mer* (Cologne, Wallraf-Richartz-Museum et Fondation Corboud ; Rouart/Wildenstein 195). Dans *Sur la plage*, on a pu découvrir des particules de sable dans la couche de peinture, ce qui parle en faveur d'un travail réalisé directement sur la plage (voir à ce sujet Françoise Cachin, notice de catalogue, in cat. expo. Paris/New York 1983, n° 135, p. 344-345, ainsi que Wilson-Bareau/Degener 2003, p. 82).

4 Gustave Courbet, *Marée basse*, 1865, collection particulière (Fernier 523)

5 Claude Monet, *Marine*, vers 1866, Ordrupgaard, Copenhague (Wildenstein 72)

Cat. 11

12
Gustave Courbet
Portrait de Pierre Dupont, 1868

Huile sur toile, 52 × 40 cm
Signé et daté en bas à gauche : *.68/G. Courbet.*
Staatliche Kunsthalle, Karlsruhe

Historique : Confisqué par les autorités dans l'atelier après la condamnation de Courbet (1873) ; vente Courbet 1877, n° 7, 395 francs ; vente Drouot 1881, 610 francs ; Victor Chocquet, Paris ; Marie (Buisson) Chocquet ; vente Chocquet Petit, n° 37, sous le titre « *Portrait d'homme* », 480 francs, à : Durand-Ruel, Paris ; Cassirer, Berlin (à partir de 1906) ; Kunsthandlung J.-P. Schneider Jr., Francfort-sur-le-Main ; Hermann Pagenstecher (1844-1932), Wiesbaden, vendu en 1927 à : Staatliche Kunsthalle, Karlsruhe (inv. 1494)
Bibliographie : Fernier 654 ; cat. expo. Paris/Londres 1977, n° 111, p. 202 ; cat. expo. Paris/New York/Montpellier 2007, n° 146, p. 314 ; Klaus Herding et Stéphanie Marchal, notice de catalogue, in cat. expo. Francfort 2010, n° 71, p. 236

Gustave Courbet connaissait déjà depuis bien des années le poète et chansonnier Pierre Dupont (1821-1870), lorsqu'il portraitura cet ami[1]. Le présent tableau fait partie d'une série de portraits en buste de compagnons de route de longue date, que l'artiste réalisa entre 1867 et 1870, probablement pour immortaliser à temps leur image[2]. Il s'agit-là de compositions intimistes et simples. Certains portraits isolés, apparentés à ce groupe, remontent déjà au début des années 1860[3]. Si la plupart des personnes représentées exerçaient, comme Courbet, une activité artistique – écrivain, peintre ou sculpteur –, ils étaient aussi généralement très engagés sur le plan politique.

Dans la présente œuvre, Pierre Dupont, dont le buste et le visage sont pratiquement représentés de face, se détache sur un fond neutre brun rougeâtre. Seul un léger déplacement du point de vue du spectateur vers la droite et l'incidence de la lumière provenant de ce même côté modèlent le personnage, dont les épaules dépassent les limites du tableau. Dupont porte une blouse de travail blanche, avec un col relevé autour duquel un foulard est négligemment noué. Située précisément à l'intersection des diagonales, donc au centre absolu du tableau, la bouche du poète, légèrement ouverte, s'apprête à parler ou à chanter. Une barbe hirsute plonge à moitié dans l'ombre cette partie centrale du visage, dont on devine plutôt qu'on ne cerne précisément les véritables contours. En même temps, l'attention du spectateur est attirée par le front très éclairé du personnage, avec sa ride du lion très marquée, de même que par l'absence de son regard. Les yeux grands ouverts, brillant d'un éclat humide, laissent pressentir de tristes pensées. Tourné vers l'intérieur, le regard mélancolique du protagoniste semble à peine percevoir son vis-à-vis. Le contraste entre l'étonnante présence frontale du chansonnier, dont la voix et la parole occupent délibérément une place centrale, et l'expression des yeux perdus dans leur rêve révèle toute la dimension psychique du personnage.

Dès ses jeunes années, Dupont connut ses plus vifs succès auprès d'un large public. Ses ballades, qu'il mettait en musique et interprétait lui-même, traduisent une image naturaliste de la vie rustique[4]. Proches des chansons populaires, elles correspondaient à l'intérêt accru des élites culturelles pour ce type d'art, ce qui justifia la grande popularité de Dupont dans ces milieux[5]. Dans d'autres chansons, le poète se pencha sur les souffrances du monde ouvrier, dont la misère s'était encore aggravée dans les années 1840 en raison de l'effondrement de la conjoncture, et associa ces évocations à ses propres idées socialistes. En 1851, Charles Baudelaire rédigea une préface pour le recueil *Chants et chansons* de Dupont, où il qualifia de « Marseillaise du travail » le poème *Chant des ouvriers* de 1846, trouvant qu'il s'agissait là d'un « admirable cri de douleur et de mélancolie »[6], et souligna combien l'auteur, au travers de ses orientations politiques qui avait touché l'opinion publique, se démarquait d'une conception romantique[7]. Courbet et Dupont étaient unis aussi bien par leur intérêt pour l'art et la chanson populaires que par la radicalité de leurs idées politiques. Mais les premiers jours grisants de la République, dont se souvenait Courbet avec nostalgie dans un projet de lettre, s'étaient envolés depuis bien longtemps[8]. Après le coup d'État de 1851, Pierre Dupont dut quitter le pays. Certes, il fut gracié par la suite, mais il connut dès lors une certaine gêne et mena une vie plutôt retirée. Vieilli prématurément, il parvenait encore à subvenir à ses besoins en se produisant dans les restaurants et les cafés. Alphonse Daudet qui eut l'occasion de le voir à la Brasserie des Martyrs, le décrit comme un personnage « gras et voûté. [...] La voix n'y était plus : brûlée par l'alcool, elle ressemblait

à un râle[9]. » Quelque temps plus tard, peu après l'achèvement de son portrait, Pierre Dupont mourut à Lyon, sa ville natale. Il avait alors seulement quarante-neuf ans.

Gustave Courbet garda chez lui le portrait de son ami défunt, ce qui montre bien la valeur particulière qu'il attachait à ce tableau, tout comme au personnage représenté. Mais à la suite de la confiscation du fonds de son atelier, et de la vente qui s'ensuivit après son exil en Suisse, le tableau tomba entre des mains étrangères. Courbet fit appel à des intermédiaires pour essayer de racheter le portrait lors de la vente de 1877, mais ses tentatives échouèrent en raison d'un prix trop élevé[10]. À l'occasion d'une autre vente en 1881, un commentateur se montra irrité par le tableau, qu'il trouva laid, trop réaliste et manquant de vigueur pour un Courbet[11]. De fait, on ressent ici dans le mode pictural une certaine tension due à la différence entre l'élaboration détaillée de la tête et de sa surface homogène, et les structures ouvertes, rompues et grossièrement exécutées, qui caractérisent le modelé de la chemise. Mais peut-être est-ce justement cette facture inhabituelle qui incita Victor Chocquet à acheter ce tableau, car elle anticipe d'un certain point de vue l'écriture artistique de Paul Cézanne dans son portrait du collectionneur (cat. 15) : là encore, son exécution à l'aide de grandes touches sculptant la surface, allait se heurter à une totale incompréhension de la part des critiques, mais fut défendue avec véhémence par le sujet portraituré. *KR*

1 Hélène Toussaint date la relation du début des années 1840, peu après le déménagement de Dupont à Paris. Elle suppose également que Dupont pourrait avoir servi d'intermédiaire entre Courbet et Charles Baudelaire (notice de catalogue, in cat. expo. Paris/Londres 1977, n° 111, p. 202).

2 Petra ten-Doesschate Chu suggère que cette série de portraits pourrait être due à la mort subite de Pierre-Joseph Proudhon en 1865, que Courbet ne put portraiturer qu'à titre posthume. Outre le portrait de Pierre Dupont, l'auteure compte dans cette série ceux d'Amand Gautier (1867, Lille, Palais des Beaux-Arts), Paul Chenavard (1869, Lyon, Musée des Beaux-Arts), Gustave Mathieu (1869, Winterthour, Collection Oskar Reinhart « Am Römerholz ») et Jules Castagnary (1870, Paris, Musée d'Orsay) (notice de catalogue, in Reinhart-Felice 2003, n° 115, p. 420).

3 Dans sa notice de catalogue sur le portrait d'Amand Gautier, Linda Nochlin compte également le portrait du sculpteur Louis-Joseph Leboeuf de 1863 (Zurich, Fondation Collection E. G. Bührle) et celui de l'écrivain Jules Valès de 1861 (Paris, Musée Carnavalet) dans cette série d'œuvres (notice de catalogue, in cat. expo. Cleveland et al. 1980, n° 150, p. 176-177).

4 Le recueil de poèmes *Le Chant des paysans* fut publié en 1849.

5 La théorie sur la chanson populaire de George Sand dans son roman *Consuelo* de 1842 revêt tout particulièrement dans ce débat une importance déterminante. À ce sujet, ainsi que sur la question des rapports de Courbet à la musique, voir Rubin 2010. En ce qui concerne le thème des contenus rustiques dans la poésie contemporaine, voir Herbert 2002, p. 26.

6 Baudelaire 1851, p. 4-5. « Quand j'entendis cet admirable cri de douleur et de mélancolie [...], je fus ébloui et attendri. [...] Il viendra un temps où les accents de cette Marseillaise du travail circuleront comme un mot d'ordre maçonnique [...]. ».

7 Les *Chants et chansons* de Pierre Dupont parurent en quatre volumes entre 1851 et 1854. Le premier volume édité en 1851 comprenait vingt-sept livraisons, dont la vingtième comprend l'essai de Baudelaire, telle une sorte de préface (Baudelaire 1851).

8 Fragment de lettre de Gustave Courbet à Pierre Dupont, février 1868 (?) : « Ah, mon cher Dupont ! que ce temps est éloigné de nous ! C'était la jeunesse, on croyait à tout. Nous étions en république, on croyait que la liberté allait arriver. » Courbet Correspondance, 68-4, p. 289

9 Daudet 1882, p. 485

10 Hélène Toussaint, notice de catalogue, in cat. expo. Paris/Londres 1977, n° 111, p. 202

11 « Ce n'est pas à coup sûr un chef-d'œuvre. Cela manque de vigueur ; pour du Courbet, c'est du flasque. Trop réaliste, du reste, ce portrait qui est laid. – On a payé le nom, sans doute : 610 francs. » (Eudel 1882, p. 84)

13
Paul Cézanne
Trois baigneuses, 1874-1875

Huile sur toile, 19,5 × 22,5 cm
Signé en bas à gauche en rouge : *P. Cezanne* [sic]
Musée d'Orsay, Paris

Historique : Julien-François (père) Tanguy, Paris ; Victor Chocquet, Paris (octobre 1875) ; Marie (Buisson) Chocquet ; vente Chocquet Petit, n° 24, sous le titre « *Naïades* » ; Ambroise Vollard, Paris (Classeur A, n° 3319 ; 290 francs) ; galerie Bernheim-Jeune, Paris (19 février 1900 ; 500 francs) ; Auguste Pellerin, Paris ; Jean-Victor Pellerin ; Musée d'Orsay, Paris (1982 ; inv. RF 1982-40)
Bibliographie : Rewald 258 ; Feilchenfeldt/Warman/Nash 918 ; Ballas 2002, p. 38, repr. p. 276, n° 1

Le marchand de couleur Julien Tanguy fut le premier « partenaire commercial » de Cézanne. L'artiste lui cédait des peintures en échange de fournitures d'art, et Tanguy, de son côté, montrait les peintures de Cézanne à des acheteurs potentiels. C'est dans cette petite boutique de la rue Clauzel à Paris que Chocquet prit connaissance de l'œuvre de Cézanne grâce à Auguste Renoir en octobre 1875. Par la suite, Renoir relata l'épisode en ces termes dans un entretien avec Vollard : « Je le conduisis donc chez le père Tanguy, où il prit une petite *Étude de nus*. Il était ravi de son acquisition. – “Comme cela fera bien entre un Delacroix et un Courbet” me disait-il pendant que nous rentrions chez lui.[1] »

Mais il semble que le collectionneur n'ait pas immédiatement rapporté la peinture à la maison, craignant que sa femme n'approuve pas son choix. Il fut convenu que Renoir garderait le tableau et l'apporterait la prochaine fois qu'il se rendrait chez les Chocquet, où ils débattraient ouvertement du sujet en présence de Mme Chocquet. Mais manifestement, celle-ci n'aima pas la peinture, et le collectionneur n'osa pas avouer qu'il l'avait déjà achetée. Renoir prétendit qu'elle lui appartenait. Comme il devait le raconter plus tard à un ami, il finit par révéler toute l'histoire à Mme Chocquet en la priant de garder le secret : « Faites comme si vous ne saviez rien, vous lui ferez tant de plaisir ![2] » Toujours est-il que la petite composition des baigneuses intégra la Collection Chocquet – première œuvre d'une longue série de plus de quarante pièces de l'artiste acquises par le collectionneur[3].

On sait peu de choses sur le nombre et le sujet des œuvres que Tanguy détenait dans sa boutique au moment de la visite de Renoir et de Chocquet. En 1875, Cézanne avait peint des paysages dans la région d'Auvers et de Pontoise sous la houlette de Camille Pissarro et peut-être avait-il laissé certaines de ces toiles au marchand de couleurs. Après son premier achat en octobre de cette année-là, Chocquet fit encore l'acquisition de deux de ces premiers paysages par la suite[4]. On se demande alors pourquoi il s'est précisément décidé pour une peinture représentant trois baigneuses, alors qu'il avait certainement la possibilité de choisir d'autres œuvres — disons, visuellement moins complexes. Renoir l'a-t-il alors influencé ? Les compositions de baigneurs de Cézanne semblent avoir tout particulièrement intéressé ses collègues peintres, puisque la plupart d'entre eux en possédaient au moins un exemplaire dans leurs collections[5].

Trois baigneuses est l'une des premières représentations de femmes au bain que Cézanne ait réalisées. Il existe une aquarelle étroitement liée, *Trois baigneuses surprises* (fig. 71 ; Rewald Watercolours 62), ainsi que deux dessins, *Baigneuse accroupie*, 1874-1878 (*Crouching Woman Bather*) et *Trois baigneuses*, 1874-1878 (*Three Women Bathers*)[6], où l'on perçoit plus clairement la raison pour laquelle les deux figures à gauche adoptent une telle attitude : surprises par un voyeur à la chevelure rousse ou faune, la jeune femme assise le repousse du bras, tandis que celle qui est debout se détourne de lui avec effroi. Selon Rewald, Adrien Chappuis et d'autres ont vu dans ces œuvres « le thème classique d'Actéon surprenant Diane au bain. [...] [Cependant,] il est probable que l'aquarelle reflète l'idée première de la composition [à l'huile], et que l'artiste a compris par la suite qu'il n'avait pas besoin d'un quelconque prétexte anecdotique ou mythologique. Ce qui lui importait avant tout, c'était l'élan et le mouvement de ces trois corps de femme, dont les silhouettes s'emboîtant les unes dans les autres forment un triangle parfait, interrompu seulement par le bras « révélateur » étendu vers la gauche.[7] » *JW*

1 Vollard 1919, p. 77

2 Denis 1957, t. II, p. 35

3 Curieusement, lorsque la collection a été inventoriée en vue de la vente aux enchères de la succession, la peinture a été retrouvée non encadrée, comme beaucoup d'autres toiles.

4 Il s'agit de *Vue d'Auvers-sur-Oise – La Barrière* (collection particulière, Dallas ; Rewald 200) et *Petites maisons à Pontoise près d'Auvers-sur-Oise* (Fogg Art Museum, Cambridge, Massachusetts ; Rewald 220).

5 Voir Jayne Warman, notice du catalogue, in cat. expo. New York 2006, n° 41, p. 341-342, ainsi que Warman 2011, p. 207-209.

6 Chappuis 367 (coll. part.) ; Chappuis 368 (Paris, Michel Grilichess)

7 Rewald Watercolours, n° 62, p. 99

Cat. 13

Fig. 71 Paul Cézanne, *Trois baigneuses surprises*, 1874-1875, mine de plomb, aquarelle et gouache sur papier blanc, 11,4 × 12,7 cm, National Museum of Wales, Cardiff, legs Gwendoline E. Davies

14

Paul Cézanne

Baigneurs au repos, I, 1875-1876

Huile sur toile, 38 × 45,8 cm
Signé en bas à gauche en rouge : *P. Cezanne.* [sic]
Musée d'art et d'histoire, Genève, dépôt Fondation Jean-Louis Prévost

Historique : Victor Chocquet, Paris ; Marie (Buisson) Chocquet ; vente Chocquet Petit, lot 27, sous le titre « *La Baigneuse* » ; galerie Bernheim-Jeune, Paris ; Maurice Leclanché, Paris ; Mme Jeanne Raunay, Paris ; Josse et Gaston Bernhein-Jeune, Paris ; Sam Salz, New York ; Nate B. et Frances Spingold, New York ; Sotheby's, Londres, le 29 novembre 1976, n° 13, repr. ; Jean Lullin, Genève ; Fondation Jean-Louis Prévost, Genève ; Musée d'art et d'histoire, Genève, dépôt Fondation Jean-Louis Prévost (inv. 1985-0017)

Bibliographie : Rewald 259 ; Feilchenfeldt/Warman/Nash 924 ; Rewald 1969, p. 47-51, 84, fig. 36 ; Rewald 1985, p. 136-140, 167, fig. 74 ; Ballas 2002, p. 291, n° 108

Cézanne a peut-être eu l'intention de présenter cette toile à la troisième exposition impressionniste de 1877, car elle est signée en rouge. En effet, cette couleur de signature pourrait avoir désigné les tableaux que Cézanne destinait à cette exposition (voir p. 96). Ainsi que le prouvent les documents relatifs à la vente Chocquet de 1899, cette œuvre, comme d'autres portant la même signature (cat. 15, 18 ; fig. 74), ont fait partie de sa collection. Mais on ignore si Chocquet était déjà en sa possession à l'époque de l'exposition[1].

Il existe cependant trois versions de *Baigneurs au repos* : la présente œuvre, une autre « esquisse » dont l'actuelle localisation reste inconnue (*Baigneurs au repos, II* ; Rewald 260), et une variante grand format tout à fait aboutie, exposée à la Fondation Barnes (fig 72 ; Rewald 261). Selon toute vraisemblance, la version de Chocquet est la « première pensée » de ce trio. De par l'agencement des quatre figures, la seconde variante présente des liens plus étroits avec la grande peinture. Dans les trois versions, les personnages masculins trouvent leur source dans des tableaux antérieurs ou s'inspirent de sculptures du Louvre, car Cézanne n'avait pas l'habitude de peindre des modèles en extérieur. Ne s'inscrivant dans aucun contexte narratif, les baigneurs sont complètement indépendants les uns des autres et semblent figés dans le temps, notamment dans la peinture de la Collection Barnes. Même si

Fig. 72 Paul Cézanne, *Baigneurs au repos, III*, vers 1876-1877, huile sur toile, 82,6 × 101,6 cm, Fondation Barnes, Philadelphie, Pennsylvania

le tableau de Chocquet est le moins « poussé » des trois, il reste le plus dynamique grâce au chromatisme et à l'expressivité de la conduite du pinceau. Comme le déclare Maurice Denis : « Lorsque [Cézanne] imagine une esquisse il assemble des couleurs et des formes en dehors de toute préoccupation littéraire [...]. Peu importe le prétexte de cet échantillonnage, figures nues, invraisemblablement groupées dans un paysage inexistant [...] ; c'est toujours une belle ligne, un bel équilibre, une suite luxueuse de sonorités et d'accords. Le don de fraîcheur, la spontanéité et la nouveauté de ses trouvailles ajoutent encore à l'intérêt de ses moindres pochades[2]. »

La toile de la Collection Barnes, également signée en rouge, fut présentée à l'exposition de 1877 sous le titre « *Les Baigneurs : Étude, projet de tableau* » (n° 26). Cézanne dut l'avoir achevée à temps pour l'ouverture, et décider à la dernière minute de la proposer à la place de la version de Chocquet. Il semble que l'artiste ait volontairement qualifié d' « études » les pièces exposées, afin de se donner le temps et la possibilité de remplacer telle ou telle œuvre par une autre plus aboutie. La presse se montra particulièrement féroce à l'égard des *Baigneurs*. Un critique alla jusqu'à déclarer : « toute son exposition [...] est une horrible mascarade, couronnée (car il est des degrés dans l'atroce !) par l'incroyable tableau des baigneurs d'une exécution enfantine, d'une expression abjecte[3]. » Un autre ironisa : « On a failli me faire un mauvais parti parce que je ne m'extasiais pas devant certaines toiles qui m'ont paru avoir été peintes avec des cannes. Il y a surtout une sorte de chose qui représente de petites statues en bois sales fichées au milieu d'un plat d'épinards qui m'a fait rire aux larmes. [...] Je n'en veux rien croire[4]. »

En revanche, Georges Rivière, ami dévoué des artistes et de Chocquet, ne comprit pas pourquoi le public s'était montré aussi peu réceptif aux peintures de Cézanne. Ces « ignorants qui rient devant les *Baigneurs* [...] » écrivit-il, « me font l'effet de barbares critiquant le Parthénon. [...] Le peintre des *Baigneurs* appartient à la race des géants[5]. »

Lors de la vente Chocquet, la toile fut inexplicablement intitulée *La Baigneuse*, sans doute en raison de l'inventaire précipité de la collection. Elle fut acquise par Bernheim-Jeune pour 505 francs, peut-être à la demande du collectionneur Maurice Leclanché, que la galerie comptait parmi ses clients. *JW*

1 Voir Rewald, t. I, n° 259, p. 177-179.
2 Denis 1907, p. 124-125
3 Descubes 1877
4 Gastyne 1877
5 Rivière 1877

15
Paul Cézanne
Portrait de Victor Chocquet, 1875-1877

Huile sur toile, 46 × 36 cm
Signée en bas à gauche en rouge : *P. Cezanne* [sic]
Collection particulière

Historique : Victor Chocquet, Paris ; Marie (Buisson) Chocquet ; (probablement) vente Chocquet Drouot, hors catalogue, à : ? Ambroise Vollard, Paris, 13 juillet 1899, à : Josse et Gaston Bernheim-Jeune, Paris ; Lord Victor Rothschild, Merton Hall, Cambridge ; Reid & Lefevre and Marlborough Galleries, Londres ; collection particulière

Bibliographie : Rewald 292 ; Feilchenfeldt/Warman/Nash 437 ; Schapiro 1952, S. 46-47 ; Badt 1956, p. 128-129 ; Henri Loyrette, notice du catalogue, in cat. expo. Paris/Londres/Philadelphie 1995, n° 45, p. 166-167

En octobre 1875, Pierre-Auguste Renoir accompagna Chocquet chez le marchand de couleurs Julien Tanguy rue Clauzel à Paris, pour aller voir ses Cézanne. Encouragé par Renoir, il acheta une petite « *Étude de nus* » pour 50 francs (cat. 13, *Trois baigneuses*). « Il était ravi de son acquisition[1]. » Peu de temps après, Renoir présenta Cézanne à Chocquet. Ce fut le début d'une longue et fructueuse relation entre l'artiste et le collectionneur.

On ignore quand Cézanne s'est attaqué à ce portrait de Chocquet. Peut-être dès la fin de 1875, immédiatement après leur rencontre ? Ou peu de temps avant avril 1876, lorsqu'il avait quitté Paris pour l'Estaque ? Un dessin au crayon rapidement esquissé (fig. 73 ; Chappuis 394) des années 1875-1877 présente certaines similitudes avec le portrait en question, bien que le modèle regarde dans la direction opposée. Ce dessin a-t-il servi d'aide-mémoire à Cézanne en lui permettant de travailler à ce portrait pendant qu'il séjournait dans le Midi ? Ou bien Cézanne a t-il seulement peint le tableau en présence du modèle, après avoir regagné Paris en septembre 1876 ? Etant donné les nombreuses touches de couleur appliquées, le portrait a dû nécessiter plusieurs séances pour sa réalisation. Quel que soit le temps que Cézanne ait consacré à cette peinture, elle semble avoir été suffisamment aboutie pour être présentée lors de la troisième exposition impressionniste, qui devait s'ouvrir en avril 1877. Comme la plupart des autres œuvres de l'artiste dans cette exposition, ce portrait est signé lui aussi en rouge.

Rejeté tour à tour par la presse et le public, le portrait de Chocquet fit partie des œuvres exposées les plus violemment critiquées. Un journaliste alla jusqu'à comparer cette tête à « celle d'un Billoir [un infâme meurtrier] en chocolat[2] », tandis qu'un autre qualifia le portrait d' « *homme à la jaunisse* [...] – Horrible ! ... Épouvantable ![3] ». « C'est un ouvrier en blouse bleue dont le visage long, long comme s'il avait été passé au laminoir, et jaune, jaune comme celui d'un teinturier habitué au maniement des ocres, est encadré de cheveux bleus hérissés sur le sommet de la tête.[4] » Quant à Chocquet, il fut tourné en dérision pour avoir soutenu avec ténacité les peintures de son ami durant l'exposition. Il lui fut sûrement pénible de devoir défendre son propre portrait face à cette pléthore d'insultes – insultes qui, indirectement, finissaient par le toucher lui-même.

Bien que ce tableau ait essuyé des critiques d'une extrême virulence lors de sa première présentation en 1877, il reste certainement le portrait le plus saisissant du collectionneur, en tout cas parmi ceux de Cézanne, et même, pourrait-on dire, de Renoir (fig. 48 et cat. 9). « Dans les portraits de Renoir, » écrivit Meyer Schapiro, « Chocquet apparaît comme un être doux et réceptif, parfaitement détendu ; il regarde le spectateur d'un air affable. Dans la peinture de Cézanne, les traits du visage ne sont pas évoqués avec moins de sensibilité, mais dans le port de la tête [...], perce un accent de grandeur, une réminiscence des portraits presque romantiques de l'époque napoléonienne. [...] C'est un hommage à un passionné de son art, un homme à l'esprit indépendant. Dans le portrait de son admirateur, Cézanne dit aussi quelque chose de lui-même.[5] »

La richesse de la texture du tableau provient de l'épaisseur du pigment et de la variété des touches, unifiées par la couleur et le rythme des ombres et de la lumière. Dans ce portrait, Chocquet apparaît comme un homme volontaire, mais qui n'en possède pas moins une vie intérieure intense. On perçoit ici toute l'acuité du regard avec laquelle Cézanne a su observer son ami, pour pouvoir réaliser une peinture aussi audacieuse, où art et vie se fondent en une véritable symbiose. Selon les historiens d'art, le *Portrait de Victor Chocquet*

Fig. 73 Paul Cézanne, *Portrait de Victor Chocquet*, 1875-1877, mine de plomb, 14 × 10 cm, localisation inconnue

constitue un important jalon dans l'œuvre de Cézanne. Kurt Badt devait écrire : « Dans cette œuvre, portée à son plus haut degré de perfection, l'unification de la surface à l'aide de touches de couleur distinctes évoquant la tapisserie, est totalement réussie. Dès lors, Cézanne maîtrisa pleinement cette méthode extrêmement personnelle, bien qu'il n'ait jamais cessé de la parfaire par différents moyens[6]. »

La galerie Bernheim-Jeune aurait acheté ce portrait le 13 juillet 1899 à Ambroise Vollard, qui l'avait lui-même acquis quelques jours auparavant lors de la vente Chocquet à l'hôtel Drouot.[7] Bernheim-Jeune l'a conservé dans sa collection particulière, jusqu'à ce qu'elle soit dispersée au début des années 1930. *JW*

1 Vollard 1919, p. 77
2 Vassy 1877
3 Leroy 1877b
4 Lafenestre 1877
5 Schapiro 1956, p. 46
6 Badt 1956, p. 128-129
7 Voir à ce sujet l'essai d'Anne Distel, p. 50-51.

Cat. 15

16
Paul Cézanne
Portrait de Victor Chocquet (buste), vers 1877

Huile sur toile, 35,2 × 27,3 cm
Virginia Museum of Fine Arts, Richmond, Virginia, Collection of Mr. and Mrs. Paul Mellon

Histoire : Ambroise Vollard, Paris ; Edgar Degas, Paris (6 mai 1896) ; vente Degas 1918, n° 15, ill. ; galerie Bernhem-Jeune, Paris (27 mars 1918) ; Bernheim-Jeune, Lausanne (31 décembre 1918) ; Rudolf Staechelin, Bâle ; Rudolf Staechelin'sche Familienstiftung (prêté au Kunstmuseum de Bâle jusqu'en 1967) ; Wildenstein Galleries, New York ; Mr. and Mrs. Paul Mellon, Upperville, Virginia ; Virginia Museum of Fine Arts, Richmond, Virginia, Collection of Mr. and Mrs. Paul Mellon (inv. 83.14)
Bibliographie : Rewald 297 ; Feilchenfeldt/Warman/Nash 438 ; Rewald 1986b, p. 300-303

Ce portrait de Chocquet, qui a probablement servi d'étude au *Portrait de Victor Chocquet assis* (cat. 17), constitue néanmoins une œuvre à part entière. Dans les deux versions, le sujet est représenté de face, et la tête vient frôler le haut du tableau. La noblesse des traits de Chocquet – qui n'est pas sans rappeler les personnages du Greco – de même que l'élégance de son attitude, révèlent un homme d'un grand « équilibre intellectuel », comme en témoigne une lettre de Cézanne à son ami[1].

Il est possible que Cézanne ait commencé ce portrait en réponse à celui du collectionneur réalisé par Renoir en 1875, que détient à l'heure actuelle le Fogg Art Museum, Cambridge, Massachusetts (fig. 48). Dans les deux œuvres, Chocquet – un bras posé sur le dossier de la chaise et les mains jointes – regarde le spectateur droit dans les yeux. La représentation de face vient chaque fois souligner cette attitude, qui deviendra caractéristique de Chocquet. Dans le portrait de Cézanne, le cadre d'un tableau suspendu au mur derrière la tête de Chocquet correspond chez Renoir à une peinture d'Eugène Delacroix, *Hercule délivre Hésione*, (cat. 6), que l'on aperçoit dans un encadrement semi-circulaire, également derrière le collectionneur ; cependant, si Cézanne n'a peint qu'un large cadre, c'est pour mieux intégrer le modèle dans la scène, tout en le propulsant au premier-plan. Malgré la similitude de la pose, les deux œuvres ne sauraient être plus différentes. La technique et la palette impressionnistes de Renoir livrent une interprétation du modèle plutôt sensible et romantisée. En revanche, dans la version de Cézanne, le regard de Chocquet, si pénétrant soit-il, demeure beaucoup plus réservé. Quant aux traits du visage, l'artiste parvient à les modeler à l'aide de touches de couleur rectangulaires et de coups de pinceau obliques, qui génèrent une surface fortement marquée, ponctuée de motifs continus. Le mode de travail de Cézanne paraît ici plus affirmé, et la texture de la peinture plus subtile, par rapport à son premier portrait du collectionneur (cat. 15), qui, après de multiples remaniements, a pris une dimension quasi sculpturale.

Contrairement à ce qu'on a cru bien longtemps, Chocquet n'a jamais possédé cette peinture. Elle fut exposée lors de la première rétrospective de Cézanne, qu'Ambroise Vollard organisa en 1895[2]. Edgar Degas acheta cette œuvre à Vollard le 6 mai 1896, pour la somme de 150 francs[3]. Trois ans plus tard, il tenta en vain d'acquérir le *Portrait de Victor Chocquet* de Renoir (cat. 9) lors de la vente Chocquet – il aurait fait un beau pendant avec le présent portrait : Julie Manet, fille de Berthe Morisot, qui avait assisté à la vente aux enchères avec Degas, nota dans son journal « Il regrette d'avoir manqué le portrait de Choquet [sic]: "le portrait d'un fou par un fou", dit-il, il l'aime énormément.[4] » *JW*

1 Paul Cézanne, lettre à Victor Chocquet, Gardanne, 11 mai 1886 (Cézanne Correspondance, p. 226-227)

2 L'exposition, qui s'était ouverte en novembre 1895 dans la galerie de Vollard, rue Laffitte, à Paris, comprenait plus de cent peintures, que l'on pouvait voir en alternance. Toutes les pièces exposées provenaient directement de l'artiste, à l'exception de trois peintures, qui avaient été léguées à l'État français après la mort de Gustave Caillebotte en 1894, puis retirées par les exécuteurs testamentaires : *Au bord de l'étang* (Musée des Beaux-Arts, Boston, Rewald 244), *Baigneurs au repos, III* (Fondation Barnes, Philadelphie, Rewald 261) et *Le Vase rococo* (National Gallery of Art, Washington, D.C., Rewald 265). Les collègues de Cézanne furent parmi les premiers à acheter des peintures à cette exposition (voir Warman 2011).

3 Paris, Bibliothèque centrale des musées nationaux, fonds Vollard, livre de comptes, MS 421 (4,2), 32

4 Manet 1979, p. 237 (note du samedi 1er juillet). En revanche, Edgar Degas acheta un certain nombre de dessins et d'aquarelles de Delacroix, y compris l'étude mentionnée ci-dessus, *Hercule délivre Hésione* (cat. 6).

17
Paul Cézanne
Portrait de Victor Chocquet assis, 1877

Huile sur toile, 45,7 × 38,1 cm
Signée en bas à droite en rouge : *P. Cezanne* [sic]
Columbus Museum of Art, Columbus, Ohio, acquisition financée par le Howard Fund

Historique : Victor Chocquet, Paris ; Marie (Buisson) Chocquet ; (probablement) vente Chocquet Drouot ; galerie Durand-Ruel, Paris et New York ; Lillie P. Bliss, New York ; Museum of Modern Art, New York (Lillie P. Bliss Legs) ; Paul Rosenberg, New York ; Marius de Zayas, Greenwich, Connecticut ; Columbus Museum of Art, Columbus, Ohio, acquisition financée par le Howard Fund

Bibliographie : Rewald 296 ; Feilchenfeldt/Warman/Nash 430 ; Schapiro 1952, p. 50-51 ; Götz Adriani, notice du catalogue, in cat. expo. Tübingen 1993, n° 15, p. 82-85 ; Henri Loyrette, notice du catalogue, in cat. expo. Paris/Londres/Philadelphie 1995, n° 46, p. 166-167 ; cat. expo. Paris 2011, n° 73, fig. p. 162 et 179

Vers 1878, Théodore Duret décrit Chocquet comme « un homme maigre et élancé, avec un front découvert, sur lequel se relevaient des cheveux blancs. Il était d'une politesse parfaite et d'une grande modestie.[1] » Il est fort possible qu'en se livrant à cette description, Duret se soit référé au présent portrait.

Après les critiques cinglantes qu'avait suscitées le portrait de Chocquet exposé lors de la troisième exposition impressionniste de 1877 (cat. 15), Cézanne a peint ici son ami et mécène de manière moins dramatique et relativement plus conventionnelle. Assis dans un fauteuil Louis XVI au milieu de la salle à manger de son appartement, rue de Rivoli, Chocquet est entouré de tous les attributs d'un élégant bourgeois amateur d'art. Derrière lui, on aperçoit trois peintures non identifiées dans des cadres dorés ainsi qu'un bureau dos d'âne Louis XV, et sur le sol, un tapis multicolore, orné de motifs rappelant une mosaïque. Le personnage paraît visiblement détendu et confortablement installé : il a gardé le col de sa chemise ouvert et porte des pantoufles aux pieds. Son bras gauche est négligemment appuyé sur le dossier du fauteuil, ses mains sont jointes, et ses longues jambes croisées[2]. On imagine assez bien Cézanne et Chocquet discutant de leur intérêt commun pour Delacroix entre deux séances. Comme Rivière devait le rappeler par la suite : « Dans cet appartement [...] modeste et cependant somptueux par les œuvres d'art qu'il renfermait, Cézanne se sentait entouré d'une sympathie discrète et il en a toujours gardé à son ami Chocquet un souvenir reconnaissant.[3] »

Le tableau est soigneusement structuré par une succession d'horizontales et de verticales richement colorées, mais aussi par toute une imbrication de diagonales. Sur le plan stylistique, le peintre est loin d'appliquer les techniques de ses collègues impressionnistes. Comme Lawrence Gowing l'a relevé : « La première réaction de Cézanne face à l'impressionnisme, dans des œuvres comme [ce portrait de] Chocquet [...] consista à chercher une forme qui tend non seulement vers une unité de ton, mais intègre aussi la spécificité rectangulaire d'une image propre au tableau lui-même – réaction qui allait s'avérer pour lui une évolution essentielle et logique[4] ». Schapiro résume les intentions de Cézanne en ces termes : « le principe est clair : briser ce qui se trouve sur un plan ; unir sur la surface de l'image ce qui se trouve placé à des profondeurs différentes. Grâce à tous ces moyens, et à travers la texture de la peinture, cette dernière est pratiquement devenue un objet aussi distinct que la chose qu'elle représente.[5] »

En juin 1889, Cézanne rendit visite à Chocquet à Hattenville (voir cat. 24, 25, 26). C'est là qu'il peignit un autre portrait de son ami, assis au jardin (fig. 65 ; Rewald 671). Dans ce tableau, Chocquet est représenté de trois-quarts en veste blanche, et se détache sur un fond vert évoquant le feuillage des arbres. Le regard perdu au loin, le personnage accuse son âge et paraît un peu replié sur lui-même, voire triste. C'est le dernier portrait que le peintre réalisa de son ami.

La galerie Durand-Ruel acheta probablement le *Portrait de Victor Chocquet assis* lors de la vente Chocquet à l'hôtel Drouot, et le conserva dans sa propre collection jusqu'à la fin des années 1920. La peinture fut prêtée à de nombreuses expositions initiales, notamment à la première exposition de Cézanne en Allemagne (1900), au Salon d'Automne à Paris (1904), ainsi qu'à la première exposition de Grafton à Londres (1905), organisée par Durand-Ruel[6]. *JW*

1 Théodore Duret, « Monsieur Chocquet », in vente Chocquet Petit, p. 6. Voir p. 12-13.

2 La représentation de face d'un personnage assis, jambes croisées et mains jointes, semble avoir été manifestement privilégiée par Cézanne. Voir notamment ses portraits tardifs de Vallier, son jardinier : *Le Jardinier Vallier* (Tate Gallery, Londres, légué par C. Frank Stoop ; Rewald 950) et *Le Jardinier Vallier* (Foundation Collection E. G. Bührle, Zurich ; Rewald 953).

3 Rivière 1923, p. 80-81

4 Lawrence Gowing, « Introduction », in cat. expo. Édimbourg/Londres 1954, p. 8-9

5 Schapiro 1952, p. 50-51

6 Pour la liste des expositions, voir Feilchenfeldt/Warman/Nash 430. Voir aussi cat. 26, notes 4 et 5.

18
Paul Cézanne
Fleurs dans un vase, vers 1877

Huile sur toile, 56 × 46 cm
Signée en bas à gauche en rouge : *P. Cézanne*
Musée de l'Ermitage, Saint-Pétersbourg

Historique : Victor Chocquet, Paris ; Marie (Buisson) Chocquet ; vente Chocquet Petit, n° 29, sous le titre de « *Fleurs* » ; galerie Durand-Ruel, Paris ; Sergueï Chtchoukine, Moscou (1904) ; Premier musée de peinture occidentale moderne, Moscou (1918) ; Musée d'État de l'art moderne occidental, Moscou (1923) ; Musée de l'Ermitage, Saint-Pétersbourg (1948 ; GE 8954)
Bibliographie : Rewald 315 ; Feilchenfeldt/Warman/Nash 732 ; Sterling 1957, p. 112, pl. 90

Le *Portrait de Victor Chocquet* (cat. 15) et les *Baigneurs au repos, III* (fig. 72 ; Rewald 261) peints par Cézanne furent tellement fustigés par la critique à l'occasion de la troisième exposition impressionniste ouverte en avril 1877, que ses douze autres peintures ne suscitèrent guère d'intérêt. Pour solde de tout compte, un certain Fillonneau déclara dans sa recension : « Mais que dire des peintures de M. Paul Cézanne ? Ses natures mortes, ses fleurs, ses paysages qu'il intitule "étude d'après nature", ses baigneurs, sa figure de femme, toujours d'après nature, nous font l'effet de plaisanteries détestables[1]. »

On ignore si Chocquet avait prêté pour l'occasion cette nature morte aux fleurs, ou s'il en fit l'acquisition à l'issue de l'exposition. La signature rouge indique que l'œuvre faisait partie d'un large ensemble de peintures, que Cézanne avait rassemblées afin de pouvoir déterminer à la dernière minute celles qu'il désirait présenter. Il est tout à fait possible que Chocquet, fervent admirateur et ami du peintre, l'ait conseillé dans ses choix et encouragé à signer sur place les œuvres sélectionnées (voir p. 96). Une seconde « *Étude de fleurs* » figurait également dans l'exposition. Il s'agit du *Vase rococo*, qui se trouve à l'heure actuelle à la National Gallery of Art, Washington (Chester Dale Collection ; Rewald 265). Cette étude, également signée en rouge, intégra la collection de Gustave Caillebotte, peut-être même comme cadeau de l'artiste.

Dans la présente œuvre, Cézanne a placé le vase au milieu d'une surface en bois, en renonçant à tous les objets quotidiens qu'il avait l'habitude d'insérer dans ses compositions. Le fond, également neutre, est simplement constitué de couches de couleur modulées, de sorte que les fleurs ont l'air de jaillir vers le spectateur. Charles Sterling qualifie cette œuvre d'« un des plus beaux bouquets de Cézanne [...] Sa sauvage luxuriance, sa richesse détaillée, sa simple opposition à un fond uni sont celles d'un Impressionniste visant à capter et à imposer la sensation d'une vie végétale éclatante de sève et de couleur. Devant ce motif, impressionniste par excellence, il reste plus fidèle à l'esthétique que lui enseigna Pissarro que devant son propre visage ou devant les natures mortes qu'il peint à la même époque. »[2] Selon Rewald, la richesse des empâtements dans cette peinture correspondait précisément au genre de surfaces que Chocquet prisait tout particulièrement dans l'œuvre de Cézanne[3].

Cette nature morte fut l'une des dix-sept œuvres de Cézanne dont Durand-Ruel fit l'acquisition lors de la vente Chocquet. Jusqu'au moment de la dispersion, la galerie ne proposait pas de tableaux de l'artiste, mais elle s'y résolut bientôt sur les conseils de Claude Monet. Les galeristes, qui conservèrent cette peinture durant quelques années, finirent par la vendre en 1904 au collectionneur russe Sergueï Chtchoukine. Avec Ivan Morozov, celui-ci fut l'un des premiers à acquérir en Russie d'importantes peintures d'art contemporain, jetant par là-même les bases des collections d'œuvres impressionnistes et d'art moderne appartenant aujourd'hui aux fonds du musée Pouchkine à Moscou et du musée de l'Ermitage à Saint-Pétersbourg. *JW*

1 Fillonneau 1877
2 Sterling 1957, p. 112
3 Rewald, t. I, n° 315, p. 214

19
Paul Cézanne
Le Vase de fleurs sur tapis fleuri, vers 1877

Huile sur toile, 61 × 50 cm
Signée en bas à droite en gris bleuté :
P. Cezanne [sic]
Collection particulière

Historique : Victor Chocquet, Paris ; Marie (Buisson) Chocquet ; vente Chocquet Petit, n° 20, sous le titre de « *Fleurs dans un vase* » ; galerie Durand-Ruel, Paris ; collection particulière

Bibliographie : Rewald 316 ; Feilchenfeldt/Warman/Nash 733

On sait que Cézanne peignait très lentement, avec beaucoup de pondération. Léo Larguier se souvient d'une visite dans l'atelier de l'artiste, où il avait observé : « Au beau milieu, sur une petite table, il y avait un grand bouquet de fleurs artificielles dans un vase. Dans tous les coins, des fruits secs ou gâtés, ceux dont il se servait pour ses natures mortes[1] ». Ambroise Vollard se livre à une réflexion semblable : « il fut amené à peindre de préférence des pommes, et plus volontiers encore des fleurs qui, elles, ne pourrissaient pas, car il les prenait en papier. Seulement, "ces sacrées bougresses, elles changent de ton à la longue !"[2] »

Dans cette nature morte, le bouquet de fleurs semble tout sauf artificiel. Il émane de cette composition une spontanéité et une vitalité qui, malgré l'épaisseur des couches de peinture, la font paraître plus insouciante que *Fleurs dans un vase* (cat. 18). Le vase bleu est le même dans les deux tableaux, ce qui semble également le cas pour certaines fleurs. Dans *Fleurs dans un vase*, Cézanne a voulu garder neutres l'arrière-plan de même que la surface de la table, et faire en sorte que le bouquet, formant un tout en soi, occupe l'ensemble de l'espace. Dans la présente œuvre, en revanche, le peintre a ajouté des fougères et des herbes qui se propagent au-delà des limites de la toile, produisant un effet aéré. De plus, Cézanne a couvert la table où repose le vase, du même tissu fleuri que dans *Pommes et gâteaux* (fig. 74 ; Rewald 329) et *Le Plat de pommes* (The Art Institute of Chicago ; Rewald 328). Dès lors, le regard glisse sur la surface de la toile pour se détourner du bouquet au bénéfice de l'étoffe imprimée. Puis ramené au centre de la composition par la fleur jaune vif entourée de zinnias rouges, il en est à nouveau distrait par la présence des longues feuilles minces. On pourrait dire que *Fleurs dans un vase* apparaît un peu comme un portrait formel, alors que la présente œuvre pourrait être interprétée comme l'évocation d'une jeunesse insouciante.

Ce vase de fleurs fait partie des nombreuses peintures possédées par Chocquet, qui n'ont pas été présentées lors de la troisième exposition impressionniste. Tout comme les autres œuvres, elle porte la signature de l'artiste. Toutefois, elle n'est pas signée en rouge mais dans un gris bleuté, sans doute pour ne pas nuire à l'effet d'ensemble de la composition. Lors de la vente Chocquet, Durand-Ruel est parvenu à acquérir plus de la moitié des tableaux de Cézanne, dont celui-ci, toujours détenu à titre privé par la famille. *JW*

1 Larguier 1925, p. 107
2 Vollard 1914, p. 101-102

Cat. 18

Fig. 74 Paul Cézanne, *Pommes et gâteaux*, 1877-1879, huile sur toile, 46 × 55 cm, collection particulière

Cat. 19

20
Paul Cézanne
Portrait de Victor Chocquet, vers 1880

Huile sur toile, 20 × 15,5 cm
Conservation Départementale du Patrimoine et des Musées 32 – Conseil Général du Gers Abbaye de Flaran, Collection Simonow

Historique : Ambroise Vollard, Paris ; Auguste Pellerin, Paris ; Mme René Lecomte (née Pellerin), Paris ; collection particulière ; vente Pellerin 1997, n° 106, ill . ; Conservation Départementale du Patrimoine et des Musées 32 – Conseil Général du Gers Abbaye de Flaran, Collection Simonow

21
Paul Cézanne
Portrait de Victor Chocquet, 1877-1881[1]

Crayon sur papier vergé, 9,5 × 8,5 cm[2]
Collection particulière,
Courtesy galerie B. Weil Ltd

Historique : Paul Cézanne *fils*, Paris ; Ader, Picard, Tajan, Paris, 15 juin 1977, n° 50 ; Kenneth Clark ; John Rewald ; collection particulière, Bâle ; Beurret & Bailly, Bâle, vente, le 15 juin 2013, n° 192 ; collection particulière, Courtesy galerie B. Weil Ltd (inv. 2012 G)

Bibliographie : Cat. 20 : Rewald 461 ; Feilchenfeldt/Warman/Nash 453 ; Andersen 1967, p. 138. Cat. 21 : Chappuis 395 ; Andersen 1967, p. 138

La datation du portrait de Chocquet de la Collection Simonow oscille entre 1874 au plus tôt et 1890 au plus tard[3] ; celle proposée par Rewald se situe au milieu, soit vers 1880, ce qui paraît le plus probable. Il existe un autre portrait similaire de Chocquet, si ce n'est qu'il est de dimensions supérieures (fig. 76b ; Rewald 460), auquel on a attribué la date tardive de 1902, mais qui a dû être réalisé, selon Rewald, entre 1880 et 1885. Ces deux portraits à l'huile ne sauraient être étudiés l'un sans l'autre.

Parmi les papiers de Cézanne, se trouvait une photographie en noir et blanc du collectionneur (fig. 76a), qui fut

Fig. 75 Paul Cézanne, *Étude comprenant Madame Cézanne, Madame Cézanne cousant et portrait de Victor Chocquet*, 1877, mine de plomb sur papier beige, 19,7 × 23,2 cm, Collection Jasper Johns

Cat. 20

Fig. 76a Victor Chocquet, portrait photographique disparu, photographie originale de Pierre Warner, Paris

Cat. 21

Fig. 76b Paul Cézanne, *Victor Chocquet, d'après une photographie*, 1880-1885, huile sur toile, 45 × 36,7 cm, Fondation Socindec, Vaduz

publiée pour la première fois par Henri Perruchot[4]. Chocquet en fit probablement cadeau à l'artiste à la fin des années 1870, au moment où ils se rencontrèrent. La photographie servit de base à *Victor Chocquet, d'après une photographie*, et peut-être aussi au présent portrait (cat. 20). Par ailleurs, deux dessins représentant la tête et les épaules de Chocquet (cat. 21 et fig. 73 ; Chappuis 394) ont peut-être joué le rôle d'études préliminaires pour les deux huiles. Selon Adrien Chappuis, le présent dessin (cat. 21) fut réalisé d'après la photographie, alors que le portrait du collectionneur, dessiné sur une feuille conjointement à des évocations d'Hortense Fiquet (fig. 75 ; Chappuis 398) était un « dessin préliminaire détaillé pour la peinture Venturi n° 532 [fig. 76b ; Rewald 460][5]. » D'autre part, Wayne V. Andersen a soutenu que les croquis n'étaient en aucun cas des études pour le tableau, mais que c'était la photographie qui avait servi de modèle[6]. Rewald a noté que dans le petit portrait à l'huile dont il est question ici, « buste, col et cravate correspondent à la photographie. [...] Dans ce document [...] ainsi que dans le n° 460 [fig. 76b], le menton de Chocquet est beaucoup moins pointu [...]. [Le petit portrait] a peut-être été peint d'après un dessin, Chappuis n° 394 [fig. 73], qui fut lui-même probablement réalisé d'après nature ; voir aussi Chappuis n° 395 et 398[7]. » Nous ne saurons jamais dans quel ordre chronologique ont été exécutées les peintures, mais il est clair qu'elles doivent être considérés comme un tout.

Du point de vue stylistique, les deux portraits à l'huile (cat. 20 et fig. 76b ; Rewald 460) révèlent des différences importantes. Le plus grand portrait n'est pas sans rappeler le tableau *Neige fondante à Fontainebleau* (cat. 22), qui fut également peint d'après une photographie en noir et blanc. Là comme ici, Cézanne put inventer les couleurs et les textures dont il avait besoin pour créer du volume. Dans le paysage de neige, il y parvient en usant de touches parallèles à travers toute la composition. Dans le portrait, par contre, on ne perçoit guère cette technique, si ce n'est pour les cheveux et la cravate. La composition prend dès lors un caractère définitivement bidimensionnel, et les traits du visage du modèle apparaissent comme figés, tel un masque. Dans le plus petit portrait, la conduite du pinceau est plus diversifiée et, bien que passablement esquissée, l'image de Chocquet paraît animée et moins formelle.

Une photographie du tableau accroché dans la maison d'Auguste Pellerin à Neuilly, datant de 1925 environ, a été publiée dans le catalogue de ventes aux enchères de Sotheby.[8] *JW*

1 Rewald 1969 (p. 68, fig. 27) estime sa date entre 1879-1882 (Rewald 1985, p. 154, fig. 85).

2 Dimensions différentes indiquées chez Chappuis 395 : 8,1 × 7,5 cm

3 Rivière a daté la peinture de 1874, mais l'a confondue avec le tableau représentant la tête de Chocquet (cat. 15). Il a indiqué le format du présent tableau et désigné comme propriétaire la « Collection Pellerin », mais il a affirmé qu'il avait été exposé lors de la troisième exposition impressionniste de 1877 (Rivière 1923, p. 201). Dans ses commentaires sur Rewald 460/Venturi 532, Lionello Venturi a écrit à propos de la peinture : « un autre exemplaire de petit format (20 × 14 cm) se trouve dans la collection Lecomte, Paris ; son style est de 1890 environ. Mais le dessin n° 1240 [Chappuis 398] montre que Cézanne a réalisé une étude d'après Chocquet, qui ressemble beaucoup à ce portrait, et date de la même époque qu'une étude de Madame Cézanne de 1877 environ. » (Venturi, t. I, p. 179, n° 532).

4 Perruchot 1961, fig. 31 ; Andersen 1967, d'après p. 137, fig. 5

5 Chappuis 398, p. 131

6 Andersen 1970, p. 20

7 Rewald, t. I, n° 461, p. 311

8 Vente Pellerin 1997, p. 14

22
Paul Cézanne
Neige fondante à Fontainebleau, 1879-1880

Huile sur toile, 73,5 × 100,6 cm
Signée en bas à gauche en bleu : *Cezanne* [sic]
The Museum of Modern Art, New York, donation M. et Mme André Meyer, 1961

Historique : Julien Tanguy, Paris ; Victor Chocquet, Paris ; Comte Armand Doria, Orrouy ; vente Doria 1899, n° 5, sous le titre de « *La Neige fondante (Étude de la forêt de Fontainebleau)* » ; Claude Monet, Giverny ; Michel Monet, Giverny ; galerie Bernheim-Jeune, Paul Rosenberg et Durand-Ruel, Paris (20 avril 1929) ; Wildenstein Galleries, Paris (29 avril 1929) ; Alfred Daber, Paris ; M. et Mme André Meyer, New York, don 1961 à : The Museum of Modern Art, New York (inv. D373.1961)
Bibliographie : Rewald 413 ; Feilchenfeldt/Warman/Nash 145 ; Denis Coutagne et Xavier Rey, notice du catalogue, in cat. expo. Ornans 2013, n° 198, p. 143

Cézanne passa l'hiver 1879-1880 à Melun, une petite ville située non loin de la forêt de Fontainebleau. Ce fut un hiver particulièrement rude, comme Cézanne l'écrivit à son ami d'enfance Émile Zola[1]. Dès lors, l'artiste fut contraint de peindre à l'intérieur. Le tableau *Neige fondante à Fontainebleau* n'a pas été réalisé à partir d'esquisses, pas plus qu'il n'est le fruit de l'imagination de Cézanne, mais il s'inspire d'une photographie en noir et blanc (fig. 77). La forêt de Fontainebleau comprend de nombreuses formations rocheuses et autres affleurements pierreux, mais le lieu où cette photo a été prise est tout aussi inconnu que le nom du photographe – elle pourrait néanmoins être attribuée à Eugène Cuvelier (1837-1900)[2].

Ce tableau ayant été réalisé d'après photo, Cézanne était libre de créer sa propre palette. De plus, il parvint à affiner sa méthode à l'aide de touches parallèles pour structurer sa surface et lui donner du volume. Contrairement à un paysage peint en extérieur, Cézanne put expérimenter cette technique comme s'il s'agissait d'une nature morte où il contrôlait son sujet sans être gêné par les changements de lumière et d'atmosphère, qui devaient tant le contrarier par la suite. Ainsi que le souligne Rewald, Cézanne était « “libéré” des textures, des formes et des problèmes spatiaux présents dans la nature. En d'autres termes, il pouvait pleinement se concentrer sur la transposition d'une composition complexe dont les lignes et les plans étaient déjà réduits à deux dimensions, en une image autonome.[3] » Il n'était pas inhabituel pour Cézanne de réaliser des copies d'après des photographies ou d'autres tableaux[4]. Il peignit notamment deux portraits de Chocquet d'après photo (cat. 20 et fig. 76b, Rewald 460), et copia par ailleurs un portrait au pastel de lui-même, exécuté par Renoir en 1880 (fig. 66b ; Renoir, fig. 66a).

En ce qui concerne ses différentes propriétaires, *Neige fondante à Fontainebleau* révèle un historique qui ne manque pas d'intérêt. Cézanne dut laisser la peinture à Julien Tanguy pour la faire encadrer. Dans une lettre à Chocquet de 1881, il fait indirectement allusion au tableau : « Ayant appris que la toile de 40 que Monsieur Tanguy a dû vous remettre ne possédait pas un cadre, je vous serai très obligé, si vous le voulez bien, de faire porter chez vous la bordure du susdit tableau.[5] » Chocquet garda quelque temps la peinture dans sa collection, puis l'échangea en 1889 contre *La Maison du pendu, Auvers-sur-Oise* (fig. 56 ; Rewald 202), qui appartenait au comte Armand Doria. En mai 1899, soit deux mois avant la vente Chocquet, le tableau fut mis aux enchères lors de la dispersion de la collection Doria et atteignit la somme de 6750 francs, le prix le plus élevé jamais payé pour un Cézanne[6]. L'acquéreur – qui n'était autre que Claude Monet – fit sensation aussi bien dans la salle des ventes que dans la presse. Plus tard, alors qu'il montrait sa collection à un visiteur (cette peinture était accrochée dans sa chambre), il s'écria : « Regardez les bleus dans ce Cézanne, ils sont admirables. On les sent peser sous les yeux et, en même temps, étinceler de pureté… Quel peintre, et comme il me donne de la joie ![7] » Nous ignorons la raison qui poussa Monet à acheter précisément cette œuvre. Peut-être était-ce la palette restreinte qui lui plaisait particulièrement, d'autant plus qu'à la fin des années 1890, il multiplia ses efforts pour parvenir à capter dans ses sujets les conditions atmosphériques changeantes, et qu'il lui arriva même de réaliser des tableaux monochromes. À la mort de Monet en 1929, la collection de l'artiste – et avec elle *Neige fondante à Fontainebleau* – passa à son fils Michel. *JW*

Fig. 77 Modèle photographique pour *Neige fondante à Fontainebleau*, photographie probablement d'Eugène Cuvelier, vers 1880, Archives National Gallery of Art, Washington, D.C.

1 Paul Cézanne, lettre à Émile Zola, Melun, 18 décembre 1879, Cézanne Correspondance, p. 166

2 Je remercie Peter Herzog, Laboratorium für Fotografie, Bâle, pour cette suggestion.

3 Rewald, t. I, p. 274

4 Denis note dans son journal que « Cézanne a fait des paysages (celui de la vente Doria) d'après photographies » : Denis 1957, t. I, p. 167 (entrée datée du 7-9 décembre 1899).

5 Paul Cézanne, lettre à Victor Chocquet, Pontoise, 16 mai [18]88, Cézanne Correspondance, p. 199

6 Vente Doria 1899, n° 45

7 Elder 1924, p. 69

Cat. 22

23
Paul Cézanne
Le Pont de Maincy, 1879-1880

Huile sur toile, 58,5 × 72,5 cm
Musée d'Orsay, Paris

Historique : Victor Chocquet, Paris ; Marie (Buisson) Chocquet ; vente Chocquet Petit, n° 8, sous le titre « *Le Petit Pont* » ; galerie Durand-Ruel, Paris ; Josse et Gaston Bernheim-Jeune, Paris (10 février 1900) ; galerie Étienne Bignou, Paris ; Edward Molyneux, Paris (1939-1955) ; Musée du Louvre, Paris (1955, acquis avec la participation d'une donation anonyme canadienne ; inv. RF 1955-20) ; Musée d'Orsay, Paris
Bibliographie : Rewald 436 ; Feilchenfeldt/Warman/Nash 143 Joseph J. Rishel, notice du catalogue, in cat. expo. Paris/Londres/Philadelphie 1995, n° 57, p. 192-193 ; Machotka 1996, p. 4-7, fig. 1-2 ; Mothe 2011, p. 96-97

En avril 1897, Cézanne se rendit à Melun, où il séjourna jusqu'en mars 1880. Au cours de cette période, il peignit notamment le petit pont qui traverse l'Almont près de Trois Moulins, dans le hameau de Maincy. Cet ouvrage, qui existe encore aujourd'hui, fut identifié pour la première fois comme motif du tableau en 1958[1]. Rivière a donc intitulé cette œuvre à tort « *La Passerelle à Mennecy* », appellation qu'il avait probablement entendu de la bouche du fils de l'artiste, et qu'il a ensuite retranscrite de manière incorrecte[2].

Avec ce paysage et *Neige fondante à Fontainebleau* (cat. 22), tous deux réalisés à la même époque, Cézanne se dégagea de l'influence impressionniste. Il envisagea la nature sous un angle nouveau, organisant dès lors l'espace pictural selon un processus innovant, qu'il ne cessa de peaufiner tout au long de sa vie. Durant cette nouvelle phase créatrice, Cézanne construisit rigoureusement ses compositions à l'aide d'une série de touches parallèles brèves, créant un effet de tissage dense. Grâce à cette technique imposant un certain ordre au paysage qui s'étalait devant ses yeux, il put réaliser son vœu, qu'il devait formuler un jour en ces termes : « J'ai voulu faire de l'impressionnisme quelque chose de solide et de durable comme l'art des Musées »[3]. Des peintures comme celle-ci suscitèrent un vif intérêt auprès de certains collègues de Cézanne, notamment Paul Gauguin, qui n'hésita pas à prier Camille Pissarro d'extorquer au peintre le secret de son art : « [Si Cézanne] trouvait la recette pour comprimer l'expression outrée de toutes ses sensations dans un seul et unique procédé, [je vous en prie, tâchez de le faire parler dans son sommeil][4]. »

Bien que cette nouvelle approche, selon Rewald, « ait radicalement rompu avec le "modelé" que Chocquet prisait tant, le collectionneur acheta deux des plus belles œuvres de Cézanne réalisées à Melun [*Le Pont de Maincy* et *Neige fondante à Fontainebleau*].[5] » Cependant, afin d'obtenir *La Maison du Pendu, Auvers-sur-Oise* (fig. 56 ; Rewald 202), il céda l'une des deux toiles à son propriétaire, le comte Armand Doria, à savoir *Neige fondante à Fontainebleau*, et non pas *Le Pont de Maincy* !

Le présent tableau est plutôt observé qu'idéalisé : ce paysage solitaire ne révèle aucun signe de présence humaine. En y regardant de plus près, on remarque que les feuilles ne ressemblent pas à des feuilles, que les branches entremêlées n'appartiennent à aucun des arbres, que la surface de l'eau est totalement immobile – et l'on prend d'autant plus conscience de la touche de Cézanne. Pourtant, il se dégage de l'ensemble de cette composition une impression d'équilibre, d'harmonie et de tranquillité. Par la suite, Cézanne expliqua son principe fondamental dans un entretien avec Émile Bernard : « Dans le peintre il y a deux choses : l'œil et le cerveau, tous deux doivent s'entraider : il faut travailler à leur développement mutuel ; à l'œil par la vision sur nature, au cerveau par la logique des sensations organisées, qui donne les moyens d'expression.[6] » *Le Pont de Maincy* semble parfaitement illustrer son propos. *JW*

1 Lhander 1958
2 Rivière 1923, p. 222. Cézanne se rendit bien à Mennecy au printemps 1897, ce qui explique probablement la datation tardive attribuée par Rivière, à savoir 1898.
3 Denis 1907, p. 122 ; réimpression in Doran 1978, p. 170
4 Paul Gauguin, lettre à Camille Pissarro, Paris, juillet 1881, Gauguin Correspondance, p. 21 ; Gauguin acquit cinq peintures de Cézanne issues de cette période constructive : *La Moisson* (collection privée, Japon ; Rewald 301), *Montagnes en Provence (près de L'Estaque ?)*, (National Museum of Wales, Cardiff ; Rewald 391), *L'Allée* (Göteborgs Konstmuseum ; Rewald 409), *Nature morte au compotier* (Museum of Modern Art, New York ; Rewald 418), et *Le Château de Medan* (Burrell Collection, Glasgow City Art Gallery ; Rewald 437).
5 Rewald 1969, p. 59 ; Rewald 1985, p. 149
6 Bernard 1904, p. 23 ; réimpression in Doran 1978, p. 36

24
Paul Cézanne
Ferme en Normandie, été (Hattenville), 1882

Huile sur toile, 65 × 81 cm
Collection particulière

Historique : Victor Chocquet, Paris ; Marie (Buisson) Chocquet ; vente Chocquet Petit, n° 3, sous le titre « *Été* » ; George Viau, Paris ; vente Viau 1907, n° 11, sous le titre « *Paysage d'Été* » ; Marquise de Ganay, Paris ; collection particulière, Europe ; Sotheby's, Londres, 24 juin 1997, n° 9, ill. ; collection particulière
Bibliographie : Rewald 509 ; Feilchenfeldt/Warman/Nash 181 ; Gowing 1956, p. 189

Cette vue d'un verger à Hattenville est la plus grande d'une série de quatre peintures étroitement apparentées, dont font partie *Le Verger (Hattenville)* (cat. 26 ; Rewald 506), *Le Clos normand (Hattenville)* (fig. 64 ; Rewald 507) et *Ferme normande, été (Hattenville)* (cat. 25 ; Rewald 508). Elles furent peintes en 1882, lorsque l'artiste et sa famille séjournèrent chez les Chocquet, dans leur propriété en Normandie. Comme ces toiles ne sont pas signées, on peut supposer que Cézanne les avait laissées chez son ami avant de regagner Aix en septembre, avec l'intention de revenir à une date ultérieure pour les retravailler (voir notice concernant le cat. 25)[1].

À la différence des trois autres toiles, Cézanne planta son chevalet relativement près de la maison. Il voua toute son attention au centre du tableau ainsi qu'aux contrastes entre les tons chauds de la maison et ceux plus froids des arbres et de l'herbe. Ci la conduite du pinceau est plus variée que dans le reste de la composition. La texture du feuillage et la lumière qui filtre à travers les arbres sont suggérées à l'aide de touches parallèles, tandis que la maison est évoquée par de simples traits plats de couleur nuancée, de même que l'arbre situé au centre gauche du tableau. Dans les autres parties de l'œuvre, la peinture est plus fluide, et par endroits, on décèle des coups de crayon et des vides sur la toile. Les fines lignes des rejets d'arbres, qui attirent le regard vers le premier plan, créent sur la surface une impression de volume.

La succession des trois versions du même motif n'est pas évidente, d'autant qu'elles sont visiblement inachevées. Dans quel ordre ont-elles été peintes ? Lawrence Gowing a estimé que *Ferme normande, été (Hattenville)* (cat. 25) était le dernier des trois formats en largeur.[2] Si tel est le cas, on pourrait en conclure que la version dont il est question ici a été peinte en premier, puisque c'est elle qui montre de plus près la ferme, et qu'elle a été suivie de la variante viennoise (fig. 64 ; Rewald 507). *JW*

1 Toutes les peintures de Cézanne réalisées avant 1882 appartenant à la Collection Chocquet sont signées.

2 Lawrence Gowing, notice du catalogue, in cat. expo. Édimbourg/Londres 1954, n° 30, s.p. (commentaires sur Rewald 508)

25
Paul Cézanne
Ferme normande, été (Hattenville), 1882

Huile sur toile, 49,5 × 66 cm
Collection particulière, prêt permanent à The Courtauld Gallery, Londres

Historique : Victor Chocquet, Paris ; Marie (Buisson) Chocquet ; vente Chocquet Petit, n° 11, sous le titre « *L'Été* » ; Alexandre Rosenberg, Paris ; galerie Bernheim-Jeune, Paris ; Auguste Pellerin, Paris (15 janvier 1900) ; Ambroise Vollard, Paris ; galerie E. Bignou, Paris ; Reid & Lefevre, Londres ; Samuel Courtauld, Londres (1937) ; Christabel Lady Aberconway (Christabel Mary Melville McLaren, née McNaghten, 1890-1974), Londres ; Collection particulière, prêt permanent à The Courtauld Gallery, Londres (inv. L.P.1997.XX.13)
Bibliographie : Rewald 508 ; Feilchenfeldt/Warman/Nash 183 ; Joseph J. Rishel, notice du catalogue, in cat. expo. Paris/Londres/Philadelphie 1995, n° 86, p. 248 ; John House, notice du catalogue, in cat. expo. Londres 2008, n° 2, p. 78-79

Cette œuvre fait partie d'une série de quatre tableaux étroitement apparentés, dont *Le Verger (Hattenville)* (cat. 26), *Le Clos Normand (Hattenville)* (fig. 64 ; Rewald 507) et *Ferme en Normandie, été (Hattenville)* (cat. 24). Ils furent réalisés au cours de l'été 1882, à Hattenville, où l'épouse de Chocquet avait hérité d'importantes propriétés à la mort de sa mère en mars de cette année-là. Les renseignements sur la localisation du tableau, provenant de Paul Cézanne *fils*, ont été transmis par Georges Rivière (son beau-père) : « Cette toile a été peinte, croyons-nous, dans la propriété de M. Chocquet, à Hattenville[1]. » Le jeune Paul, alors âgé de dix ans, ainsi que ses parents avaient séjourné tout l'été chez les Chocquet. La propriété, avec ses pommiers et ses bâtiments de ferme, fournissait un cadre idéal pour l'artiste, lui permettant de peindre tranquillement, tout en profitant de la compagnie des Chocquet avec sa petite famille. Il semblerait que Cézanne ait laissé ses toiles sur les lieux lorsqu'il partit pour Aix en septembre, peut-être parce qu'il pensait venir les retravailler lors d'une visite ultérieure. On ignore cependant s'il s'est effectivement penché encore une fois sur le sujet, ou s'il a simplement laissé les quatre tableaux inachevés. Cette dernière hypothèse pourrait aussi expliquer pourquoi ces œuvres sont restées sans signature.

Trois des quatre paysages d'Hattenville, au format en largeur, représentent probablement la même ferme derrière le feuillage vert des pommiers. En ce qui concerne le quatrième paysage, *Le Verger (Hattenville)* (cat. 26), l'artiste a opté pour un format en hauteur. Lawrence Gowing a analysé la série de la manière suivante : les « trois tableaux [au format en largeur] représentant la propriété de campagne en Normandie, témoignent d'une évolution stylistique continue : ils ont probablement été peints à intervalles rapprochés. Dans [cette peinture], manifestement la dernière des trois, la palette et la conduite du pinceau s'affirment et se précisent de plus en plus. Là encore, on retrouve les touches parallèles, mais le volume est plus pleinement rendu que dans les tableaux de 1879-1880. La facture se rapproche effectivement de celle des peintures de L'Estaque datant de 1883[2]. » Cette composition est dominée par différents tons de vert, qui confèrent à la toile une unité chromatique et la distinguent par là-même des deux autres variantes (fig. 64 et cat. 24). La palette de ces dernières est plus variée que dans la présente version – tout en restant chaque fois similaire –, et l'application de la couleur s'avère plus fine. Cézanne semble avoir éloigné son chevalet de la maison ; on la perçoit plus nettement dans *Le Clos Normand (Hattenville)* (fig. 64) et *Ferme en Normandie, été (Hattenville)* (cat. 24). Dans son commentaire sur la *Ferme normande, été (Hattenville)*, John House écrivit : « Le travail réalisé sur ce tableau s'est arrêté lors d'une phase où certaines zones étaient plus abouties que d'autres. En haut à gauche, l'arrière-plan est indiqué par de simples touches blanches finement appliquées, et l'herbe est traitée en larges balayages d'une couleur assez uniforme […][3]. » Cette description pourrait tout à fait convenir pour les trois versions au format en largeur.

Entre les trois tableaux, c'est *Ferme en Normandie, été (Hattenville)* (cat. 24) qui montre le plus distinctement la maison, qu'Anne Distel est d'ailleurs parvenue à identifier (voir une vue de carte postale, fig. 24). *JW*

1 Rivière 1923, p. 214. Rivière date l'œuvre vers 1886, mais entre-temps, cette datation a été réfutée par les spécialistes.

2 Lawrence Gowing, notice du catalogue, in cat. expo. Édimbourg/Londres 1954, n° 30, s.p.

3 John House, notice du catalogue, in cat. expo. Londres 2008, n° 2, p. 78

26
Paul Cézanne
Le Verger (Hattenville), 1882

Huile sur toile, 61 × 50 cm
Collections Thyssen-Bornemisza

Historique : Victor Chocquet, Paris ; Marie (Buisson) Chocquet ; vente Chocquet Petit, n° 10, sous le titre « *Un Pré* » ; galerie Durand-Ruel, Paris ; Egisto Fabbri, Florence et Paris (6 janvier 1901) ; galerie Durand-Ruel, Paris ; Mme Lefébure (peut-être Anne-Marie Lefébure, née Durand-Ruel), Paris ; Ader, Picard, Tajan, Paris, le 15 juin 1977, n° 50, ill . ; Collections Thyssen-Bornemisza

Bibliographie : Rewald 506 ; Feilchenfeldt/ Warman/Nash 180 ; cat. expo. Lugano 1990, n° 24, p. 64-65 ; cat. expo. Florence 2007, p. 103, 262

À sa mort le 24 mars 1882, la belle-mère de Victor Chocquet laissa à sa fille – son unique héritière – une fortune considérable ainsi que plusieurs propriétés en Normandie. Chocquet dut inviter Cézanne et sa petite famille à séjourner chez lui à Hattenville (près d'Yvetot) en été 1882, donc pendant les vacances du fils de l'artiste[1]. C'est là que Cézanne peignit cette œuvre, ainsi que trois autres vues assez similaires d'un jardin avec des pommiers sur la propriété de son hôte : *Ferme normande, été (Hattenville)* (cat. 25), ainsi que *Le Clos Normand (Hattenville)* (fig. 64 ; Rewald 507) et *Ferme en Normandie, été (Hattenville)* (cat. 24). Contrairement à ces trois dernières œuvres, le format du présent tableau est en hauteur. Il se peut que la ferme dissimulée derrière les arbres ne soit pas la même que celle représentée dans les autres toiles. C'est dans *Ferme en Normandie, été* (Hattenville) (cat. 24) que le bâtiment identifié par Anne Distel (fig. 24, 25) se distingue le mieux.

Contrairement à la plupart des peintures de Cézanne dans la collection de Chocquet, aucun des quatre tableaux de Hattenville n'est signé. Il est fort probable que l'artiste ait eu l'intention de les retravailler à une date ultérieure, comme il avait souvent l'habitude de le faire. Son marchand d'art, Ambroise Vollard, s'est souvenu : « Quand Cézanne abandonnait une toile, c'était presque toujours avec l'intention de la "reprendre" plus tard, dans l'espoir d'un perfectionnement à y apporter. On s'explique ainsi ces paysages déjà "classés", retravaillés l'année suivante, quelquefois deux ou trois ans de suite[2]. »

Dans *Le Verger (Hattenville)*, la couche de peinture est mince, à l'exception des contours bleus des arbres, un peu plus vigoureux. Comme Rewald l'a observé : « Les touches s'éparpillent dans différentes directions ; parfois elles forment des virgules semi-circulaires, notamment dans le coin supérieur droit, où le feuillage se détache devant le ciel bleu-vert. Le plus souvent, cependant, la conduite du pinceau génère de petites "taches" faites de traits brefs et peu larges, qui se densifient en hachures parallèles de la même couleur. Cette technique, qui remplace les touches rectangulaires par une mosaïque colorée, plus souple et plus texturée, voire irrégulière, se retrouve dans bon nombre d'œuvres de cette période, notamment dans les trois autres paysages de Hattenville[3]. »

Le présent tableau fait partie des dix-sept œuvres de Cézanne que la galerie Durand-Ruel avait achetées lors de la vente Chocquet en 1899. L'année suivante, elle envoya cette peinture ainsi que huit autres provenant de ce groupe, à la galerie Paul Cassirer à Berlin pour une exposition. C'est la première fois que des peintures de Cézanne étaient présentées en Allemagne[4]. Curieusement, elles n'étaient pas à vendre. Cinq ans plus tard, Durand-Ruel organisa une importante exposition aux Grafton Galleries à Londres (en tout 315 pièces exposées). Tous les Cézanne de cette exposition, dont le présent tableau, avaient été prêtés par la galerie, et tous provenaient de l'ancienne Collection Chocquet[5].

Le Verger (Hattenville) se trouva temporairement (entre 1901 et 1905) en possession de l'Italo-américain, Egisto Fabbri – peintre, collectionneur et spécialiste de la Renaissance – qui avait vécu tour à tour à Paris et à Florence. Il fut l'un des premiers Américains à collectionner des œuvres de Cézanne, à partir de la rétrospective de 1895. Pour ses acquisitions, il s'adressait essentiellement au marchand d'art Ambroise Vollard, mais il acheta la présente peinture à Durand-Ruel. En mai 1899, il écrivit à l'artiste pour l'informer qu'il possédait déjà seize œuvres de lui, et qu'il serait très honoré de le rencontrer personnellement, ce que ce dernier déclina poliment[6]. Il convient de noter que Fabbri n'acheta aucun tableau lors de la vente Chocquet. *JW*

1 Selon Rewald, Chocquet invita l'artiste à Hattenville pour qu'il le tire de son ennui. Le collectionneur passait la majeure partie de son temps à Paris et n'était pas venu une seule fois à Hattenville du vivant de sa belle-mère. Mais après la mort de celle-ci, sa présence fut nécessaire pour régler les détails administratifs relatifs à l'héritage de sa femme. Son ami Cézanne put combler un vide et lui procurer un peu de distraction en lui offrant sa compagnie (voir Rewald 1969, p. 61 ; version remaniée in Rewald 1985, p. 152).

2 Vollard 1914, p. 106

3 Rewald, t. I, n° 506, p. 337

4 Cat. expo. Berlin 1900, n° 3, sous le titre « *Eine Wiese* ». Les autres peintures de Chocquet étaient *Petites maisons près d'Auvers-sur-Oise* (Fogg Art Museum, Harvard University, Cambridge, Massachusetts ; Rewald 220), *La Route* ou *Le Mur d'enceinte* (Julian and Josie Robertson Collection, New York ; Rewald 275), *Portrait de Victor Chocquet assis* (cat. 17), *La Côte Saint-Denis à Pontoise* (St. Petersburg, Florida, Museum of Fine Arts, dépôt d'une coll. part. ; Rewald 312), *Le Vase de fleurs sur un tapis fleuri* (cat. 19), *Mardi Gras* (fig. 39 ; Rewald 618), *Portrait de Victor Chocquet* (fig. 65 ; Rewald 671) et *Le Vase de tulipes* (The Art Institute of Chicago, Mr. and Mrs. Lewis Larned Coburn Memorial Collection ; Rewald 719).

5 Cat. expo. Londres 1905, n° 47. Les autres peintures de Cézanne étaient *Petites maisons près d'Auvers-sur-Oise* (Fogg Art Museum, Harvard University, Cambridge, Massachusetts ; Rewald 220), *La Route* ou *Le Mur d'enceinte* (Julian and Josie Robertson Collection, New York ; Rewald 275), *Portrait de Victor Chocquet assis* (cat. 17), *La Côte Saint-Denis à Pontoise* (St. Petersburg, Florida, Museum of Fine Arts, dépôt d'une coll. part. ; Rewald 312), *Le Vase de fleurs sur un tapis fleuri* (cat. 19), *Pommes et gâteaux* (fig. 74 ; Rewald 329), *Le Plat de pommes* (fig. 5 ; Rewald 348) et *Le Vase de tulipes* (The Art Institute of Chicago, Mr. and Mrs. Lewis Larned Coburn Memorial Collection ; Rewald 719).

6 Fabbri à Cézanne, Paris, 28 mai 1899; Cézanne à Fabbri, Paris, 31 mai 1899, in Cézanne Correspondance, p. 269-270

27
Paul Cézanne
Le Barque et les baigneurs, vers 1890

Huile sur toile, 30 × 124 cm
Musée de l'Orangerie, Paris

Historique : Victor Chocquet, Paris ; Marie (Buisson) Chocquet ; vente Chocquet Petit, n° 19, sous le titre « *Nymphes au bord de la mer* » ; Josse et Gaston Bernheim-Jeune, Paris ; Madame Jean Walter, Paris ; Musée du Louvre, Paris (Jean Walter/Paul Guillaume, don des deux fragments extérieurs, 1960 ; le Musée du Louvre a acheté le fragment central à la galerie Bernheim-Jeune en 1973) ; Musée de l'Orangerie, Paris, Collection Jean Walter et Paul Guillaume (inv. RF 1973-55/1960-12/1960-13)
Bibliographie : Rewald 644 ; Feilchenfeldt/Warman/Nash 676 ; Hoog 1984, n° 11, p. 34-35 ; Ballas 2002, n° 239, p. 308 ; Anna Zsófia Kovács, notice du catalogue, in cat. expo. Budapest 2012, n° 142, p. 458

En mars 1890, les Chocquet firent l'acquisition d'un petit hôtel particulier du XVIIIe siècle au 7, rue Monsigny, rue calme située entre l'Opéra et la Bourse. Cette résidence, bien plus vaste que l'appartement de la rue de Rivoli, leur permit de mieux mettre en valeur leurs meubles précieux et leurs objets d'art. « Le grand admirateur de Cézanne » relata Rivière, « désira confier à celui-ci la décoration picturale de certaines parties de son nouveau logis. Cézanne se mit à l'œuvre et peignit une scène de baigneuses (l'œuvre en question) et *la Vasque au paon*[1]. » Ces deux tableaux conçus pour orner le dessus des portes de la nouvelle demeure, ne furent livrés à la maison de la rue Monsigny qu'après le décès de Chocquet en avril 1891. En effet, il ressort d'une lettre de Madame Cézanne à Madame Chocquet du 3 janvier 1895, que cette dernière ne les avait manifestement pas encore reçus : « Pour les panneaux de votre chambre, je vous prie, si vous voulez bien me faire le très grand plaisir de me donner de vos nouvelles, de me faire savoir l'époque où vous pensez venir à Paris, et je prendrai mes dispositions pour vous les apporter[2]. »

Dans cette œuvre, l'artiste traite d'un thème sur lequel il se penchera jusqu'à sa mort – les compositions de baigneurs. Deux groupes de baigneurs bien distincts, respectivement situés à droite et à gauche du tableau, sont reliés par les tons bleutés de l'eau et du ciel ainsi que par une ligne d'horizon nettement marquée. Les poses de certains d'entre eux réapparaissent dans des œuvres ultérieures, notamment la figure étendue à droite, que l'on retrouve dans *Baigneuses*, collection particulière (Rewald 858). Le centre du tableau est dominé par un bateau, dont le mât partage la composition en deux moitiés. Les arbres, dont les branchages forment une voûte au-dessus des baigneurs, constituent une sorte de cadre naturel à la composition ; tout en circonscrivant les deux groupes de personnages, il les séparent, ce qui devait inciter plus tard les propriétaires à les diviser en trois parties, probablement entre 1945 et 1960[3]. Les deux fragments extérieurs intégrèrent le musée de l'Orangerie en 1960 dans le cadre de la donation Jean Walter-Paul Guillaume. Le fragment du bateau fut acheté par les Musées Nationaux de France en 1973, et c'est en 1977 que l'ensemble du panneau put être reconstitué.

Le second panneau, *La Vasque au paon*, collection particulière, Paris (Rewald 643) (fig. 78), représente une scène imaginaire, où l'on voit des personnages flâner dans une cour. Une grande fontaine ornée d'un paon, que Rivière a « identifiée » comme étant « *la fontaine Larey, le lavoir de Melun*[4] », constitue le centre de l'œuvre. Les deux panneaux sont de conception tellement différente qu'il est difficile de les considérer comme un ensemble. Ils devaient être destinés à des pièces bien distinctes. *JW*

1 Rivière 1933, p. 140 ; voir fig. 78.
2 Madame Cézanne à Madame Chocquet, Paris, 3 janvier 1895, Paris, Librairie de l'Abbaye-Pinault.
3 Anna Zsófia Kovács, notice du catalogue, in cat. expo. Budapest 2012, n° 142, p. 458
4 Rivière 1933, p. 133. Rivière a cité l'un des deux panneaux à deux reprises, en le datant respectivement de 1880 et 1888 ; aucune de ces deux indications n'est conforme à la date où Chocquet a acquis la résidence de la rue Monsigny. Voir Rivière 1923, p. 209 (*La Fontaine*), et p. 217 (*La Vasque au paon*).

Cat. 27

Fig. 78 Paul Cézanne, *La Vasque au paon*, vers 1890, huile sur toile, 30 × 124 cm, collection particulière, Paris

28

Paul Cézanne

Bouquet de fleurs, d'après Delacroix, 1902-1904

Huile sur toile, 79 × 65 cm
Musée d'État des beaux-arts Pouchkine, Moscou

Historique : Ambroise Vollard, Paris ; Ivan Morozov, Moscou (2 octobre 1909) ; Premier musée de la peinture occidentale moderne, Moscou (1918) ; Musée d'État de l'art occidental, Moscou (1923) ; Musée d'État des beaux-arts Pouchkine, Moscou (inv. Ж-3411)

Bibliographie : Rewald 894 ; Feilchenfeldt/Warman/Nash 882 ; Rewald 1969, p. 36, 56, 81, 88-89, 94 (note 61) ; Rewald 1985, p. 124, 146, 164, 174-175, 183 (note 63), 185 (note 93) ; Lichtenstein 1975 ; Freudenberg 2012, p. 50-51

Il est bien connu que Victor Chocquet idolâtrait Eugène Delacroix (1798-1863). Alors qu'il était encore célibataire, il commença peu à peu à collectionner les tableaux du peintre romantique, pour posséder finalement plus de quatre-vingts œuvres de lui. Paul Cézanne, qui nourrissait lui aussi une grande admiration pour Delacroix, déclara que son aîné avait servi d'intermédiaire entre lui et Chocquet (voir l'essai d'Anne Distel, p. 55, note 95).

Le collectionneur, qui avait assisté à la vente du fonds d'atelier de Delacroix à l'Hôtel Drouot (17-29 février 1864), fut l'heureux adjudicataire d'une peinture et d'une œuvre sur papier[1]. Mais une grande aquarelle aux fleurs tout à fait remarquable, « *Bouquet de fleurs* » (lot 614 ; fig. 79)[2], ne devait entrer que plus tard dans sa collection. Elle fut achetée pour la somme de 2000 francs par Achille Piron (1798-1845), exécuteur testamentaire de l'artiste.

Fig. 79 Eugène Delacroix, *Bouquet de fleurs*, vers 1849, aquarelle, craie noire et gouache, rehaussé au pastel sur papier gris, 65 × 65,4 cm, Musée national Eugène Delacroix, Paris, dépôt du Musée du Louvre, département des Arts graphiques

Delacroix accordait manifestement beaucoup d'importance à cette aquarelle, car il ordonna qu'elle ne passe pas aux héritiers, mais qu'elle soit présentée au public, donc vendue, comme il ressort d'une notice du catalogue : « Cette aquarelle a été spécialement désignée par M. Eugène Delacroix, dans son testament, comme devant figurer à sa vente. » Piron mourut l'année suivante, et par chance, Chocquet fut en mesure d'acheter l'aquarelle lors de la vente après décès pour une somme bien inférieure à celle que Piron avait payée, à savoir 300 francs[3].

Cézanne, qui rendait souvent visite au collectionneur, dut exprimer son admiration pour l'aquarelle, et en de telles occasions, les deux amis discutèrent sûrement de ses qualités exceptionnelles. Au moment de la mort de Chocquet, elle était accrochée, avec d'autres oeuvres sur papier, dans le petit salon au premier étage de son appartement de la rue Monsigny (voir inventaire, p. 235).

Durant les séances de pose de son marchand Ambroise Vollard en 1899, Cézanne l'encouragea à aller voir les œuvres de Delacroix à la vente Chocquet, en lui signalant tout spécialement le *Bouquet de fleurs*[4]. À l'insu de Cézanne, Vollard acheta l'aquarelle à la vente, et c'est seulement trois ans plus tard qu'il l'offrit à l'artiste. De son côté, celui-ci le remercia pour « le magnifique cadeau que vous me faites de l'œuvre du grand Maître[5] ». Émile Bernard se rappela par la suite avoir vu l'aquarelle dans la chambre de Cézanne : « Il entourait cette aquarelle de très grands soins ; elle était encadrée, et pour éviter la décoloration de la lumière, il la tenait face au mur, à portée de la main. »[6]

Cézanne doit avoir étudié très attentivement l'œuvre (le seul original connu d'un autre artiste, qu'il ait jamais possédé), car il en a réalisé une copie à l'huile. Une bande finement peinte a été ajoutée au bas de la toile, de sorte que le format carré de l'aquarelle devient rectangulaire dans la copie peinte. Dans cette œuvre, Cézanne a néanmoins conservé l'aspect intemporel de la composition de Delacroix. Il n'y a là ni tiges, ni vase, qui pourraient orienter le regard du spectateur. Mais l'artiste va encore au-delà : ses fleurs, plus lourdes et plus abstraites, se détachent sur un fond fortement agité. « Dans sa pratique impulsive et fougueuse, Cézanne est revenu aux œuvres romantiques de sa jeunesse, tout en anticipant certaines formes abstraites de l'art du XXe siècle. De plus, il a insufflé à ses *Fleurs*, comme à toutes ses autres copies [d'après Delacroix] une vie nouvelle et autonome »[7].

Cézanne dut être si peu satisfait de sa composition qu'il la taillada dans un accès de colère. Ambroise Vollard fit réparer la peinture, et la vendit le 2 octobre 1909 au grand collectionneur russe Ivan Morozov, pour la somme de 20 000 francs[8]. *JW*

1 Vente Delacroix 1864. Chocquet acheta *Fleurs en bouquet* (lot 92) pour 820 francs, et *Mars-el-Kebir* (lot 574) pour 125 francs. Voir l'essai d'Arlette Sérullaz, p. 85.

2 Johnson Pastels 47

3 Vente Piron 1865, lot 16, sous le titre « *Groupe de Fleurs* »

4 Vollard 1914, p. 104

5 Vente Chocquet Petit, lot 111, 1325 francs ; Paul Cézanne, lettre à Ambroise Vollard, Aix, 23 janvier 1902, Cézanne Correspondance, p. 278-279. Selon John Rewald, Vollard lui avait confié en 1935 que la peinture n'était pas « un cadeau, mais le fruit d'un échange auquel le peintre avait généreusement consenti. » Voir Rewald 1969, p. 96, note 97 ; Rewald 1985, p. 187, note 106.

6 Bernard 1907, p. 607

7 Lichtenstein 1975, p. 125

8 Archives Vollard, Bibliothèque Nationale, Paris, MS 421 (5-4), 168, 195

29
Paul Cézanne
Roches, 1866-1870

Aquarelle et gouache sur mine de plomb
22,6 × 34,7 cm
Städel Museum, Francfort-sur-le-Main

Historique : Victor Chocquet, Paris ; Marie (Buisson) Chocquet ; vente Chocquet Petit, n° 107, 155 francs ; Olivier Sainsère, Paris ; Christian Tetzen-Lund (1852-1936), Copenhague (1916/1917) ; vente Tetzen-Lund 1925, n° 74, sous le titre « *Paysage. Rochers. Aquarelle* » (repr.) ; M. Goldschmidt, Francfort ; Städel Museum, Francfort (1929 ; inv. SG 441)

Bibliographie : Rewald Watercolours 10 ; Berson 1996, t. II, p. 71, n° III-30, repr. p. 88 ; cat. expo. Francfort 2001, p. 94-95 ; Freudenberg 2001, fig. 20 ; Simms 2008, repr. p. 32, n° 22 ; Kendall 2009, p. 295-302, fig. 304 ; cat. expo. Budapest 2012, n° 21

La célèbre phrase de Chocquet, prononcée au moment où il avait acquis sa première peinture de Cézanne (cat. 13) – « Comme cela fera bien entre un Delacroix et un Courbet[1] ! » – indique bien qu'il achetait de nouvelles œuvres en fonction des « analogies » qu'elles offraient avec sa collection. Il semble en effet que la présente aquarelle ait figuré dans une pièce au premier étage du 7 de la rue Monsigny, où Chocquet avait également accroché des œuvres de Delacroix (voir inventaire, p. 238). On est particulièrement frappé par une telle correspondance lorsque cette aquarelle avoisine les *Rochers* de Delacroix (cat. 1), comme le propose l'exposition. Le fait que Chocquet ait probablement prêté l'étude picturale de Cézanne lors de la troisième exposition des impressionnistes en 1877, montre bien toute l'importance qu'il lui accordait[2].

Ce paysage aquarellé, où surgissent quelques traces de gouache très colorées, révèle non seulement l'intensité mais aussi l'immédiate énergie qui émanent des œuvres de jeunesse de Cézanne. C'est tout d'abord l'originalité, pour ne pas dire la hardiesse du chromatisme de ce puissant bloc rocheux, qui suscite la fascination : les tons blancs, ocres, roses, rouges, vert clair et vert foncé, bleus, gris, bruns et noirs constituent une palette surprenante pour un rocher. L'écriture picturale, qui progresse dans toutes les directions, témoigne elle aussi d'une activité accrue. Quelques traits énergiques à la mine de

Fig. 80 Gustave Courbet, *La Roche Oraguay*, 1860, huile sur toile, 152 × 195 cm, Museum Folkwang, Essen

plomb le long des contours du rocher viennent renforcer sa massivité, tandis qu'à l'intérieur, des lignes plus légères révèlent sa friabilité ainsi que sa stratification géologique. En 1866, Cézanne travaillait à Aix-en-Provence, aux côtés de Fortuné Marion, peintre et géologue. Aussi Richard Kendall a-t-il récemment suggéré qu'il fallait voir dans la « franche matérialité » et la « stratification prononcée » de l'aquarelle une référence directe aux nouvelles connaissances scientifiques du XIXe siècle concernant la croûte terrestre et la vie dynamique de la terre[3].

Mais dans leur sensualité, les couleurs évoquent aussi la nature vécue : elles transmettent au spectateur une impression d'emmagasinage de chaleur solaire, d'effritement et de cassures, de débordement de mousse sur la roche. C'est en cela que l'artiste est proche de Courbet. Cézanne, qui se plaisait à traiter le peintre réaliste de « broyeur de tons », admirait dans les œuvres de ce dernier « l'entrée lyrique de la nature, de l'odeur des feuilles mouillées, des parois moussues de la forêt, [...] le murmure des pluies, l'ombre des bois, la marche du soleil sous les arbres[4]. » Si Courbet donne à voir dans *Roche Oraguay* de 1860, (fig. 80) un morceau de paysage tout aussi peu spectaculaire, Cézanne en accentue encore le caractère découpé, et l'on est directement confronté à la paroi rocheuse. De surcroît, Cézanne avait pu étudier chez Courbet sa manière de répartir les tons sur la surface, indépendamment de l'objet représenté, pour obtenir une densité du contexte compositionnel. Dans les *Roches* de Cézanne, ces correspondances chromatiques ne sont pas encore très différenciées. Cependant, de telles interdépendances, que Cézanne appelait des « rapports », aboutiront dans ses œuvres ultérieures, à une structure plus solide.

Le motif même du rocher en tant que sujet immuable, devait à nouveau occuper une place très importante dans l'œuvre tardif de Cézanne : dans plus de cinquante dessins, aquarelles et peintures à l'huile, le peintre n'a cessé de « portraiturer » la montagne Sainte Victoire. *IF*

1 Vollard 1919, p. 77

2 Dans le cat. expo. Paris 1877 figurent sans indication de propriétaire deux œuvres sous le titre « Aquarelle ; Impression d'après nature » (n° 30 et 31), dont l'une pourrait être identique à la présente feuille.

3 Kendall 2009, p. 297 et 300

4 Selon Gasquet 1921, p. 110 (cité d'après Doran 1978, p. 142-143)

Cat. 29

Paul Cézanne
Études pour *L'Apothéose de Delacroix*

30
Homme agenouillé, les mains levées, 1866-1867

Crayon sur papier, 17,7 × 23,7 cm
(page d'un carnet de croquis, 18 × 24 cm)
Chappuis 174[1]
Kunstmuseum Basel, Kupferstichkabinett

Historique : Paul Cézanne *fils*, Paris ; Werner Feuz, Berne ; Kunstmuseum Basel, Kupferstichkabinett (inv. 1934.161)

31
Deux hommes avec bâton de marche ; femme près d'un cercueil, 1866-1867

Crayon sur papier, 17,7 × 22,9 cm
(page d'un carnet de 18 × 24 cm)
Chappuis 175[2]
Kunstmuseum Basel, Kupferstichkabinett

Historique : Paul Cézanne *fils*, Paris ; Werner Feuz, Berne ; Kunstmuseum Basel, Kupferstichkabinett (inv. 1934.163)

32
Victor Chocquet et un ange, étude pour « L'Apothéose de Delacroix », 1878-1880 (probablement ultérieur)

Crayon, plume et encre de Chine, gouache et aquarelle sur papier, 15,2 × 23,7 cm (page d'un carnet de croquis comprenant 46 feuilles, p. 56)
Rewald Watercolours 69[3]
National Gallery of Art, Washington, D.C., Collection of Mr. and Mrs. Paul Mellon

Historique : Paul Cézanne *fils*, Paris ; Paul Guillaume, Paris ; Adrien Chappuis, Tresserve ; M. et Mme Paul Mellon, Upperville, Virginia ; National Gallery of Art, Washington, D.C., Collection of Mr. and Mrs. Paul Mellon (pour célébrer le cinquantenaire de la National Gallery of Art ; inv. 1992.51.9.uu)
Bibliographie : cat. 30 : Chappuis 174 ; cat. 31 : Chappuis 175 ; cat. 32 : Rewald Watercolours 69 ; en général pour *L'Apothéose* : Lichtenstein 1964, p. 55-57, 60-61 ; Andersen 1967 ; Athanassoglou-Kallmyer 2011

Une photographie de Cézanne, prise dans son atelier parisien en 1894 (fig. 81a), représente l'artiste, des pinceaux dans les mains, devant un chevalet sur lequel est posée une petite toile : son *Apothéose de Delacroix* (fig. 81b ; Rewald 746), était manifestement l'étude pour une grande composition allégorique destinée à célébrer Eugène Delacroix, l'un des peintres favoris de Cézanne et de Victor Chocquet. Mais cette apothéose ne fut jamais achevée. En 1904, Cézanne confiait dans une lettre à Émile Bernard : « Je ne sais si ma précaire santé me permettra de réaliser jamais mon rêve de faire son apothéose[4] ». Outre l'étude à l'huile, il existe encore les deux présents dessins des années 1860 (cat. 30, 31), ainsi que deux aquarelles de la fin des années 1870 (cat. 32 et fig. 82).

Dans la plus grande des aquarelles (fig. 82), ainsi que dans l'étude à l'huile (fig. 81b), Delacroix s'élève dans les cieux, soutenu par deux anges, tandis qu'un troisième porte sa palette et ses pinceaux, et que ses admirateurs en adoration lèvent les yeux vers lui. Ces personnages ont été identifiés comme suit par Émile Bernard : Camille Pissarro est à son chevalet à droite ; Claude Monet peint sous une ombrelle ; coiffé d'un chapeau de paille pointu, et son chien Black (symbole de la critique) à ses côtés, Cézanne, qui tourne le dos au spectateur, tient un bâton de marche à la main; Chocquet apparaît à l'extrême gauche, près d'un arbre, les bras levés au ciel pour témoigner sa vénération à Delacroix[5]. Un cinquième personnage, à genoux entre Cézanne et Chocquet, reste indéfinissable, bien qu'il figure également dans l'une des deux esquisses antérieures à la mine de plomb (cat. 30)[6].

L'idée d'un hommage à Delacroix vint peut-être à l'esprit de Cézanne dans les années 1860, lorsque le maître mourut en 1863 et que le fonds de son atelier fut vendu un an plus tard[7]. À peu près à l'époque de la vente de la succession Delacroix – à laquelle avait assisté Chocquet –, Cézanne esquissa à la craie noire un portrait de l'artiste (Avignon, Musée Calvet ; Chappuis 155) d'après une photographie d'Eugène Durieu. Les deux dessins à la mine de plomb de 1866-1867 (cat. 30, 31), donnent à voir des études de l'énigmatique personnage à genoux apparaissant dans la grande aquarelle (fig. 82) et l'esquisse à l'huile (fig. 81b), ainsi que d'un homme de dos, portant un chapeau de paille pointu, figure centrale dans ces deux compositions. Mais au moment où ces dessins furent réalisés, il se peut qu'ils n'aient pas été spécifiquement conçus pour son hommage à Delacroix, mais qu'ils aient simplement représenté des modèles « pour un élément d'une composition imaginaire[8] ».

En ce qui concerne la grande aquarelle (fig. 82), diverses dates ont été proposées[9], mais la plupart des spécialistes s'accordent à dire qu'elle a été réalisée après 1875, et qu'ensuite, une petite bande de papier a été rajoutée au bas de la feuille. Si l'on accepte l'idée que Chocquet est bien le personnage qui rend hommage sous l'arbre à l'extrême gauche, Cézanne devrait l'avoir peint après que les deux hommes se soient rencontrés, à la fin de 1875 ou au début de 1876. La figure isolée, accompagnée d'un seul ange dans la plus petite aquarelle (cat. 32), ressemble peu à ce personnage, bien que Rewald ait daté les deux œuvres de 1878-1880. Il est possible que l'artiste ait d'abord réalisé la grande aquarelle, et qu'il ait décidé ensuite, après avoir passé du temps avec Chocquet, de l'intégrer comme personnage dans une version postérieure à cette composition. Mais il semble avoir abandonné l'idée d'une peinture à l'huile, en tout cas durant les dix années suivantes. Après la mort de Chocquet le 7 avril 1891, Cézanne est revenu sur l'idée d'un hommage à Delacroix[10]. La peinture (fig. 81b) était-elle – tout au moins du point de vue de sa conception – un hommage à son ami aussi bien qu'au peintre romantique, qui leur avait servi d'intermédiaire, selon les mots-mêmes de Cézanne[11] ? Nous ne le saurons jamais.

Nous remercions Nina M. Athanassoglou-Kallmyer pour son interprétation de *L'Apothéose de Delacroix* de Cézanne, qui, bien qu'assez radicale, n'en est pas moins intéressante. Vers le milieu des années 1890, la popularité de Delacroix commença à décliner : il passait de plus en plus pour un représentant d'« une tradition artistique révolue ». Elle cite quelques passages de *L'Œuvre*, un roman d'Émile Zola (1886), où le protagoniste, Claude Lantier, s'exprime sur Delacroix en ces termes : « Ah ! nous y trempons tous, dans la sauce romantique. » « Maintenant, il faut autre chose [...] c'est que le grand décor romantique de Delacroix craque et s'effondre ». Puis l'auteure poursuit : « Dans l'esquisse peinte du musée Granet, on retrouve l'écho visuel de ce double regard, à la fois adorateur et dénigrant à l'égard du passé romantique. [...] Et ses mains jointes en prière seraient-elles plutôt des gestes d'adieu au grand romantique qui s'en va en gloire ? [...] Delacroix sera le maître que l'on vénère, mais que l'on n'imite plus. Incomplète, *L'Apothéose* finira en échec[12]. » *JW*

1 Verso : Chappuis 154

2 Verso : Chappuis 91

3 Verso : Chappuis 659

4 Paul Cézanne, lettre à Émile Bernard, Aix, 12 mai 1904, Cézanne Correspondance, p. 301

5 Bernard 1907, p. 609

6 Il semblerait logique que cette dernière figure représente Auguste Renoir, car finalement, c'est lui qui avait mis en relation Cézanne et Chocquet, mais Bernard l'aurait probablement identifié.

7 Delacroix est mort le 13 août 1863. La vente du fonds de l'atelier s'est tenue entre le 17 et le 29 février 1864 (vente Delacroix 1864).

8 Andersen 1967, p. 137

9 Voir Rewald Watercolours 68, p. 102-103.

10 Différentes dates ont été proposées pour cette toile. Voir à ce sujet Andersen 1967, p. 137-138, et Rewald Watercolours, p. 102-103.

11 Paul Cézanne, lettre à Victor Chocquet, Gardanne, 11 mai 1886, Cézanne Correspondance, p. 226.

12 Zola 1886, p. 52, 48 ; Athanassoglou-Kallmyer 2011, p. 61

Fig. 81a Émile Bernard, Paul Cézanne dans son atelier, peignant *L'Apothéose de Delacroix* (fig. 81b), 1894, 11,3 × 9,4 cm, épreuve argentine, Musée d'Orsay, Paris

Fig. 81b Paul Cézanne, *L'Apothéose de Delacroix*, 1891-1894, huile sur toile, 27 × 35 cm, Musée Granet, Aix-en-Provence, dépôt du Musée d'Orsay, Paris

Fig. 82 Paul Cézanne, *L'Apothéose de Delacroix*, 1878-1880, plume et encre brune, aquarelle sur mine de plomb, rehaussé de blanc, sur papier, bande rajoutée au bas de la feuille, 20 × 23,3 cm, The British Museum, Londres

Cat. 30

Cat. 31

Cat. 32

Liste des acquéreurs à la vente Chocquet

Pour définir le profil des acquéreurs à la vente de *Tableaux modernes [...] par suite du décès de Mme Vve Chocquet*, Paris, galerie Georges Petit, les 1er, 3 et 4 juillet 1899, nous avons dressé des listes alphabétiques d'après le procès-verbal de la vente (original perdu ; copie dactylographiée, Washington, National Gallery of Art, Gallery Archives, Rewald Papers RG 43, box 68-11), complété par les annotations des catalogues de la vente (ceux de la Bibliothèque centrale des musées nationaux et de la Bibliothèque du musée d'Orsay à Paris). Ces catalogues annotés constituent d'ailleurs, avec quelques rares mentions dans les articles de presse publiant le résultat des ventes, l'unique source de référence pour le mobilier et les objets d'art, puisque le procès-verbal n'a pas été recopié pour cette catégorie d'objets. La tâche se complique du fait de la transcription souvent erronée des noms propres.

Nous avons établi une distinction entre amateurs et marchands, clairement spécifiée dans les notes sur le public assistant à la vente, qui ont été publiées dans la *Gazette de l'Hôtel Drouot*, n° 185-186, 4-5 juillet 1899, et celles du *New York Herald*, du 2 juillet 1899. Il est vrai que cette distinction est parfois arbitraire, car nous avons rangé parmi les « amateurs » les acheteurs inconnus, non répertoriés par ailleurs comme marchands.

Les informations sur chacun d'entre eux, volontairement succinctes, sont issues de la confrontation de l'adresse donnée au procès-verbal, avec les calepins cadastraux parisiens, qui renseignent sur les occupants des immeubles, lorsqu'ils existent (Archives de Paris, D1P4), des listes électorales, l'état-civil et les annuaires contemporains, *Annuaire du Commerce Didot-Bottin* ou *Tout Paris*. Nous avons aussi utilisé le *Petit indicateur de commerce d'art et de curiosités, tableaux, livres, gravures, etc.* que la *Gazette de l'Hôtel Drouot* a publié à partir des 29-30 juin 1899. Quelques références bibliographiques ont été ajoutées.

Amateurs :

Arago : *Delacroix, n° 114*
François Arago (1862-1937), diplomate, réside à l'adresse mentionnée dans le procès-verbal, 57 avenue Montaigne. Il appartient à une famille d'hommes politiques français de premier plan et deviendra lui-même député en 1903. Après avoir abandonné la politique, son grand-oncle, Étienne Arago (1802-1892), demeurera jusqu'à sa mort conservateur du musée du Luxembourg après avoir été, dans sa jeunesse, dramaturge et directeur de théâtre. Il sera aussi ami de nombreux artistes, tel Delacroix, dont il possédait une œuvre.

Baudot (Mlle Jeanne) : *Delacroix, n° 134* (Julie Manet précise que Degas prend part aux enchères pour elle ; voir Manet 1979, p. 239.)
Elle habite encore chez son père, le Dr Émile Louis Baudot (1834-1922), médecin à la Compagnie des Chemins de fer de l'Ouest, 50 rue Taitbout, dont l'adresse est consignée sur le procès-verbal. Peintre, « élève » de Renoir, Jeanne Baudot (1877-1957) a laissé un charmant livre de souvenirs, *Renoir, ses amis, ses modèles,* Paris 1949.

Baulm : *Grande armoire, n° 329*
Peut-être H. Baulm, dont sa collection comprenait en effet aussi des objets d'art : *Vente aux enchères publiques par suite du séquestre sur M. H. Baulm, sujet autrichien […] de belles tapisseries anciennes des* XVIe, XVIIe *et* XVIIIe *siècles, objets d'art et de curiosité.* Vente Paris, 6 à 8 février 1918

Blot : *Cézanne, n° 108 ; Delacroix, n° 61, 138 ; Renoir, n° 97*
En 1899, Eugène Blot (1857-1938) est encore fabricant de bronzes, 84 rue des Archives (adresse notée au procès-verbal), tout en se constituant une collection personnelle axée sur les impressionnistes. Peu après, il ouvrira une galerie au 5 boulevard de la Madeleine, où il présente ses bronzes de Rodin, Camille Claudel, Maillol (en accord avec Vollard), Constantin Meunier et Carabin ; après avoir déménagé 11 rue Richepanse en 1906, il se met également à vendre des tableaux de tous les artistes impressionnistes, post-impressionnistes et nabis. Sa collection ne cessera d'évoluer au travers de nombreuses ventes publiques à Paris en 1900, 1906, 1933 et 1937. Il relate ses souvenirs dans *Histoire d'une collection de tableaux modernes – 50 ans de Peinture (de 1882 à 1932)*, Paris [1934].

Bluzet : *Courbet, n° 38 ; Delacroix, n° 140*
L'adresse s'avérant illisible dans la transcription du procès-verbal (peut-être 6 rue Coëtlogon), nous n'avons pu identifier cet amateur, pourtant cité lui aussi dans le public par la *Gazette de l'Hôtel Drouot.* Il pourrait s'agir d'Alexandre Bluzet (1845-1920), qui a fait carrière dans la préfectorale, mais qui est originaire du Jura, et donc susceptible d'avoir acheté un Courbet.

Camondo : *Cézanne, n° 106 ; Delacroix, n° 112 ; Manet, n° 72*
Isaac de Camondo (1851-1911), issu d'une richissime famille de banquiers anoblie par le pape, s'était déjà attaché depuis plusieurs années à rassembler une collection d'œuvres « modernes », parallèlement à des meubles précieux et des estampes japonaises ; client de Durand-Ruel et de Vollard, auquel il achètera des Cézanne dès 1895, il dispose de gros moyens financiers pour s'assurer la possession d'œuvres exceptionnelles. Fondateur de la Société des Amis du Louvre en 1897, il lègue sa collection à ce musée, où elle prendra place quelques semaines avant le début de la Première Guerre mondiale.

Le *New York Herald* mentionne sa présence à la vente Chocquet, mais l'amateur restera discret : les comptes-rendus de la vente mentionnent les marchands Durand-Ruel et Petit comme adjudicataires de *La Maison du Pendu* de Cézanne et du tableau de Manet, sans identifier l'acquéreur du Delacroix, alors que le procès-verbal le cite nommément ainsi que son adresse, 4 rue Glück, pour le Cézanne et le Delacroix.

Voir *La Splendeur des Camondo, de Constantinople à Paris (1806-1945),* cat. expo., Paris, Musée d'art et d'histoire du judaïsme, 6 novembre 2009 - 7 mars 2010.

Charles : *Table ronde, n° 358*

Chéramy : *Delacroix, n° 52*
Paul Arthur Chéramy (1840-1912), avoué près le tribunal civil de première instance de la Seine, offre souvent ses services professionnels aux artistes et hommes de lettres. Défenseur de Wagner depuis toujours, il est aussi connu pour sa collection, riche en Delacroix, même si les mauvaises langues raillent ses tableaux anciens. Il fait grand cas de Degas, selon Mirbeau, mais rien ne prouve qu'il ait été conquis par l'impressionnisme en général. Habitué des salles de ventes, il est cité comme ayant été présent et adjudicataire à la vente Chocquet (selon des catalogues annotés), mais c'est néanmoins le

marchand Haro qui figure au procès-verbal. Le tableau de Delacroix réapparaîtra à la première vente Chéramy, vente volontaire, à Paris, le 5 mai 1908 (n° 156). Une vente après son décès aura lieu à Paris le 14 avril 1913.

Voir Françoise Heilbrun, « Paul Arthur Chéramy (1840-1912). Un juriste grand collectionneur d'art français dans les fastes années du Paris d'avant 1914 », communication à la Société de l'histoire de l'art français, 19 octobre 2013 (à paraître).

Cherfils : *Monet, n° 148*
L'adresse de cet acquéreur est donnée comme 16 [boulevard] Malesherbes dans le procès-verbal de la vente. Il s'agit, selon toute vraisemblance de Christian Cherfils (1858-1926), homme de lettres, client de Vollard, amateur de Renoir et de Monet, mais aussi de Van Gogh, ami de Paul Signac, lié à la famille Rouart et à Paul Valéry, détesté par André Gide. Converti à l'Islam, il est aussi ami du peintre Étienne Dinet. Il est le fils d'Alphonse Cherfils (1836-1892) de Pau, lié à Degas et Henri Rouart.

Chocquet : *Porcelaine de Sèvres, n° 252*
Il doit s'agir du médecin Dr Émile Chocquet d'Armentières (1870-1935), cousin de Victor Chocquet.

Cosson : *Tassaert, n° 101*
L'adresse consignée, 93 boulevard Malesherbes, correspond à celle d'Henry Cosson ingénieur des arts et manufactures, et Mme Marie, née Mellerio (vers 1852-1937).

Courbet (Mlle Juliette) : *Courbet, n° 39*
Juliette Courbet (1831-1915), sœur du peintre, a consenti un important don à la ville de Paris dont l'œuvre acquise ne fait pas partie.

Courval (Vicomtesse de) : *une table,* hors catalogue
La vicomtesse de Courval, née Mary Ray (1835-1902), était une grande collectionneuse de meubles du XVIIIe siècle à Paris à la fin du XIXe siècle. Elle avait un hôtel rue Paul-Baudry, 6. Sa vente : Sotheby's Paris, 25 mars 2014. Voir vente Courval 2014.

Degas : *Delacroix, n° 46, 55, 113, 116, 119, 133, 142, 169, 172, 175, 179, 182 ; Rouart, n° 154 ; auteur non désigné, aquarelle* hors catalogue (abrégé HC par la suite), PV 123
Le peintre Edgar Degas (1834-1917) est aussi à l'époque l'un des grands collectionneurs d'Ingres, Delacroix, Cézanne, Gauguin et Van Gogh.

Voir cat. expo. New York 1997.

Depeaux : *Morisot, n° 84*
François Depeaux (1853-1920), négociant/industriel de Rouen, est l'un des grands amateurs de l'impressionnisme au cours des années 1890. Il achète beaucoup chez Durand-Ruel. Malgré une première dispersion en 1901, puis la vente forcée, à la suite de son divorce, de sa collection, à Paris, galerie Georges Petit, les 31 mai et 1er juin 1906, Depeaux parvient à léguer un important ensemble d'œuvres de ces artistes au musée des Beaux-Arts de Rouen.

Voir François Lespinasse, « François Depeaux, une grande collection rouennaise » dans *Une ville pour l'Impressionnisme, Monet, Pissarro et Gauguin à Rouen*, cat. expo. Rouen, Musée des Beaux-Arts, 4 juin - 2 septembre 2010 ; Marc-Henri Tellier, *François Depeaux, le charbonnier et les impressionnistes*, Rouen, 2010.

Desmarais (M. et Mme Lucien) : *n° 346, Table-bureau ovale*
Une annotation du catalogue donne « Mme Desmarois » comme adjudicataire, mais *La Gazette de l'Hôtel Drouot*, le *New York Herald* et *Le Matin* signalent M. et Mme Lucien Desmarais (Lucien Desmarais, 1865-1934, industriel, pétrolier, et Germaine Edith Desmarais, née Pavie, 1876-1935) parmi les amateurs assistant à la vente. En 1900, leur adresse est 48 avenue du Bois de Boulogne puis, 11 rue de la Faisanderie.

Deuquey : *Table, n° 359*

Ducret ou **Ducrey :** *Anonyme, Un tableau, Tulipe et raisins, partie du n° 106 ;* Voir aussi, selon la transcription du procès-verbal, *Delacroix, n° 54* censé toutefois avoir été acheté par Degas *; porcelaine, n° 254.*
L'acquéreur du n° 106 donne comme adresse 10 rue Grange-Batelière, à côté de l'Hôtel Drouot, et il pourrait s'agir d'un courtier.

Dufour : *Tassaert, n° 186 ; cafetière, n° 281 ; commode, n° 339*
Le procès-verbal donne comme adresse 16 boulevard Malesherbes, la même que celle de Cherfils.

Escudier : *Monet, n° 80*
Paul Escudier (1858-1931), avocat, conseiller municipal du 9e arrondissement de Paris depuis 1893 et parlementaire à partir de 1910. Beau-frère du peintre Henry Lerolle (1848-1929), ce collectionneur, proche de la famille Rouart, est l'ami de Degas et de Renoir, ainsi que du musicien Ernest Chausson. Il est aussi l'un des premiers défenseurs de Rodin.

Follin : *Anonyme, Un paysage, partie du n° 106*
Selon les minutes de Me Lefrançois, notaire de la succession (voir Rouen, Archives départementales de Seine-Maritime, 2E 104/306), Mlle Eugénie Mélanie Follin, propriétaire à Saint-Valéry-en-Caux, et l'une des héritières de Mme Chocquet, a dépensé 691 francs à la vente ; comme le *Paysage* anonyme a été adjugé 20 francs, elle a dû aussi acheter du mobilier ou des objets.

Forgeron : *Delacroix, n° 45*
Le procès-verbal donne comme adresse 73 rue de Provence. Par ailleurs, il existe un artiste et collectionneur, Alfred Forgeron (1842-1910 ?).

Fouilleul : *Armoire, n° 351*

Futakoff (Mme) : *Porcelaines de Sèvres, n° 218*
Cette dame citée parmi les amateurs par la *Gazette de l'Hôtel Drouot* n'est pas autrement connue (une annotation du catalogue du musée d'Orsay orthographie Mme *Fickakoff*)

Hauguel : *Meuble, n° 328*

Herran : *Delacroix, n° 53*
Selon l'adresse consignée au procès-verbal, un hôtel particulier, 42 rue Cortambert, il s'agit de Mme Émile Herran.

Homberg : *Pendules n° 290, 299*
N'ayant acheté que des pendules, M. Homberg (aussi noté Homber) est peut-être un marchand, mais il existe aussi un célèbre collectionneur d'objets d'art du Moyen Age et de la Renaissance, Octave Homberg (1844-1907), censeur à la Banque de France.

Koechlin : *Monet, n° 78*
Raymond Koechlin (1860-1931) est ami d'Étienne Moreau-Nélaton (1859-1927), peintre, historien d'art et grand donateur des musées nationaux français. Ce dernier assiste à la vente Chocquet mais n'achète rien. R. Koechlin lèguera ses collections à l'État français, notamment le Monet acquis à la vente Chocquet. S'intéressant aux estampes japonaises, mais aussi à l'art musulman et à l'art médiéval français, R. Koechlin vient juste, semble-t-il, d'acquérir ses premières œuvres impressionnistes chez Durand-Ruel en 1897 et 1899 (Degas, Manet) et y poursuivra ses achats jusqu'en 1910. Il achètera notamment un autre Monet en 1904, *Charing Cross Bridge* (Lyon, Musée des Beaux-Arts), ainsi que des Renoir. Cet intérêt pour l'impressionnisme, qu'il partage avec Moreau-Nélaton, lui a peut-être aussi été suggéré par son oncle Jean Dollfus (1829-1911), qui compte parmi les tout premiers amateurs du mouvement. De 1887 à 1902, R. Koechlin dirige les services de politique étrangère du *Journal des Débats*. Fondateur et vice-président de l'Union centrale des arts décoratifs, il sera aussi président de la Société des Amis du Louvre fondée en 1897.

La Redorte (Vicomte et Vicomtesse de) : *Porcelaines de Sèvres, n° 201, 208, 209, 210, 211, commode, n° 337*
L'annuaire mondain *Tout Paris* pour l'année 1899 mentionne le vicomte et vicomtesse de la Redorte, née Abeille, 51 avenue du Bois de Boulogne et Villa Yvonne à Monte-Carlo (Louis-Ernest, vicomte Mathieu de La Redorte, officier supérieur, 1841-1907, marié en 1891 avec Stéphanie-Marie Abeille, 1846-1926, veuve du comte de Gouy-d'Arsy), ainsi que le vicomte Maurice et Mme, née Froissard de Broissia, 3 rue Léonce Reynaud (Maxime Maurice Moore Mathieu, né en 1869, et Marie Eugénie « Simone » de Froissard de Brossia, 1859-1958), mais en l'absence de procès-verbal pour cette catégorie d'objets, et donc d'adresse pour l'adjudicataire, il est impossible de trancher.

?Lattès (ou **Mattes** ou **Laltesse**) : *table bureau de dame, n° 348*
« small table with marqueterie, representing musical instruments, gilt bronze ornaments, 8 500 F (M. Laltesse). This last was the prettiest piece of furniture in the sale » selon le *New York Herald* (édition de Paris) du 5 juillet 1899.

Lefrançois : *Diaz, n° 145*
Il pourrait s'agir du notaire des Chocquet à Yvetot.

Leonino (Baron) : *Porcelaines de Sèvres n° 191, 194, 202, 203, 204, 243*
Il existe deux barons Leonino, tous deux collectionneurs : Emmanuel Leonino (1864-1936) ingénieur civil des mines

(Vice-président de la chambre syndicale des mines métalliques), mais ces pièces ne se retrouvent pas à sa vente, Paris, galerie Charpentier, 18-19 mars 1937 ; et David Leonino (1867-1911), banquier.

Manet (Julie) : *Delacroix, n° 64*
Voir p. 64.

Mathey : *Delacroix, n° 115* et un lot HC de *dessins et croquis*
Il s'agit probablement du peintre Paul Mathey (1844-1929), auteur d'un fort joli dessin de 1882 représentant Degas examinant un dessin ou une gravure (Washington, National Gallery of Art).

Meier-Graefe : *Monet, n° 83*
Julius Meier-Graefe (anciennement Julius Alfred Meier, 1867-1935) est à la fois écrivain, critique et historien d'art. Venu s'installer à Paris à la fin du XIXe siècle, il deviendra le plus grand connaisseur de la peinture française contemporaine. Dans son *Histoire de l'évolution de l'art moderne* (trois tomes, 1904 et 1914–1924), il accorde une place prépondérante à l'impressionnisme français. Formulée dans cet ouvrage mais aussi dans certains autres de ses nombreux écrits, la nouvelle appréciation de la peinture impressionniste (à la fois percée vers les modernes et épilogue de l'art ancien) connaît une vaste diffusion auprès des musées, des marchands d'art et des collectionneurs. Aussi jouera-t-il un rôle décisif dans l'ascension de l'impressionnisme en Europe, notamment en Allemagne. En 1900, il habite au 37 rue Pergolèse, qui est donc son adresse privée. Par ailleurs, il a loué au 2 rue de la paix une boutique baptisée « La Maison moderne », où il officie comme « marchand de meubles », mais il achète aussi des peintures contemporaines, soit pour son propre usage, soit en tant que courtier.

Voir Kenworth Moffett, *Meier-Graefe as art critic*, Munich 1973.

Julius Meier-Graefe, *Kunst ist nicht für Kunstgeschichte da : Briefe und Dokumente*, éd. et commentaire de Catherine Krahmer [et al.], Göttingen 2001

Michel-Levy : *Orfèvrerie, moutardier, n° 283*
La *Gazette de l'Hôtel Drouot* désigne clairement le peintre Henri Michel-Lévy (1844-1914), ami de Degas et collectionneur reconnu de toiles du XVIIIe siècle (même si sa vente des 12-13 mai chez Georges Petit comporte aussi des œuvres de Richard Parkes Bonington et Delacroix). Il fréquente assidûment les ventes aux enchères. Mais le *New York Herald* et *Le Matin* évoquent également la présence de son frère Léon Michel-Lévy, dont la célèbre collection – portant elle aussi sur le XVIIIe siècle – sera presque entièrement dispersée à Paris lors de la vente à la galerie Georges Petit les 17-18 juin 1925.

Montbel (M. de) : *Table, n° 350*

Natanson : *Cézanne, n° 6 ; Dehodencq, n° 44 ; Delacroix, n° 62*
L'adjudicataire donne comme adresse, 85 rue Jouffroy, celle d'Adam Natanson (1829-1908), banquier retiré des affaires, père des trois frères liés à la célèbre *Revue blanche*. En 1899, il commande à Édouard Vuillard des panneaux pour décorer son hôtel particulier de la rue Jouffroy. Cependant, son fils Thadée Natanson (1858-1961) y est parfois aussi domicilié, et le Cézanne tout comme la peinture de Delacroix ont bien figuré à sa vente, qui aura lieu à Paris, à l'Hôtel Drouot, le 13 juin 1908.

Neufville (Baron de) : *Anonyme, Tête de femme, partie du n° 106 ; Delacroix, n° 126, 131 ; Tassaert, n° 187, 188*
L'adresse donnée par l'adjudicataire, 11 rue Ampère, renvoie au baron Jacob-Guillaume de Neufville (1851-1902), banquier, ainsi qu'à Gérard de Neufville (né vers 1880), fils du précédent. Curieusement, le catalogue annoté provenant du comte de Camondo désigne, en contradiction avec le procès-verbal officiel, l'adjudicataire des lots comme « Robert » (voir ce nom).

Pellerin : *Cézanne, n° 12*
Avec cette acquisition d'un Cézanne, l'industriel Auguste Pellerin (1852-1929) oriente résolument ses collections vers cet artiste, dont il sera, après Chocquet, le plus grand collectionneur.

Voir Rewald 507, les essais d'Anne Distel, p. 68 et p. 75, note 162, et de Jayne Warman, p. 93, cat. 13, 20 et 25, le cat. expo. Paris 1910 et la vente Pellerin 1997.

Peytel : *Armoire, n° 357*
Il pourrait s'agir du banquier Joanny Peytel (1844-1924), vice-président de l'Union centrale des arts décoratifs, qui fera don d'objets d'art au Louvre mais aussi d'un Sisley et d'un Carrière. Client de Durand-Ruel et de Bernheim-Jeune, il acquiert au moins un Monet et un Renoir, et contribue en 1911 au don du Rodin, *L'Homme qui marche*, à l'État français.

Pinto : *Courbet, n° 34 ; Monet, n° 74, 82 ; Renoir, n° 96*
Bien que son nom soit diversement écorché (Pennetaud, Pineto), il doit s'agir, en raison de son adresse, 104 avenue Malakoff, d'Adolphe Pinto (vers 1850-1921), banquier, alors âgé d'une cinquantaine d'années, peut-être d'origine sud-américaine. C'est probablement le même amateur qui a acheté aux récentes ventes Sisley (1er mai 1899) et Doria (4 mai 1899) des œuvres de Corot, Fantin-Latour, Tassaert, Sisley, témoignant ainsi d'une grande cohérence dans ses goûts. Son épouse, d'origine grecque, est née Chariklea Sinadino (1858-après 1902), et un Sinadino est aussi nommé au procès-verbal de la vente Chocquet.

Raty : *Delacroix, n° 120 ; Jacquemart, n° 146*
D'après le procès-verbal de la vente, M. Raty réside 5 rue d'Alençon.

Reyre : *Anonyme, Un tableau Entrée de bois, partie du n° 106 ; Dehodencq, n° 42*
L'adresse donnée par l'adjudicataire, 34 rue de Chateaudun, correspond bien à celle d'un certain Alfred Reyre qui semble avoir été à la tête d'un négoce de cacao.

Roche : *Delacroix, n° 137*

Rouart (Henri) : *Delacroix, n° 124, 170, 177*
L'adresse indiquée, 34 rue de Lisbonne, permet d'identifier Henri Rouart (1833-1912), industriel, peintre, ami de Degas et l'un des premiers amateurs de l'impressionnisme. Toutefois, ces œuvres ne se retrouvent pas aux ventes posthumes de l'amateur en 1912 et 1913. Julie Manet évoque particulièrement sa présence et celle de son fils Ernest à la vente Chocquet (voir l'essai d'Anne Distel, p. 28, et Distel 1989, p. 177-187).

Rouart (Alexis) : *Delacroix, n° 125, 130*
Alexis Rouart (1839-1911), ingénieur, est clairement désigné par son prénom pour le différencier de son frère Henri Rouart.
Voir Distel 1989, p. 187-190.

Sainsère : *Cézanne, n° 107*
L'adresse consignée au procès-verbal de la vente, 30 rue de Miromesnil, confirme l'identification d'Olivier Sainsère (1852-1923), conseiller d'état depuis 1897. Président de l'Association des Amis du musée du Luxembourg (le musée d'art contemporain parisien à l'époque), vice-président de l'Union centrale des arts décoratifs, Sainsère est un ardent défenseur de l'art contemporain aussi bien en ce qui concerne les objets d'art (Chaplet, Charpentier, Daum, Gallé) que la peinture et les arts graphiques (les Impressionnistes, Gauguin, Toulouse-Lautrec, Redon, les Nabis, les Fauves et enfin Picasso, dès 1905).

Saint Joaquim (Baron de) : *Delacroix, n° 56*
Le procès-verbal de la vente a consigné le nom de « M. Joaquin, 9 rue Godot de Mauroy », mais il doit bien s'agir du Baron de Saint Joaquim, cité par la presse parmi les amateurs assistant à la vente Chocquet.

Sinadino : *Delacroix, n° 63, 65 ; bronze, paire de flambeaux-colonettes, n° 305*
Voir Pinto.

Sinet : *Delacroix, n° 48*
Il doit s'agir du peintre André Sinet (1867-1923), qui vient de présenter une exposition chez Vollard en mai 1899 et dont Félix Fénéon dit : « M. Sinet connaît les bons peintres de la vie moderne ; il a de la piaffe et une habileté un peu simiesque ; c'est un amateur intelligent, bien fait pour être prôné aux thés de cinq heures » ; il semble en tout cas avoir payé cher un tableau considéré aujourd'hui comme une réplique.

Voir Félix Fénéon, *L'En-dehors*, 12 février 1893, dans *Œuvres plus que complètes*, éd. Joan U. Halperin, t. I, Paris-Genève, 1970, p. 218.

Viau : *Cézanne, n° 3 ; Delacroix, n° 122, 123, 160, 180, 183 ; Monet, n° 76*
George [sic] Viau (1855-1939), chirurgien-dentiste, client de Durand-Ruel et de Vollard, achète aussi directement aux artistes qu'il connaît, notamment Pissarro, Monet, Renoir, Sisley, puis les Nabis. Sa collection ne cessera d'évoluer au cours des ventes successives à Paris (4, 21, 22 mars 1907 ; 6-7 décembre 1909 ; 15 octobre 1930) et sera dispersée après sa mort (1942, 1943, 1948).

Vrignault (Mme) : *Orfèvrerie, porte-huilier, n° 285 ; table de nuit, n° 343, secrétaire, n° 353, petit meuble-toilette, n° 360 ; meuble-vitrines, n° 362 (aussi annoté comme acquis par Mazembert) et 364 ; guéridon, n° 367*
Il s'agit peut-être d'une marchande.

Marchands :

Baloy : *Pendule, n° 296, 297 ; bronzes, paire de candélabres, n° 301 ; bureau, n° 342*
Mme Baloy, Curiosités, 80 rue Saint-Lazare, depuis 1885

Behrendt : *Cézanne, n° 26*
Expressément cité parmi les marchands par la *Gazette de l'Hôtel Drouot*, ce Behrendt n'a pas donné d'adresse, étant probablement connu des clercs comme courtier ; peut-être a-t-il servi d'intermédiaire pour Bernheim Jeune, qui possèdera ce tableau peu après.

Bernheim Jeune : *Anonyme, Rocher (tableau), partie du n° 106 ; Cézanne, n° 2, 16, 18, 19, 27, 109 ; Courbet, n° 35 ; Delacroix, n° 60, 67 ; Manet, n° 70, 71 ; Renoir, n° 88, 90, 93*
Alexandre Bernheim Jeune (1839-1915), ainsi nommé pour se distinguer de ses frères Meyer (1825- ?) et Aaron (1829- ?), qui ont également exercé le commerce de tableaux depuis les années 1860, s'est d'abord établi, comme eux, à Bruxelles, où il est encore répertorié dans les annuaires commerciaux en 1878.

Il s'installe à Paris, 16 boulevard Montmartre, au printemps 1878 (il quittera définitivement ce magasin en 1882) puis, à l'automne 1880, 8 rue Laffitte (son appartement est situé au 5 de la même rue). N'occupant, au début, qu'une des deux boutiques de l'immeuble, à droite de la porte cochère, la galerie annexe la seconde (1882-1898) tout en disposant de remises dans la cour et d'un appartement au premier étage dès 1884. Son activité à cette adresse scellera son succès et sa spécialisation dans l'« école moderne ». Les artistes présentés incluent Ribot, Courbet, Corot, Ziem, Diaz, Barye, Daumier, Millet, Louis Dumoulin et De Nittis. Dès 1889, Alexandre Bernheim ouvre une succursale, 36 avenue de l'Opéra, qu'il occupe toujours en 1899.

En 1892, Alexandre s'adjoint son fils Joseph (« Josse ») et son neveu Jos Hessel, puis, en 1899, s'associe à ses deux fils, Josse et Gaston, son neveu J. Hessel étant nommé à la tête de la succursale de l'avenue de l'Opéra, aux bénéfices de laquelle il est intéressé. C'est au cours de la dernière décennie du XIXe siècle, et sous l'impulsion de la nouvelle génération d'associés, que Bernheim Jeune s'intéresse aux impressionnistes, rivalisant avec Durand-Ruel et Georges Petit. Bien vite, la galerie s'intéresse également à Cézanne et Van Gogh, tout comme Vollard aux Nabis, aux néo-impressionnistes et à Matisse.

En 1898, Bernheim Jeune quitte la rue Laffitte pour le 1 rue Scribe ; en avril 1907, le magasin principal est transféré 25 boulevard de la Madeleine (qui communique avec le 15 rue Richepanse, dont Félix Fénéon est le responsable).

Deux fils d'Aaron Bernheim ont également exercé l'activité d'expert et de marchand de tableaux à la même époque à Paris. Il s'agit respectivement d'Emile Bernheim (1865- ?) et de Georges Bernheim (1871- après 1939), mais aucun d'eux ne prendra part à la vente Chocquet.

Boudillé : voir Guillé.

Caillot : *Faïence, n° 275*
Léonce Caillot, 17 rue La Fayette, Faïences et porcelaines anciennes, curiosités et objets d'art. Sa collection était vendue en 1934 : voir vente Caillot 1934.

Chaumont : *Porcelaine, n° 256, 269*
Chaumont, 35 boulevard Haussmann, spécialité de faïences et porcelaines anciennes

Dennery (Mme) : *Porcelaine de Sèvres, n° 197, 198, 229, 240, 242 ; commode, n° 366*
Dennery, 49 rue Laffitte, objets d'art et de curiosités

Madame Madeleine Dennery, née Remer (vers 1851), est la veuve de Benjamin Dennery, antiquaire (1835-1897). Leur fils, Jules Dennery, est également antiquaire.

Desaché : *Porcelaine de Sèvres et autres, n° 193, 196, 223, 273 bis ; bronzes, paire de candélabres, n° 300*
Gaëtan Desaché, 51 rue Cambon, marchand en chambre, « marchand de curiosités en tout cas n'est pas en boutique ».

Doucet (Mme) : *Orfèvrerie, ménagère, n° 286 ; pendule, n° 293 ; bronzes, paire de candélabres, n° 303, petit miroir, n° 309 ; table tric-trac, n° 331*
A. Doucet, 5 rue Drouot, Curiosités, ameublement ancien, tapisseries, maison à Trouville

Doucet est signalé comme marchand de meubles et de curiosités en boutique au 5 rue Drouot dès 1877, et le nom de Mme Doucet apparaît dès 1891.

Durand-Ruel : *Anonyme* [Corot selon archives Durand-Ruel], *La femme en noir tableau, partie du n° 106 ; anonyme* [d'après Prudhon selon archives Durand-Ruel], *Tête de femme (tableau), partie du n° 106 ; Cézanne, n° 1, 4, 5, 8, 9, 10, 13, 14, 15, 17, 20, 28, 29, 30, 31, partie du n° 106, La Maison du pendu par Cézanne* (pour Camondo) *; Courbet, n° 36, 37 ; Delacroix, n° 47, 58 ; école espagnole, n° 105 ; Manet, n° 69 ; Monet, n° 79, 81, partie du n° 106, Paysage ; Morisot, n° 85, 86, 150 ; Pissarro, n° 87 ; Renoir, n° 89, 91, 95, partie du n° 106, portrait de M. Chocquet, 152*
Durand-Ruel et fils, tableaux, 16 rue Laffitte et 11 rue Le Peletier ; 35 rue de Rome (domicile)

Paul Durand-Ruel (1831-1922) saura, parallèlement à Bouguereau, Cabanel, Bonnat et Baudry, apprécier Millet, Corot, Delacroix, Rousseau, Courbet et Puvis de Chavannes. Dès le début des années 1870, il acquiert des œuvres de Manet et des futurs impressionnistes, et s'en fait l'ardent défenseur. Au moment de la vente Chocquet, il est associé à ses fils, Joseph (1862-1928) et Georges (1866-1931) ; il commence enfin à recueillir les fruits de ses choix artistiques visionnaires, même s'il doit composer avec Bernheim Jeune, avec lequel il est de moitié dans plusieurs acquisitions à la vente Chocquet. On a souvent dit que Durand-Ruel s'était peu intéressé à Cézanne, mais la vente Chocquet témoigne d'une attitude plus nuancée, le marchand étant averti de l'intérêt de certains de ses clients pour cet artiste, mis à l'honneur depuis peu par Vollard. On peut aussi rapporter les propos de Joseph Durand-Ruel qui, le 16 octobre 1920, fait visiter l'appartement, rue de Rome, à René Gimpel (Gimpel 1963, p. 180) : « Tous nos Cézanne sont signés, plusieurs viennent de son ami Chocquet, un pauvre employé qui se ruinait à acheter des impressionnistes et dont la vente fit trois cent mille francs. Aujourd'hui, elle atteindrait trois millions. »
Voir cat. expo. Paris/Londres/Philadelphie 2014.

Foinard : *Anonyme, un tableau Fleurs, partie du n° 106 ; anonyme, Tête de fillette, partie du n° 106*
Achille Foinard, 4 rue Volney Tableaux anciens et modernes

Bien que l'on n'ait pu recueillir de détails biographiques sur ce marchand, il s'agit d'un acteur très actif du marché parisien à cette époque, s'intéressant notamment aux impressionnistes ; deux ventes après le décès de M. Foinard ont eu lieu à Paris, à l'Hôtel Drouot, les 7 décembre 1918 et 27-28 février 1919.

Girard : *Porcelaine de Sèvres, n° 238 ; meubles, n° 323, 326*
Peut-être *L. Girard, Antiquités à Monte-Carlo*

Guillé : *Faïence, n° 278*
Guillé et Boudillé sont tous deux nommés pour cette acquisition, Guillé étant seul mentionné parmi les marchands par la *Gazette de l'Hôtel Drouot*, inconnu par ailleurs.

Haro : *Delacroix, n° 49, 50, 51, 52, 57, 59, partie du n° 106, Un tableau par Eugène Delacroix, Fleurs, 117, 118, 121, 127, 129, 132, 136, 141, 143, 144, 161, 163, 165, 166, 167, 168, 171, 173, 176, 181 ; porcelaine de Sèvres, n° 241* et un lot HC de *six cadres en bois sculpté.*
Haro et Cie, Peintres-experts, restaurateurs de tableaux du Ministère des Travaux publics et de la Ville de Paris ; direction de ventes publiques ; galeries de tableaux anciens et modernes ; 14 rue Visconti et rue Bonaparte 20

Le nom de Haro revient souvent dans le monde du marché de l'art dès le milieu du XIXe siècle. Le premier du nom, Étienne François Haro (1827-1897), dit Haro père, élève d'Ingres et de Delacroix, qui se fournissaient tous deux dans la boutique familiale de fournitures pour peintres et utilisaient ses services de rentoileur, est le plus connu. Devenu « restaurateur des tableaux du ministère des travaux publics et des Tuileries », il sera nommé chevalier de la légion d'honneur en 1867. Dès cette époque, il est déjà très présent dans les ventes publiques comme directeur de ventes, rédacteur de catalogues de ventes et expert, tout en se lançant, avec Ingres, dans un important commerce de tableaux modernes. Il cède son affaire à ses fils, Jules et Henri (Haro et Cie, 14 rue Visconti et 20 rue Bonaparte), mais Jules meurt prématurément en 1892, laissant Henri qui exercera jusqu'à son propre décès en 1911. C'est donc Henri Haro (1855-1911), lui aussi formé comme peintre auprès de Carolus-Duran, qui est présent à la vente Chocquet, achetant exclusivement des Delacroix, dans la droite ligne de l'héritage familial. Sa collection sera dispersée à l'Hôtel Drouot les 12 et 13 décembre 1911.

Hauterive (d'): *Anonyme, Une plage ; anonyme, Une plage, falaise au bord de la mer ; anonyme, Bord de mer, tableau, parties du n° 106 ; Bourgeois de Mercey, n° 73 ; Courbet, n° 40, 33, 159 ; Monet, n° 77, 149, 147 ; Tassaert, n° 99, 100*

M. d'Hauterive est clairement cité par la *Gazette de l'Hôtel Drouot* parmi les marchands ; l'adresse qu'il donne, 51 rue du Faubourg Poissonnière, est celle de Charles Auguste Pitet, marchand bronzier mais aussi « marchand de tableaux pour l'Amérique et la Russie » en même temps qu'il exerce un commerce de pinceaux et fournitures pour artistes. La résidence privée de ce dernier est située dans un immeuble luxueux, 12 rue Clément Marot, où réside également un d'Hauterive, dont un annuaire parisien précise qu'il est un ancien officier ; une annotation du calepin cadastral mentionne qu'il est « gendre d'Al. Dumas », ce qui nous incite à identifier ce courtier comme Ernest Lecourt d'Hauterive (1864-1957), sous-lieutenant du 4ᵉ régiment de chasseurs à cheval en 1890, et gendre d'Alexandre Dumas fils, décédé en 1895, mais qui avait été en relation avec Chocquet pour ses Tassaert (voir l'essai d'Anne Distel, p. 63).

Hébert : *Porcelaine de Sèvres, n° 192, 213*

Veuve Hébert, née Bosset [ou Basset] brocanteur, 7 rue Berzélius, active à partir de 1883.

Helft (Mme) : *École française, n° 155 ; orfèvrerie, porte-huilier, n° 284*

Helft (J.), 16 rue de Provence, Curiosités, objets d'art, argenterie, diamants, tapisseries, meubles anciens

Et/ou *Helft (Léon* [1850-1932]*), A la vieille Bretagne, 34 rue La Fayette tapisseries, argenterie ancienne, objets d'art*

Hessel : *Cézanne, n° 22*

Jos (Joseph) Hessel (1859-1942) – à ne pas confondre avec Ch. Hessèle 13, puis 54 rue Laffitte, qui s'occupe surtout d'estampes – est le neveu et l'associé d'Alexandre Bernheim Jeune ; en 1891, il épouse Lucy Reiss (1869-1941), égérie de Vuillard. Après la première Guerre mondiale, Jos Hessel possèdera sa propre galerie, rue La Boétie.

Houzeau : *Porcelaine de Sèvres, n° 195 ; faïence, n° 280 ; pendule, n° 298*

Hyacinthe-Antoine Houzeau, « *Au Vieux Paris* », *4 rue de la Paix, bijoux anciens, objets de valeur, meubles, porcelaines et faïences anciennes*, associé de demoiselle Billet Julie, marchand d'objets de curiosité dès 1887.

Jacob : *Pendule, n° 292 ; lit à baldaquin, n° 325, table de nuit, n° 333, petite table de dame, n° 334, table-bureau, n° 344, petit bureau, n° 347*

Ferdinand Jacob, expert en objets d'art, 53 rue de Chateaudun

Keller : *Porcelaine de Sèvres, n° 219, 236, 246*

L. Keller, 86 boulevard Haussmann, Objets d'art et curiosités

Le Roy : *Porcelaine de Tournai, n° 265, 266, 267*

Le *New York Herald* (édition de Paris) du 5 juillet 1899 précise que l'acheteur est le marchand bien connu de Bruxelles, les amateurs de porcelaine de Tournai se trouvant en Belgique : *J. et A. Le Roy à Bruxelles (Belgique) et E. Le Roy, 2 rue Gluck, Paris.*

Lévy : *Bronzes, paires de flambeaux, n° 304, 307*

Il pourrait s'agir de *Levy (Sylvain), Curiosités et objets d'art, 60 rue de Provence* ou de *Lévy, Curiosités, 18 rue Laffitte.* Toutefois, la note renvoie peut-être à Michel-Lévy (voir ce nom parmi les amateurs).

Lyon fils [sic] **:** *Porcelaine de Sèvres et autres, n° 227, 253, 260 ; six fauteuils, n° 314 ; meuble, n° 335 ; table-bureau, n° 341 ; meuble-toilette, n° 361*

Probablement *Salomon Lion, 46 rue Laffitte, Curiosités, tapisseries, spécialité de meubles et objets du* XVIIIᵉ *siècle*, actif à partir de 1886.

Mannheim : *Porcelaine de Sèvres, n° 220 ; commodes, n° 336, 338*

Au moment de la vente Chocquet, l'expert Charles Mannheim (1833-1910) est l'un des vétérans de la profession, ayant débuté en 1852 et étant devenu expert en 1862. Disposant de locaux 7 rue Saint Georges, il sera le voisin de Francis Petit et restera en affaires avec son fils Georges Petit après son installation rue de Sèze. Son père, Sigismond Mannheim, décédé en octobre 1880, avait déjà été un expert en objets d'art de premier plan, très présent dans les ventes publiques entre 1825 et 1868, disposant en outre d'un magasin rue de la Paix où officiait son épouse. Charles Mannheim rassemble lui aussi une collection remarquable d'objets d'art depuis la Renaissance, dont le conservateur du Louvre, Émile Molinier, rédige le catalogue en 1898. Les œuvres françaises de cet ensemble sont présentées à plusieurs expositions universelles et, notamment celle de 1900, à l'issue de laquelle Charles Mannheim est nommé chevalier de la Légion d'honneur. Mannheim agit comme expert dans toutes les grandes ventes de l'époque, et son intervention dans la vente Chocquet est un indice de la qualité de son contenu en matière d'objets d'art.

Marceau : *Porcelaine de Sèvres, n° 231, 234, 235*
Probablement *Marceau, Curiosités, 100 rue de Rennes*

Mayer (Salvator Mme) : *Delacroix, n° 66 ; Tassaert, n° 102 ; Renoir, n° 184*
En 1885, Saul [Salvator ou Salvador] Mayer (1847-1896) est déjà locataire d'une boutique, 5 rue Laffitte, où il vend des estampes, puis des tableaux, et où se retrouvent des hommes de lettres et de théâtre, tels Alexandre Dumas, Jules Claretie, Paul Eudel, Victorien Sardou ou Roger Marx ; à son décès, à 48 ans, le 31 mars 1896, sa veuve, née Rachel Oppenheim (1861-1904), lui succède demeurant active à la même adresse au moins jusqu'en 1912.

Gazette de l'Hôtel Drouot, n° 93-94, 2-3 avril 1896 (nécrologie)

Moline : *Anonyme, Le faucheur, partie du n° 106*
Le magasin du 20 rue Laffitte, adresse notée pour Moline au procès-verbal de la vente Chocquet, géré par Lucien Moline, est d'abord investi en 1893 par les néo-impressionnistes, avec l'appui financier du comte Antoine de La Rochefoucauld, mais Moline le reprend à lui seul dès le début de 1895, pour organiser des expositions diverses. Selon les listes électorales pour le 9e arrondissement (1900), Lucien Aaron Moline est né à Bordeaux le 12 mars 1858, mais il n'a pas été possible de retrouver l'acte de naissance à Bordeaux. Il et mort à Paris en décembre 1929. Pissarro comme Durand-Ruel en disent peu de bien. Moline est cependant très au fait du monde artistique, entretenant aussi bien des contacts avec Monet et Renoir qu'avec Toulouse-Lautrec. En 1900, il organise une exposition Eugène Murer (avec Vollard et Gaston-Alexandre Camentron, il avait liquidé la collection Murer en 1896-1897).

Montaignac : *Corot, n° 32 ; Monet, n° 75 ; Renoir, n° 92 ; Tassaert, n° 103*
Bras droit de Georges Petit au début des années 1880, Isidore Montaignac (1851-1924) deviendra administrateur de la Société des galeries Georges Petit à la mort de ce dernier en 1920. C'est peut-être lui, d'ailleurs, qui encourage Petit à développer ses liens commerciaux avec les impressionnistes. Il mène ensuite à son compte des transactions avec Monet (voir note provenant des papiers Monet, Paris, Musée d'Orsay, ODO 2007-1-150, qui consigne des achats en 1892, 1895, 1896, 1898, 1899), Sisley et Pissarro dès le début des années 1890, disposant d'un local personnel, 9 rue Caumartin, depuis 1886. Mais il agit souvent en association avec Boussod, Durand-Ruel ou Petit. Correspondant parisien de James F. Sutton de l'American Art Association, jusqu'à la dissolution de la société en 1895, Montaignac séjournera plusieurs fois à New York et encouragera des collectionneurs américains à acheter des Monet.

De son vivant, il prend la décision de disperser à Paris, galerie Georges Petit, les 3 et 4 décembre 1917, la collection qu'il s'était constituée. Outre un groupe de « petits maîtres » contemporains, le choix des œuvres reflète étroitement les orientations de la galerie Georges Petit depuis ses origines, notamment celles définies par les « Expositions internationales » qui feront son renom. Il semble que la collection ait été achetée en bloc par des marchands danois, puis expédiée à New York. Montaignac possédait encore à son décès des tableaux et des objets d'art, dont une pendule d'Étienne-Maurice Falconet. Il désigna comme héritier son neveu, Émile Madoulé, qu'il avait fait entrer chez Petit, et quelques toiles de cet héritage seront vendues à l'Hôtel Drouot, le 28 novembre 2008.

Petit : *Delacroix, n° 110, 162, 164, 174 ; Manet, n° 68, 72* (pour Camondo) *; Sisley, n° 98 ; porcelaine n° 273 ; meuble-toilette, n° 355 ; table Tronchin, n° 356 ; petite table, n° 365*
Georges Petit (1856-1920) a largement profité de l'héritage de son père Francis Petit (1817-1877), expert et marchand parisien célèbre et prospère installé au 7 rue Saint-Georges depuis 1866. Son coup d'éclat sera l'ouverture, en 1882, de son établissement luxueux, rue de Sèze, où auront lieu désormais la plupart des ventes publiques importantes, qui attireront une foule élégante, tout comme les expositions artistiques de prestige qu'il organisera. Malgré une orientation évidente vers des formes d'art désormais consensuelles (les grands noms des générations passées, de Delacroix à Millet, et l'École de Barbizon) et académiques, Petit s'intéresse à la peinture étrangère contemporaine ainsi qu'aux impressionnistes, notamment Monet et Sisley, dont il devient l'agent après une brouille avec Durand-Ruel, son rival parisien. Malgré l'apport d'associés successifs (dont Bernheim Jeune ou Montaignac), Georges Petit n'échappe pas aux difficultés financières, mais son affaire lui survivra jusqu'à la dissolution des galeries Georges Petit en 1933.

Robert : *bronze, paire de candélabres, n° 302*
Le *New York Herald* du 29 juin 1899 mentionne avec les résultats de la vente Sichel le nom de M. Robert comme acheteur de boiseries de grand prix (voir Neufville).

Rosenberg : *Anonyme, un tableau « Pêches » ; un portrait homme, partie du n° 106 ; école française, n° 158 ; Cézanne, n° 11 ; Delacroix, n° 139 ; Pissarro, n° 151 ; Renoir, n° 94 ; commode, n° 340*
Au moment de la vente Chocquet, c'est encore Alexandre Rosenberg (1845-1913) qui préside aux destinées de sa galerie, dans un hôtel particulier du 77 Faubourg Saint-Honoré. À la naissance de son fils aîné, en 1879, il est encore commissionnaire en grains, puis il exercera le commerce d'antiquités, ne se consacrant aux tableaux modernes que vers la fin du siècle. Il se retirera en 1905 ou 1906 au profit de ses fils Léonce (1879-1947) et Paul (1881-1959). Ceux-ci, installés d'abord 38 avenue de l'Opéra, ouvriront chacun leur galerie, promises à un brillant avenir quelques années plus tard, Paul, 21 rue La Boétie (1912 ou 1914) et Léonce, 19 rue de la Baume (1914).

Salomon (J.) : *Porcelaine de Sèvres, n° 200, 216*
Probablement *Jules Salomon, 14 rue de Provence, antiquaire, objets d'art, curiosités* (mais il existe plusieurs marchands de ce nom).

?**Salvator :** peut-être pour Mme Salvator Mayer (voir ce nom) : *Delacroix, n° 135, 178 ; Rouart, n° 153 ; Rousseau, n° 185*

Stettiner fils : *Porcelaine de Sèvres, n° 189*
Vraisemblablement *Stettiner, 7 rue Saint-Georges, Objets d'art et d'ameublement*. La maison, fondée par Henri Jules Stettiner (1842-1913), fut transmise à ses deux fils Alphonse (1876-1966) et Oscar (1878-1948) ; ils figurent entre 1909 et 1912 comme acheteurs surtout de porcelaine, mais aussi de tableaux anciens.

Vollard : *Anonyme, Un tableau, bord de rivière, partie du n° 106 ; Daumier, n° 41 ; Dehodencq, n° 43 ; Delacroix, n° 111 ; Cézanne, n° 7, 21, 23, 24 ; École française, n° 22, 157*
En 1899, Ambroise Vollard (1866-1939) est déjà un marchand en vue, bien qu'il n'ait ouvert sa première boutique, rue Laffitte, qu'en 1893 ; en 1896, il se fixe au n° 6, qui deviendra célèbre parmi les amateurs et les artistes comme un haut lieu de l'avant-garde jusqu'en 1914. S'intéressant aux impressionnistes, il a déjà monté aussi en 1895 une première exposition consacrée à Cézanne, puis une autre à Vincent van Gogh. Il ne tarde pas à exposer également Gauguin et les jeunes Nabis. Son éclectisme lui attire des amateurs français et étrangers. Parmi les clients qui lui ont acheté des Cézanne, Camondo, Viau, Sainsère et Blot sont aussi présents à la vente Chocquet. Après 1900, Vollard connaît son plein essor, faisant fortune grâce à Cézanne, mais donnant aussi leur première chance à Picasso, Matisse, Rouault, Maillol, Van Dongen, Vlaminck et Derain.

Voir cat. expo. New York/Chicago/Paris 2006.

Woernitz : *Pendule, n° 291*
Dès 1873, *Jules Woernitz* ouvre une grande boutique à l'angle de la rue du Mont-Thabor, *Curiosités, 5 rue Castiglione*.

Inventaire après le décès de Madame Veuve Chocquet, 4 avril 1899 – essai de reconstitution de la Collection Victor Chocquet

Anne Distel

Afin de donner l'idée la plus complète possible de la collection de Victor Chocquet, le tableau qui suit tente de mettre en regard des rubriques suivantes:

- L'*Inventaire après le décès de Mme Chocquet*, à son domicile parisien rue Monsigny, établi par Me Huguenot, notaire à Paris, en avril 1899 (Archives de Me Perinne, notaire à Paris) reprises dans la colonne de gauche*.
- Les œuvres présentées à la vente Chocquet Petit sont consignées dans la colonne du centre ; lorsque l'œuvre n'est pas reproduite dans ce catalogue, nous en avons repris la description, ce qui donne aussi un échantillon amusant de ce genre oublié et une idée de l'interprétation que l'on se faisait des œuvres autour de 1900 ; la référence au catalogue est complétée par le procès-verbal de la vente (PV), qui donne le nom de l'acquéreur, le prix d'adjudication (d'après la copie du procès-verbal à Washington, National Gallery of Art, The Gallery Archives, RG 43 Rewald Papers, Box 68, Folder 68-11). Pour le mobilier, pour lequel nous ne disposons pas du procès-verbal, il est fait référence aux résultats publiés dans la presse et aux catalogues annotés de la vente.
- Dans la colonne de droite est proposée l'identification avec référence au catalogue raisonné de l'artiste cité en abrégé, la mention, lorsqu'elle est connue, de la date d'acquisition par Victor Chocquet et la localisation actuelle. Nous avons également fait figurer dans ce commentaire la référence, lorsqu'elle est avérée, à la deuxième vente parisienne de la succession Chocquet, la vente Chocquet Drouot (sans catalogue) et dont le procès-verbal est perdu mais connu par les publicités légales, au cours de laquelle fut dispersé tout ce qui figure à l'inventaire, non vendu chez Petit.

Pour les œuvres de Cézanne et de Delacroix, les plus nombreuses, John Rewald et Lee Johnson ont jadis proposé des identifications reprises et augmentées par Jayne Warman et Arlette Sérullaz dans leurs essais. La désignation vague des œuvres dans l'inventaire nécessitant souvent de proposer plusieurs options, les identifications n'ont été reportées dans le tableau que pour les quelques cas sans équivoque et nous renvoyons le lecteur aux essais particuliers. Anne Forray-Carlier a fait également quelques propositions pour le mobilier malgré la difficulté à identifier des pièces sommairement décrites et jamais reproduites.

* Pour une lecture plus aisée, nous avons introduit des alinéas qui n'existent pas dans l'original. De même, les prix ne sont donnés qu'en chiffres et les montants récapitulatifs en bas de page ne sont pas repris.

Inventaire après le décès de Mme Vve Chocquet : prisée du mobilier [commencée le] 4 avril 1899	Catalogue de vente, *Tableaux modernes* [...], *par suite du décès de Mme Vve Chocquet*, Paris, Galerie Georges Petit, 1er, 3, 4 juillet 1899 avec indication de l'acquéreur selon procès-verbal de la vente (la description du catalogue est reprise lorsque l'œuvre n'est pas reproduite)	Commentaire incluant les références aux catalogues raisonnés des artistes et la localisation actuelle et, éventuellement rappel de la deuxième vente parisienne par suite de la succession de Mme Vve Chocquet, Paris, Hôtel Drouot, 5 juillet 1899
REZ-DE-CHAUSSÉE		
VESTIBULE		
Un porte manteau en chêne, deux petits fauteuils Henri II, une chaise en noyer, une table, une banquette le tout en noyer sculpté Le tout prisé 180 F	N° 319, *Banquette oblongue en bois sculpté, à quatre pieds griffes*, 240 F	
Une horloge à gaine Louis XIV en bois sculpté Prisée 80 F		
Une fontaine en cuivre et support Prisés 30 F	N° 310, *Fontaine et bassin en cuivre rouge du XVIIIe siècle, avec support-applique en chêne sculpté à fleurettes*, 210 F	
CUISINE		
Vingt ustensiles de cuisine de cuivre et de fer émaillé, un broc, deux sceaux [sic], *environ cinquante pièces de vaisselle, verrerie, deux chaises paillées, deux chaises en noyer, une table en hêtre, une table à volets en chêne* Le tout prisé 12 F		Probablement dans la vente Chocquet Drouot
SALON À DEUX FENÊTRES SUR RUE		
Une crédence Louis XIII en chêne sculpté, pieds cariatides, *une armoire Louis XV à deux corps forme arrondie en chêne sculpté, une petite table Louis XIV en chêne sculpté, une petite armoire ancienne à une porte grillagée, un paravent à quatre feuilles cuir et peluche, un bahut Louis XIII en noyer sculpté, un meuble Henri II noyer sculpté à trois corps* Le tout prisé 1 400 F	N° 328, *Meuble Louis XIII, en bois sculpté, à deux portes sur console à fond plein, à deux tiroirs et pieds cariatides ; les portes sont ornées de personnages dans des niches et la corniche est décorée de draperies et d'un mascaron*, 370 F à Hauguel ? N° 323, *Meuble en noyer sculpté du XVIe siècle, muni de trois portes [...]*, 710 F	Paravent probablement dans la vente Chocquet Drouot
Un grand fauteuil Louis XIII tapisserie, onze chaises styles Louis XIII Louis XIV bois sculpté Le tout prisé 220 F		Chaises « de style » probablement dans la vente Chocquet Drouot
Une vitrine style Louis XVI bois rose garni de bronzes Le tout prisé 250 F	N° 362, *Meuble vitrine en bois de rose, garni de bronzes*, 600 F à Vrignault ou N° 364, *Meuble-vitrine en bois de placage, garni de bronzes*, 1 000 F à Mme Vrignault	
Dans la vitrine : *quinze tasses et soucoupes en porcelaine de Sèvres et autres, deux corbeilles Barbot, quatre carafes en cristal, quatre compotiers en vieux Sèvres, une assiette Sèvres décor fleurs, deux salières doubles et deux simples en Sèvres, six confituriers et un plateau en [?ocrée], six confituriers et un plateau en porcelaine de l'Inde, une jardinière barbot, douze couteaux manche de Saxe, sept pièces tasses pots à crème, bols porcelaines diverses* Le tout prisé 800 F [ajournement de l'inventaire qui sera repris samedi 15 avril 1899]		

Six assiettes Sèvres et Chine, huit assiettes Sèvres filet bleu et or, huit assiettes en [?loere], seize assiettes et compotiers porcelaines diverses et sept pièces poëlon, pot à lait, tasse, écuelles en porcelaine Le tout prisé 200 F		
Quatre assiettes porcelaine de Sèvres et de Tournay décorées, trois soupières et leurs plats, deux raviers, un broc et un bol porcelaine blanche et or Le tout prisé 50 F		
Vingt assiettes porcelaine de Sèvres à fleurs bleues et autres décors, quatre vingt sept assiettes diverses porcelaine décorée, un bol Sèvres, dix pots à crème, une théière, une saucière porcelaine ancienne Le tout prisé 350 F		
Un chien porcelaine Saxe moderne Prisé 20 F		Probablement dans la vente Chocquet Drouot
Une table ronde acajou garnie de bronzes (style Louis XVI) Prisée 100 F	N° 358, *Table ronde du temps de Louis XVI, en acajou, garnie de rudentures et cordons de perles en bronze*, 980 F à Charles	
Une pendule Louis XVI, bronze doré figures d'amours, socle en marbre blanc, *deux flambeaux Louis XVI fût cannelé, bronze doré* *deux petits candélabres Louis XVI à figures d'enfants bronze patiné et bouquets de lys à trois lumières* Le tout prisé 1 500 F	N° 293, *Pendule du temps de Louis XVI en bronze doré, décorée d'une figurine de l'amour messager et surmontée d'un vase de fleurs. Contre-socle en marbre blanc orné d'une frise en bronze doré d'amours musiciens*, 2 305 F à Mme Doucet N° 305, *Paire de flambeaux colonnettes du temps de Louis XVI, en bronze doré, à décor de cannelures rudentées et de guirlandes de lauriers*, 280 F à Sinadino N° 301, *Paire de candélabres à trois lumières, du temps de Louis XVI, composés d'une statuette d'amour en bronze patiné tenant le bouquet de lumières en bronze doré, et sur fût de colonne cannelée également en bronze doré*, 5 100 F à Baloy	
Quatre petits tableaux modernes : *Paysage rocher* *Études d'animaux* *Paysage rivière* *Enfants, chiens et perroquet* Le tout prisé 100 F		

Un tableau portrait d'homme en buste par ***Renoir***		**Renoir, *Portrait de Victor Chocquet*, vers 1875** **(Daulte 176 ; Dauberville 541)** **Cambridge, Massachusetts, Fogg Art Museum**  Fig. 114 Vente Chocquet Drouot, n° 4 (PV 93) *Portrait* 1 400 F selon BA Drouot à Durand-Ruel, qui lui attribue le n° 5387 du stock Renoir (Rewald 1969, p. 86, fig. 39). Le fait qu'il apparaisse en pendant du portrait de Mme Chocquet ci-après confirme l'identification avec le portrait du Fogg Art Museum plutôt que celui de Winterthour (cat. 9 ; voir l'essai de Mariantonia Reinhard-Felice, p. 28, note 25) ; Rewald hésitait entre les deux (Rewald 1969, p. 74) mais a correctement noté que le tableau acheté sous ce bordereau par Durand-Ruel est celui du Fogg Art Museum (*ibid.*, p. 87, fig. 13 de cette étude). A figuré à la deuxième exposition impressionniste, Paris, 1876, n° 211, *Portrait. Appartenant à M. Choquet* [sic].
Un portrait de femme assise, mi-corps vêtu blanc par ***Renoir*** Le tout prisé 300 F		**Renoir, *Portrait de Mme Chocquet, en blanc*, 1875** **(Daulte 142 ; Dauberville 416)** **Stuttgart, Staatsgalerie** (cat. 8)  Fig. 115 Probablement vente Chocquet Drouot ; non inclus dans le BA Drouot correspondant à cette vente où il n'y a que des portraits de Victor Chocquet, mais le premier propriétaire identifié après la vente Chocquet est Durand-Ruel (cat. expo. Strasbourg 1907, n° 226).
Quatre petites peintures sans cadre *(Plage du Tréport* *Caravane* *Attelage orientale* [sic] *Quatre personnages turcs)* Le tout prisé 20 F		

Un tableau, Paysage, par ***Claude Monet****, 1877* *(Allée sous bois)*	Partie n° 106 [non décrit, non repr.] (PV 70, *Un tableau par Claude Monet*, 2 900 F à Durand-Ruel) [*Sous-bois* selon BA Petit qui lui attribue le n° stock 5355 (cf. fig. 45)]	**Monet, *Sous-Bois, automne*, 1877 (Wildenstein 432), n.l.** Vente Hoschedé 1878, n° 57, Monet, *L'allée sous bois*, 95 F à Chocquet (Bodelsen 1968, p. 340). Prêté par Chocquet à l'exposition *Monet-Rodin*, cat. expo. Paris 1889, n° 35
Une étude (bord de mer) par ***Claude Monet****, 1882* Le tout prisé 1 000 F	N° 76, Monet, *Falaise, à Varengeville*, 1882 (PV 78, *Falaise à Varengeville*, 9 500 F à Viau)  Fig. 83	**Monet, *Maison de pêcheur au Petit-Ailly*, 1882 (Wildenstein 741), n.l.** Vente Leroux 1888, n° 58, *Maison sur les falaises*, 2 050 F à Chocquet ; prêté par Chocquet à l'exposition *Monet-Rodin*, cat. expo. Paris 1889, n° 53, *Maison de pêcheurs au Petit-Ailly*

Deux paysages sans cadre par **Claude Monet** *(bateau à voiles sur une rivière,*	N° 77, Monet, *Argenteuil* (PV 80, *Argenteuil (tableau)*, 11 500 F à D'Hauterive)  Fig. 84	**Monet, *Au Petit-Gennevilliers*, 1874** **(Wildenstein 337), n.l.**
Un bateau avec cabine)	N° 81, Monet, *Matinée. Aux branches des arbres, aux feuilles des massifs, aux lances des roseaux, l'aurore, en se levant, accroche ses rêves roses : une vapeur diaphane nimbe les choses ; de la surface de l'eau une brume s'exhale, qui donne plus de douceur aux reflets qui s'y jouent. Et dans cette harmonie de lumière et de murmures, une barque passe ; un homme tient les avirons ; un autre sort de la cabine qui la couvre. Au fond, dans l'écartement des verdures, on aperçoit une petite maison blanche. Signé à gauche, en bas. [55 × 74 cm]* (PV 87, *Matinée (tableau)*, 3 200 F à Durand-Ruel) [*Matinée* selon BA Petit qui lui attribue le n° stock 5354 (fig. 45)]	**Monet, *Le Bateau-Atelier sur la Seine*, 1875-1876** **(Wildenstein 392), n.l.**  Fig. 116
Un tableau fleurs des champs par le même [**Monet**]	N° 82, Monet, *Femmes et fleurs. Parmi les fleurs, gouttes de lait et gouttes de sang, des roses aux robes variées, dans l'épaisseur des feuillages, deux jeunes femmes se sont enfoncées, pour la cueillette des couleurs et des parfums. Signé à gauche, en bas : 1875. [54 × 65 cm]* (PV 82, *Femmes et fleurs (tableau)*, 3 400 F à Pennetaud [sic, pour Pinto ?])	**Monet, *Jeunes filles dans un massif de dahlias*, 1875** **(Wildenstein 383), Prague, Národní galerie v Praze**  Fig. 117 Vente Hoschedé 1878, n° 56 ?, 62 F à Chocquet (Bodelsen 1968, p. 340)
Une étude de bateau de pêche sans cadre Le tout prisé 300 F	N° 80, Monet, *Sloop de pêche. Dans le bassin du port, les sloops de pêche sont amarrés côte à côte, les mâtures droites, les voiles roulées. Ciel gris qui réfléchit dans l'eau. [45 × 54½ cm]* (PV 73, *Sloop de pêche (tableau)*, 2 550 F à Escudier)	**Monet, *Barques de pêche*, 1866** **(Wildenstein 76),** **Coll. part., dépôt au Van Gogh Museum, Amsterdam**  Fig. 118 Vente Duranty 1881, n° 67, 72 F à Chocquet

Six petites peintures sans cadres *Baigneurs*		Ces *Baigneurs* ont de fortes chances d'être un Cézanne
Paysage par ***Renoir***		Renoir, *Paysage*, antérieur à 1891, probablement signé, ne figure pas au catalogue de la vente Chocquet Petit ; probablement vente Chocquet Drouot ; non identifié
Paysage avec rocher	(PV 106, [non décrit, non repr.] *Rocher (tableau)*, 110 F à Bernheim Jeune)	**Delacroix, *Rochers*, n.d.** **(Johnson III, 477 ; IV, pl. 278 ; V, p. 334 ; VI, p. 206)** **Musée de Valence, Art et Archéologie** (cat. 1)  Fig. 119
Une petite esquisse attribuée à ***Delacroix***	? N° 61, Delacroix, *Sainte Famille. Esquisse. Au dos, le cachet de la vente. [20½ × 22 cm]* [non décrit, non repr., pas de cadre signalé] (PV 24 *Sainte Famille (Tableau)*, 140 F à M. Blot, 9 Archives)	**Delacroix, *Esquisse pour la Sainte Famille*, n.d.** **(Johnson III L 172), n.l.**
Petit personnage grec *Étude de table* Le tout prisé 50 F		
Une peinture sans cadre (fleurs dans un vase) Prisée 10 F		S'agit-il d'un Cézanne ?
Un paysage (Bords de la Seine, Billancourt, par ***Sisley****, 1877* Prisé 500 F	N° 98, Sisley, *La Seine à Billancourt* (PV 90, *La Seine à Billancourt*, 6 000 F à G. Petit)  Fig. 85	**Sisley, *La Seine à Billancourt*, 1877** **(Daulte Sisley 252)** **Caire, Musée Mohamed Mahmoud Khalil**
Un portrait d'homme en buste par **Courbet** Prisé 200 F	N° 37, Courbet, *Portrait d'homme. Vu de face, jusqu'à mi-corps, en chemise, le col détaché et retenu par une cravate noire. Cheveux noirs, barbe châtain clair. Signé à gauche, en bas. Cadre en bois sculpté. Toile. [54 × 39 cm]* (PV 39, *Portrait d'homme*, 480 F à Durand-Ruel) [*Portrait d'homme* selon BA Petit qui lui attribue le n° stock 5349 (fig. 45)]	**Courbet, *Portrait de Pierre Dupont*, 1868** **(Fernier 654)** **Karlsruhe, Staatliche Kunsthalle** (cat. 12)  Fig. 120

Deux petites peintures sans cadre par **Cesannes** [sic] *(Trois baigneuses*	N° 24, Cézanne, *Naïades. Signé à gauche, en bas. Toile [19 × 22]* [non décrit, non repr., pas de cadre signalé] (PV 21, *Naïades (tableau)*, 275 F à Vollard)	**Cézanne, *Trois baigneuses*, 1874-1875** **(Rewald 258), Paris, Musée d'Orsay** (cat. 13)  Fig. 121
Et tigre couché) Prisé 20 F	N° 26, Cézanne, *Tigre. Signé à droite, en bas. Toile. [28 × 37cm]* [non décrit, non repr., pas de cadre signalé] (PV 66, *Le tigre (tableau)*, 480 F à Behrendt)	**Cézanne, *Tigre d'après Barye*, 1876-1877** **(Rewald 298), n.l.**  Fig. 122
Un paysage avec meule de foin et deux figures par ***Claude Monet**, 1888* Prisé 800 F	N° 75, Monet, *La Meule, 1885* (PV 84, *La Meule*, 9 000 F à Montaignac)  Fig. 86	**Monet, *La Meule de foin*, 1885** **(Wildenstein 994), Kurashiki, Ohara Museum of Art**  Fig. 123 Vente Leroux 1888, n° 60, *La meule de blé*, 1 520 F à Chocquet Prêté par Chocquet à l'exposition *Monet-Rodin*, cat. expo. Paris 1889, n° 72

Onze petites peintures : *Combat de chevaliers, signé* ***O. T 1835***	N° 102, Tassaert, *La Bataille d'Azincourt (1415) ou la Mort du duc d'Alençon. Magnifique esquisse, pleine de mouvement et d'éclat et d'un arrangement qui montre à quel point Tassaert était capable de concevoir une large composition historique. Signé à droite, en bas :* O. T. 1835. *Panneau. [27 × 40 cm]* (PV 43, *La bataille d'Azincourt (tableau)*, 170 F à Mme Salvator Meyer, 5 rue Laffitte)	**Tassaert, *Episode de la bataille d'Azincourt [1415]*, ou *La mort du duc d'Alençon (esquisse)*, 1835 (Prost 14, fig.), n.l.**
Petit portrait d'homme en buste		Il s'agit probablement d'un des deux autoportraits de Tassaert qui selon Prost se trouvaient dans la Collection Chocquet (Prost 39, daté 1842, 21 × 17 cm, « En calotte rouge. Tête de ¾ et partie supérieure du buste », sans fig.). L'autre est identifié plus loin (voir p. 231).
Paysage soleil couchant *Esquisse d'****Eugène Delacroix*** *Deux petites études de paysages* *Deux études de Maire* [sic] *Une étude femme et enfant* *Etude de raisin* *et petit paysage* Le tout prisé 60 F		Non identifié ; voir l'essai d'Arlette Sérullaz, p. 88.
Une toile dans un cadre (jeune femme couchée sur un divan) par ***Claude Monet***	N° 78, Monet, *Méditation* [pas de cadre signalé] (PV 92, *Méditation (tableau)*, 5 700 F à Raymond Koechlin, 32 Béthune)  Fig. 87	**Monet, *Méditation, Madame Monet au canapé*, 1871 (Wildenstein 163), Paris, Musée d'Orsay**  Fig. 124
Un tableau encadré par ***Renoir****, jeune femme assise sur une terrasse* Le tout prisé 600 F	N° 91, Renoir, *Liseuse* [mention :] *Cadre en bois sculpté* (PV 72, *Liseuse (un tableau)*, 4 600 F à Durand-Ruel) [*Liseuse* selon BA Petit qui lui attribue le n° stock 5360 (fig. 45)]  Fig. 88	**Renoir, *Liseuse (Madame Chocquet lisant)*, 1875-1876 (Daulte 174 ; Dauberville 376), coll. part.**  Fig. 125 Figure à la deuxième exposition impressionniste, Paris 1876, n° 213 *Liseuse. Appartient à M. Choquet* [sic].

Deux peintures sans cadre par ***Cézanne*** *(portrait d'homme assis* *Et paysage à travers les arbres)* *Huit* [sic] *petites études sans cadres :* *Paysage* *Tête* *Fruits* *Vache et artiste peignant* Le tout prisé 70 F		**Cézanne, *Portrait de Victor Chocquet assis*, 1877** **(Rewald 296)** **Columbus, Ohio, Columbus Museum of Art** (cat. 17)  Fig. 126 Vente Chocquet Drouot, n° 4, PV 90 selon BA Drouot : *Portrait* 450 F, Durand-Ruel stock n° 5389 (Rewald 1969, p. 86, fig. 39) Des œuvres de Cézanne, ou impressionnistes ?
Huit [sic] *toiles sans cadre :* *Effet de brouillard par* ***Pissarro****, 1874* *Paysages* *Fruits et fleurs par* ***Cézanne*** Le tout prisé 270 F	N° 87, Pissarro, *Brouillard. Dans le champ, un brouillard intense plane sur les choses ; pourtant il s'allège vers le sol, et, dans sa transparence, on aperçoit un arbre dont le tronc se penche vers la gauche et des figures qui s'avancent. Signé à gauche, en bas 1874. Toile. [54 × 65 cm]* (PV 119, *Brouillard*, 1 000 F à Durand-Ruel)	**Pissarro, *Brouillard*, 1874** **(Pissarro/Snollaerts 331), n.l.** Repr. en couleurs dans Perruchot 1956, p. 36 Aucune provenance connue antérieure à Chocquet mais seule œuvre de Pissarro désignée comme appartenant à un amateur – en l'occurrence Choquet [sic] – exposée en 1876, n° 199 *Gelée blanche avec Brouillard*
Sept petites études sans cadre sujets Louis XV *Paysage* *dont un par* ***Renoir*** Le tout prisé 50 F		Renoir, *Paysage* antérieur à 1891, probablement signé, ne figure pas au catalogue de la vente Petit de 1899 ; probablement vente Chocquet Drouot ; non identifié
Dix huit petites peintures études *Tête de femme* *Passage du ruisseau par* ***Courbet*** *Paysage* *Sujets de genre par divers* Le tout prisé 50 F	N° 39, Courbet, *Le Passage du gué. Signé à gauche, en bas :* G. C. *[26½ × 22 cm]* (PV 35, *Un tableau Passage du gué*, 80 F à Juliette Courbet 66 Vaugirard)	**Courbet, *Le Passage du gué*, 1841** **(Fernier 23)** **Ornans, Musée Gustave Courbet (prêt de l'Institut Gustave Courbet, Ornans)**

Six toiles sans cadre : *Effet de neige par* ***Courbet***	N° 36, Courbet, *L'Hiver. L'hiver, dans la forêt ; les pins aux branches dépouillées, sont brodées de diamants ; sur le sol en pente, sur les roches, formant de naturels degrés, la neige est tombée, blanche et silencieuse ; et, dans la profondeur, il semble qu'on va voir apparaître quelque mauvais génie de la tempête et de la misère. Signé à droite, en bas. Toile. [73 × 54 cm]* (PV 120, *L'hiver*, 700 F à Durand-Ruel)	**Courbet, *L'hiver*, 1872-1873** **(Fernier 863)** **Melbourne, National Gallery of Victoria**  Fig. 127
Femme à une fenêtre par ***Renoir***	N° 94, Renoir, *Portrait de Femme. Debout, de face, vue à contre-jour. Vêtue de noir, avec, au col, une dentelle blonde, en écharpe, passementée de velours rose. Elle s'appuie, des deux mains passées derrière le dos, contre une chaise qu'on ne voit pas. Derrière elle, une caisse de fleurs, puis, par la baie ouverte, la campagne verte et le ciel clair. Sur la persienne de gauche, le soleil arrête de blonds rayons. Portrait présumé de Mme Chocquet. Signé à gauche, en bas. Toile. [66½ × 64½ cm]* (PV 77, *Portrait de femme*, 3 850 F à Rosenberg)	**Renoir, *À la fenêtre* (*Portrait de Mme Chocquet en pied*), 1876** **(Daulte 173 ; Dauberville 378)** **vendu par Durand-Ruel au musée de Brême, 1910** **Moscou, Musée d'État des beaux-arts Pouchkine**  Fig. 128 Figure à la deuxième exposition impressionniste, 1876, n° 210 *Sur la Terrasse. Appartient à M. Choquet* [sic].
Deux paysages et *Deux natures mortes par* ***Cézanne*** Le tout prisé 400 F		
Huit petites peintures sans cadre *Portrait d'homme* *Zouave* *Marine* *Demoiselles assises* *Intérieur d'église* Le tout prisé 60 F	N°73, Frédéric Bourgeois de Mercey, *Intérieur d'Église. A gauche, en bas, un monogramme et une date : 1831. Toile. [32 × 23½ cm]* [non décrit, non repr.] (PV 5, *Intérieur d'église (tableau)*, 145 F à M. d'Hauterive 51 Poissonnière)	Non identifié. Frédéric Bourgeois de Mercey (1803-1860), peintre, chroniqueur de voyage, critique d'art et romancier, membre de l'Académie des beaux-arts (1859)

Un grand tableau, Corbeille de fruits par Claude ***Monet*** Prisé 400 F	N° 79, Monet, *Pommes et raisins* (PV 91, *Pommes et raisins*, 6 000 F à Durand-Ruel) [*Pommes et raisins* selon BA Petit qui lui attribue le n° stock 5353 (fig. 45)] 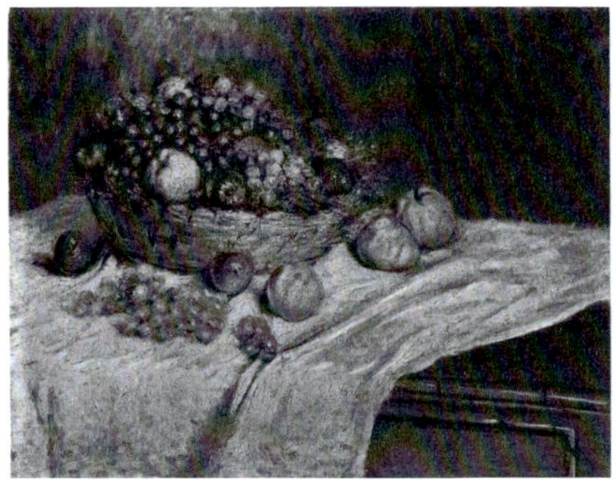 Fig. 89	**Monet, *Corbeille de fruits (pommes et raisin)*, 1879 (Wildenstein 545)** **New York, The Metropolitan Museum of Art** (cat. 10)  Fig. 129
Trois toiles sans cadre par ***Cézanne*** *:* *Portrait d'homme de face vêtu de blanc*		**Cézanne, *Portrait de Victor Chocquet*, vers 1889 (Rewald 671), Florence, coll. part.**  Fig. 130 Vente Chocquet Drouot, n° 4 (PV 92 selon BA Drouot : *Portrait 360 F*, un prix très bas, et qui lui attribue le n° stock Durand-Ruel 5388 [voir Rewald 1969, p. 86, fig. 39])
Vue d'un jardin *Et promeneurs au bord d'une rivière* Le tout prisé 50 F	N° 22, Cézanne, *Les Pêcheurs. Signé à droite, en bas. [55 × 81 cm]* [non décrit, non repr.] (PV 104, *Un tableau*, 2350 F à Hessel)	**Cézanne, *Les Pêcheurs – Journée de juillet*, vers 1875 (Rewald 237)** **New York, Metropolitan Museum of Art**  Fig. 131 Troisième exposition impressionniste, Paris, 1877, hors catalogue, mais décrit en Rivière 1877 (voir Berson 1996, t. I, p. 182)

Un tableau par ***Renoir*** *(bal public)* Prisé 500 F	N° 88, Renoir, *Au Moulin de la Galette* (PV 79, *Au Moulin de la Galette*, 10 500 F à Bernheim Jeune stock n° 9727) Selon le BA Petit (fig. 45) initialement adjugé à Durand-Ruel qui a donc renoncé.  Fig. 90	**Renoir, *Le Bal du Moulin de la Galette*, 1876 (Daulte 208 ; Dauberville 212), coll. part.**  Fig. 132a
Trois petits tableaux : *Deux jeunes femmes dans un paysage, cadre Louis XIII* *Figures allégoriques* *Rivière sous-bois par* ***Courbet****, cadre sculpté* Le tout prisé 100 F	? N° 38, Courbet, *Arbres au bord de l'eau. Signé à gauche :* G. C. (1862). *[52 × 41 cm]* [non décrit, non repr.] (PV 29, 100 F à Bluzet rue [? Coëtlogon] Canet lergon 6)	Aucun cadre signalé pour le n° 38 ; aucun tableau signé « GC 1862 » ne se trouve dans Fernier
Dix petites peintures dans [ou *sans*] *cadre :* *Études, Sujets de figures divers* Le tout prisé 150 F	? N° 95, Renoir, *Naïade. Au bord du flot, elle est assise sur une roche, la jambe droite croisée sous le genou gauche, le menton appuyé aux deux mains ; les coudes sur la cuisse ; ses cheveux s'épandent en frissons fauves sur ses épaules : elle a les yeux dolents et mélancoliques ; sa nudité permet d'admirer ses chairs jeunes et fermes, où la lumière met des caresses chaudes. Toile. [27 × 21½ cm]* (PV 46, *Naïade (tableau)*, 1 600 F à Durand-Ruel) [*Naïade* selon BA Petit qui lui attribue le n° stock 5360 (fig. 45)]	**Renoir, *Jeune fille au bain (Naïade)*, 1876 (Daulte 216 ; Dauberville 588), coll. part.**  Fig. 132b
Dans l'armoire Louis XV : un sucrier (style Louis XV) en argent, environ soixante pièces verreries dont vingt pièces bohême Le tout prisé 80 F *Environ quatre vingts pièces vaisselle blanche* Prisées 5 F		

PREMIER ÉTAGE

PIÈCE D'ENTRÉE

Une armoire style Louis XIV en chêne sculpté à deux parties Prisée 250 F	? N° 329, *Grande armoire Régence à deux portes, en chêne sculpté, à décor de mascarons, fleurs et entrelacs*, 470 F à Baulm	Comme indiqué en fin d'inventaire, cette armoire renferme le linge de maison
Un petit chiffonnier Louis XVI en acajou à une porte Prisé 100 F		Comme indiqué en fin d'inventaire, ce meuble contient des livres

<table>
<tr>
<td>Une petite table Louis quinze à dessus de marbre

un petit meuble cartonnier Louis quinze à dessus de marbre,

une pendule Louis XIV avec socle marqueterie de cuivre,

deux chaises paillées Louis XIV

une boite à tabac en marbre griotte,

deux flambeaux bronze fût cannelé,

Le tout prisé 260 F</td>
<td>? N° 334, Petite table de dame ovale du temps de Louis XV, en bois de rose ; dessus de marbre blanc ; galerie de cuivre, 450 F

N° 290, Pendule sur socle-applique en écaille incrustée de cuivre, garnie de bronzes : figurine d'amour, figure allégorique, chutes, etc. Cadran signé : Marche à Rouen. XVIIe siècle. 330 F à Homberg</td>
<td>Boîte à tabac probablement dans la vente Chocquet Drouot</td>
</tr>
<tr>
<td>Un petit vase en cuivre

Prisé 1 F</td>
<td></td>
<td></td>
</tr>
<tr>
<td>Un tableau ancien (le portraitiste)

Prisé 5 F</td>
<td>N° 104, École française [corrigé à main : allemande], Le peintre. Ceux-là n'engendrent pas la mélancolie ; le vieux peintre, qui détourne sa tête aux longs cheveux, au visage rasé, le nez chevauché par de lourds bésicles, est tout heureux d'avoir saisi le sourire de son modèle, dont la mère, pour l'instant, est debout derrière lui ; et ils rient de toute l'ampleur de leur bouche aux dents parfois absentes. Lui, tient sa palette et son pinceau ; elle, déjà mûre, mais encore coquette, s'appuie de la main au dossier de la chaise. Des accroche-cœurs s'alignent sous le bord de son bonnet de dentelle et son corsage, largement ouvert, ne doit avoir que d'indiscrètes protections. Il n'est pas jusqu'au portrait en train sur le chevalet, qui ne participe à cette gaité générale. Œuvre très curieuse, d'une expression intense et d'une xécution vraiment admirable. Cadre en bois sculpté. [71 × 60 cm]
(PV 22, Le peintre (tableau), 150 F à Vollard)</td>
<td>Non identifié ; doit être l'œuvre référencée dans le registre de stock Vollard (registre datable 1904-1907, Paris, Bibliothèque centrale des musées nationaux, MS 421 (4,5), fol. 55, n° 3847) : « Inconnu, Personnage flamand, 74 × 60, [provenant de] Choquet [sic], prix d'achat 150 F »</td>
</tr>
<tr>
<td>Trois peintures encadrées dont
Deux paysages
et fleurs par Cézanne
et une peinture encadrée, Pierrot et Arlequin

Le tout prisé 100 F</td>
<td>N° 1, Cézanne, Mardi-Gras [mention :] Cadre en bois sculpté
(PV 98, Mardi-Gras, 4 400 F à Durand-Ruel)
[Mardi-Gras selon BA Petit qui lui attribue le n° stock 5333 (fig. 45)]

Fig. 91</td>
<td>Voir l'essai de Jayne Warman, p. 107, note 47.

Cézanne, Mardi-Gras, 1888
(Rewald 618)
Moscou, Musée d'État des beaux-arts Pouchkine

Fig. 133</td>
</tr>
</table>

Une peinture par ***Renoir*** *(deux canotières)* Prisée 200 F	N° 93, Renoir, *La Seine à Asnières* [mention :] *Cadre en bois sculpté* (PV 86, 11 500 F à Bernheim Jeune) ; acheté en ½ avec Durand-Ruel (n° stock DR 5380) revendu à Bernheim le 17 octobre 1899 qui revend à Rosenberg  Fig. 92	**Renoir, *La Seine à Asnières*, vers 1879** **(Dauberville 141)** **Londres, National Gallery**  Fig. 134
Six peintures encadrées *Pastorale de deux figures* ***genre Lancret*** *Scène galante* *Deux figures* *Fleurs par* ***Valahyer Coster*** [sic] *Et deux petits pendants* *Figures dans des paysages* ***genre Watteau*** Le tout prisé 400 F		Ces peintures vraisemblablement anciennes, qui n'apparaissent pas dans le catalogue de la vente Chocquet Petit, ont toute chance d'avoir été des œuvres mineures et vendues dans la vente Chocquet Drouot
Un tableau rue de Paris et paveurs Prisé 150 F	N° 70, Manet, *Les paveurs, à la rue de Berne* [mention :] *Cadre en bois sculpté* (PV 81, *Les paveurs rue de Berne*, 13 500 F ; à Bernheim Jeune, n° stock 9725)  Fig. 93	**Manet, *La Rue Mosnier aux paveurs*, dit aussi *Les Paveurs de la Rue de Berne*, 1878** **(Rouart/Wildenstein 272), coll. part.**  Fig. 135

SALON ÉCLAIRÉ DE DEUX FENÊTRES SUR RUE

Une vitrine style Louis XVI bois de rose garnie de bronzes Estimée 250 F	N° 362, *Meuble-vitrine en bois de rose, garni de bronzes*, 600 F à Vrignault ou N° 364, *Meuble-vitrine en bois de placage, garni de bronzes*, 1 000 F à Mme Vrignault	
Sur cette vitrine : *Deux vases en faience de Lorraine à guirlandes de fleurs,* *un vase faience de Delft et deux coquetiers faience* Le tout prisé 200 F	N° 280, *Paire de vases à deux anses, décorés de guirlandes de fleurs, en ancienne faience de Lorraine*, 305 F à Houzeau	

Dans la vitrine : *Deux paires de vases et deux assiettes en ancienne faience de Nevers, Deux vases à piédouche en porcelaine de Tournay gros bleu médaillons figures, un petit cabaret solitaire de quatre pièces en Sèvres à quadrillages bleus et or, un fromager, une tasse avec soucoupe en Sèvres décor rose, deux pots à crème, trois tasses mignonettes, deux autres tasses avec soucoupes, décors variés, un petit plateau carré Sèvres rose et vert, deux petites coupes à fleurs l'une rose, l'autre bleu turquoise en Sèvres, deux petits plateaux carrés fond rose à figures dont un cassé le tout en vieux Sèvres, deux petites caisses à fleurs porcelaine de Lorraine, un pot à crème en Tournay fond jaune* Le tout prisé 2 500 F		
Deuxième rayon : *Quatre assiettes Sèvres à rubans et fleurs, une assiette en Tournay, un bol, un broc, un vase et une coupe en faience de Nevers fond bleu, une tasse conique Sèvres et un présentoir, neuf autres tasses avec soucoupes en Sèvres décors variés, cinq coquetiers et une tasse mignonette Sèvres* Le tout prisé 1 000 F		
Troisième rayon : *Un cabaret tête à tête en vieux Sèvres avec plateau à fleurs, deux sucriers avec plateaux en vieux Sèvres, un plateau contourné en vieux Tournay décor bleu et or, un beurrier Sèvres décor rose, un plateau carré bordure ajourée cassée en Sèvres, un pot à crème, un sucrier, une soucoupe en Tournay, six tasses avec soucoupes en vieux Sèvres à décors variés* Le tout prisé 2 000 F		
Quatrième rayon : *Un broc et une assiette en Sèvres à fleurs, cinq raviers en Sèvres à fleurs, une théière cylindrique et dix tasses diverses avec soucoupes de décors variés en vieux Sèvres* Le tout prisé 1 000 F		
Rayon du bas : *Onze tasses diverses porcelaine de Sèvres et une écuelle avec son plateau en Sèvres* Le tout prisé 250 F		
Un piano droit d'Erard palissandre orné de bronze, un tabouret de piano Le tout prisé 400 F		Vente Chocquet Drouot selon publicité dans Drouot 1899
Une table Louis XVI Tronchin en acajou, *une table Louis XV à un tiroir et tablette en placage, une table à ouvrage ovale Louis XV marqueterie,* *une commode Louis XV à deux tiroirs garnie de bronzes,* *un petit bureau ovale Louis XVI bois satiné, une table à ouvrage style Louis XVI marqueterie une table à jouer et un petit guéridon Louis XVI à crémaillère* Le tout prisé 3 000 F	N° 356, *Table-Tronchin en acajou du temps de Louis XVI*, 330 F à G. Petit ? N° 334, *Petite table de dame ovale du temps de Louis XV, en bois de rose ; dessus de marbre blanc ; galerie de cuivre*, 450 F ? N° 336, 337, 338, 340 [toutes décrites comme des commodes à deux tiroirs Louis XV] ? N° 367, *Guéridon en acajou, dessus de marbre blanc*, 530 F à Vrignault	
Trois bronzes de Barye Lion au serpent, Homme debout, et tigre dévorant un animal, Prisés 500 F		

Quatre fauteuils Louis XVI bois doré et damas rouge *un fauteuil Louis XVI bois sculpté et tapisserie,* *trois fauteuils* *et une chaise Louis XV et Louis XVI tapisserie au point* Le tout prisé 900 F	? N° 314, *Six fauteuils du temps de Louis XVI, en bois sculpté et doré à cannelures, entrelacs et guirlandes, couverts en damas rouge*, 1 000 F à Lion N° 316, *Chaise en bois sculpté, dossier à coquille et feuillages, siège en tapisserie au point*, 410 F avec n° 315	Fauteuil probablement dans la vente Chocquet Drouot
Une Carpette de Smyrne Prisée 100 F		Carpette probablement dans la vente Chocquet Drouot
Une pendule Louis XVI bronze doré (Enfant génie autour d'une sphère) *deux petits flambeaux Louis XVI figures d'enfants, socle en marbre,* *deux candélabres Louis XVI à trois lumières vases en marbre blanc montés en bronze doré,* *deux vases balustres en vieux Japon* *deux chenets Louis XVI* *à vases et guirlandes, un garde feu en cuivre* Le tout prisé 2 300 F	N° 292, *Pendule à cadran tournant en bronze doré, composée d'une sphère céleste en bronze verni contenant le mouvement, et accostée de deux figurines d'amours, dont l'un tient une flèche indiquant les heures ; base ajourée ornée de rosaces et portant le nom :* Henri Voisin à Paris [sic] *Époque Louis XVI*, 3 350 F à Jacob N° 304, *Paire de flambeaux du temps de Louis XVI, en bronze doré, formés d'une figurine d'Amour debout sur base cylindrique en marbre rouge griotte*, 1 080 F à Lévy N° 302, *Paire de candélabres à trois lumières, formés chacun d'un vase en marbre blanc à anses à têtes d'aigles, garnitures et bouquets de lumière à fleurs en bronze doré. Époque Louis XVI*, 4 200 F à Robert	Chenets et garde-feu probablement dans la vente Chocquet Drouot
Une chaise genre Louis XVI bois sculpté Prisée 20 F		
Une étude tête d'enfant par ***Renoir***	? N° 89, Renoir, *Les Petits* [mention :] *Cadre en bois sculpté* (PV 69, 3100 F à Durand-Ruel) [*Les petits* selon BA Petit qui lui attribue le n° stock 5359 (fig. 45)] qui précise que l'opération est en ½ avec Bernheim Jeune qui paie sa part le 10 février 1900]  Fig. 94	**Renoir, *Les Petits* ou *Portraits de Marie-Sophie Chocquet*, 1876 ? (Daulte 220 ; Dauberville 281), n.l.**  Fig. 136 Les reproductions modernes de l'œuvre montrent une signature « *Renoir* » non visible et non mentionnée dans la notice du catalogue Petit. L'œuvre était bien encadrée, preuve de l'attention qu'y portait Chocquet. ? Deuxième exposition impressionniste, Paris, 1876, n° 215 : *Portrait d'Enfant. Appartient à M. Choquet*, ou n° 216, *Tête d'Enfant. Appartient à Choquet.* Le libellé (au singulier) du titre de l'œuvre, à l'inventaire comme au catalogue de l'exposition de 1876, ne disqualifie pas le n° 89 que l'on peut voir comme une variation sur la tête d'un même enfant, mais n'exclut pas la possibilité d'une *Tête d'enfant*, unique, signée, non identifiée.

Une étude bords de mer par **Renoir** *(1879)* *et*	N° 92, Renoir, *Sur la Falaise* [mention :] *Cadre en bois sculpté* (PV 88, *Sur la falaise* 3 300 F à Montaignac)  Fig. 95	**Renoir, *Sur la falaise (Pourville)*, 1879** **(Dauberville 150), coll. part.**
Un tableau tête d'homme par **Renoir** Le tout prisé 500 F	Partie n° 106, (PV 94, *Un portrait d'homme* 3 500 F à Durand-Ruel. – Drouot 1899 : *Portrait de M. Choquet* 3.500. – Williamson 1900 : « 106. **Renoir.** *Portrait de M. Chocquet.* – 3 500 fr. ») [BA Petit *portrait d'homme* n° stock 5362 (fig. 45) – ce numéro de référence figure deux fois sur le revers du tableau.] En outre, le cliché Durand-Ruel 1372 montrant le portrait de Winterthour correspond bien au n° stock 5362.	**Renoir, *Portrait de Monsieur Chocquet*, 1876** **(Daulte 175 ; Dauberville 542)** **Winterthour, Collection Oskar Reinhart « Am Römerholz »** (cat. 9)  Fig. 137 A figuré à la deuxième exposition impressionniste, Paris, 1876, n° 214, *Tête d'Homme. Appartient à M. Choquet* [sic]. Voir l'essai de Mariantonia Reinhard-Felice, p. 28-30 et p. 31, note 28.

Un tableau par ***Manet****, le peintre dans son bateau,*	N° 71, Manet, *« Monet dans son atelier »* [mention : *Cadre en bois sculpté*] (PV 85, *Monet dans son atelier*, 10 000 F à Bernheim Jeune stock n° 9726)  Fig. 96	**Manet, *Monet peignant dans son atelier*, 1874** **(Rouart/Wildenstein 219)** **Munich, Bayerische Staatsgemäldesammlungen**  Fig. 138 Vente Manet 1884, n° 85 *Claude Monet dans son atelier*, adjugé PV 47 à « 198 Rivoli Choquet » 1150 F (Bodelsen 1968, p. 342)
Une étude fleurs par le même [**Manet**], Le tout prisé 1 200 F	N° 72, Manet, *Une branche de Pivoines blanches. Sur une table, près d'un sécateur, une branche de pivoines avec deux fleurs blanches. Signé à droite, en bas. Toile. [29 × 44 cm]* (PV 68, 1550 F à Petit) ; le catalogue de la vente ayant appartenu à Isaac de Camondo (Paris, Louvre, Bibliothèque centrale des musées nationaux) est annoté : *« Acheté par moi 1 550 +5 % 77,50 = 1627,50. Acheté dans la même vente un tableau non catalogué (La Maison du Pendu) par Cézanne frs 6 200+5 % 510 = f. 6 510 »*	**Manet, *Branche de pivoines et sécateur*, 1864** **(Rouart/Wildenstein 88)** **Paris, Musée d'Orsay (legs Isaac de Camondo)**  Fig. 139 Vente Champfleury 1890, n° 18
Un tableau par ***Claude Monet****, (Enfant* [sic] *dans un champ)* Prisé 800 F	N° 74, Monet, *La Prairie* [mention :] *Cadre en bois sculpté*. (PV 89, *La prairie*, 6 400 F à Pineto [? Pinto])  Fig. 97	**Monet, *La Prairie*, 1879** **(Wildenstein 535)** **Omaha, Nebraska, Joslyn Art Museum**  Fig. 140 Prêté par Chocquet à l'exposition *Monet-Rodin*, cat. expo. Paris 1889, n° 42
Un tableau (vue de village) Prisé 100 F		Selon Rewald 1969, p. 75, il s'agit d'un Cézanne.

<table>
<tr>
<td>Un tableau lilas blanc dans un vase par Manet</td>
<td>N° 68, Manet, Fleurs. Dans un vase de cristal, de forme carrée, baignent quelques branches de lilas. Le vase est posé sur une table couverte d'une nappe blanche, fond sombre. Signé à droite, en bas. Cadre en bois sculpté. [55 × 34 cm]
(PV 65, 4 210 F à G. Petit, rue de Sèze 8)</td>
<td>Manet, Lilas blanc dans un vase de cristal, 1882
(Rouart/Wildenstein 418)
Kansas City, Missouri, The Nelson-Atkins Museum of Art, Collection Marion et Henry Bloch (à partir de 2017)

Fig. 141a

Vendu par Manet à Pertuiset mais n'a pas figuré à la Vente Pertuiset 1888</td>
</tr>
<tr>
<td>Un tableau bord de mer par Berthe Morisot

Le tout prisé 500 F</td>
<td>N° 85, Morisot, Le Quai. Un quai, le long du port. Des bateaux de pêche sont amarrés ; des bateaux à vapeur prennent le large. Ciel bleu où passent des nuages légers. Signé à droite, en bas. Cadre en bois sculpté. Toile. [40½ × 54 cm]
(PV 96, Le quai, 2 600 F à Durand-Ruel)
[Le quai selon BA Petit qui lui attribue le n° stock 5356 (fig. 45)]</td>
<td>Morisot, Un quai à Lorient, 1869
(Bataille/Wildenstein 16), n.l.</td>
</tr>
<tr>
<td>Un tableau, jeune femme en blanc assise sur un canapé par Berthe Morisot</td>
<td>N° 84, Morisot, La Question au miroir [mention :] Cadre en bois sculpté
(PV 93, 10 100 F à M. Depeaux, 8 rue Grange Batelière)

Fig. 98</td>
<td>Morisot, Jeune femme au miroir, 1876
(Bataille/Wildenstein 61 ; repr. en couleurs p. 23), coll. part.
? Deuxième exposition impressionniste, Paris 1876, n° 168, La Toilette (Berson 1996, II, p. 42) ou ? Troisième exposition impressionniste, Paris, 1877, n° 123

Fig. 141b</td>
</tr>
<tr>
<td>Une étude de barque au bord de la mer par Manet

Prisé 50 F</td>
<td>N° 69, Manet, Marée montante
(PV 75, Marée montante, 1450 F à Durand-Ruel)
[Maree Montante selon BA Petit qui lui attribue le n° stock 5352 (fig. 45)]

Fig. 99</td>
<td>Manet, Marée montante, 1873
(Rouart/Wildenstein 196), coll. part.,
Courtesy Nathan Fine Art, Potsdam/Zurich (cat. 11)

Fig. 142</td>
</tr>
<tr>
<td>Une glace d'entre deux à fronton cadre doré

Prisé 50 F [ajournement pour reprise de la prisée lundi 17 avril 1899]</td>
<td></td>
<td></td>
</tr>
</table>

PETIT SALON ÉCLAIRÉ PAR UNE FENÊTRE SUR RUE

Une pendule Louis XVI à cage en bronze doré à guirlandes de fruits et rubans, mouvement de Ballet à Paris *Deux cornets en vieux Japon* *Deux petits candélabres Louis XVI à trois lumières en marbre blanc et bronze doré sur trépied à têtes de bélier* *Deux chenets en cuivre* Le tout prisé 750 F	N° 295, *Pendule-cage du temps de Louis XVI en bronze doré et marbre blanc, à décor de guirlandes. Cadran signé :* Ballet, Paris, 850 F N° 300, *Paire de candélabres à trois lumières en bronze et marbre blanc. Modèle à vase et trépied à têtes de béliers ; bouquets de lumières à volutes et thyrses. Époque Louis XVI*, 3 600 F à Desaché	Chenets probablement dans la vente Chocquet Drouot
Un meuble Louis XIII à deux corps en noyer à moulures *Un autre petit meuble à deux corps en chêne sculpté à panneaux de figures* *Un bureau Louis XV à abattant en bois satiné et marqueterie* *Une table Louis XIV formant tric trac* *Un pupitre Louis XVI* Le tout prisé 820 F	N° 327, *Meuble à deux corps en bois, décor de colonnettes et moulures*, 280 F N° 326, *Petit meuble Renaissance à deux corps en bois sculpté, décoré sur les quatre vantaux, de figures mythologiques ; colonnettes aux angles*, 275 F à Girard	Pupitre probablement dans la vente Chocquet Drouot
Deux fauteuils de bureau en acajou garnis de cuivre *Un petit fauteuil ancien canné* *Un petit fauteuil* Le tout prisé 70 F	N° 313, *Fauteuil canné du temps de Louis XV, en bois sculpté à motifs rocaille*, 710 F avec n° 311 et 312, ou N° 318, *Petit fauteuil canné, en bois sculpté, à coquille et fleurettes. XVIIIe siècle*, 121 F	Fauteuils de bureau probablement dans la vente Chocquet Drouot
Une petite vitrine cintrée du haut en bois sculpté avec tablettes de glace à l'intérieur Prisée 100 F	? N° 363, *Meuble-vitrine en bois sculpté, à motifs rocaille*, 220 F	
Dans cette vitrine, première tablette du haut : *Dix pièces : plat ovale genre Saxe, jardinières en Rouen et Strasbourg, pots à lait en porcelaine à la Reine, petits vases porcelaine allemande décorés en camaieu, une tasse, petite coupe oblongue porcelaine décorée* Le tout prisé 100 F		
Deuxième tablette : *Dix pièces : tulipe porcelaine de Mennecy, deux assiettes et un petit plateau en Sèvres, trois tasses, deux soucoupes en Sèvres, deux petites tasses en Saxe, un vase à six goulots en Chantilly,* *un sucrier en Mennecy* Le tout prisé 600 F	N° 253, *Sucrier avec couvercle, à décor de fleurs et de rubans. Ancienne porcelaine de Mennecy*, 290 F à Lion	
Troisième tablette : *Onze pièces : assiettes en Sèvres et en Tournay, sucrier, boite à thé, tasses, sonnette en Sèvres en Tournay et en Saxe* Le tout prisé 250 F		

Quatrième tablette : *Quinze pièces : écuelles et plateau, salière, encrier, pots à crème en porcelaine de Tournay, Sèvres, Chine et autres* Le tout prisé 150 F		
Cinquième tablette : *Douze pièces :* *Sucrier et tasses en Saint-Cloud, tasse et plateau et pots à crème en Tournay, un encrier monté bronze en Saint-Cloud* Le tout prisé 200 F		
Sixième tablette : *Neuf pièces : porte huilier, encrier en faience, tasse trembleuse en Sèvres, cornet et pièces diverses en porcelaine* Le tout prisé 75 F		
Un tableau par ***Eugène Delacroix*** *(Bataille de Taillebourg)*	N° 46, Delacroix, *Le Roi Jean à la bataille de Poitiers* [sic]. *Au dos, le cachet de la vente Eugène Delacroix. Cadre en bois sculpté. Peint vers 1830. Toile. [57 × 68 cm]* (PV 58, Delacroix, *Le roi Jean à la bataille de Poitiers*, 6700 F à Degas)  Fig. 100	**Delacroix, *La Bataille de Nancy*, esquisse, vers 1828-1829 (Johnson I 142 ; II, pl. 124)** **Copenhague, Ny Carlsberg Glyptotek**  Fig. 143 Esquisse pour le tableau *La Bataille de Nancy, mort de Charles le Téméraire, duc de Bourgogne* (Johnson I 143), commande de 1828, Musée des beaux-arts de Nancy
Un portrait de femme en robe blanche dans un intérieur	N° 50, Delacroix, *Femme dans un intérieur. Elle est assise, en robe blanche décolletée, la taille prise dans une ceinture bleue, les jambes allongées, les pieds croisés sur un tabouret. Elle est coiffée et vêtue à la mode de 1830 ; elle est accoudée au dossier de sa chaise, mélancolique et seule. Un rayon de soleil passe par les rideaux fermés. Des tableaux sont appendus au mur. Portrait présumé de Mme F. Villot. Cadre en bois sculpté. Toile. [59 × 48 cm]* (PV 55, *Femme dans un intérieur (tableau)*, 2050 F à Haro)	**Delacroix, *Portrait de Mme François Simon*, vers 1834 (Johnson III, p. 300, D 25 ; IV, pl. 317)** **Birmingham Museum and Art Gallery**  Fig. 144
Une étude de cheval cabré (monogramme ED) Le tout prisé 2 500 F	? N° 59, Delacroix, *Étude de cheval. De trois quarts à droite et de dos, lancé au galop. Signé à droite, en bas :* E. D. *Cadre en bois sculpté. Toile. [28 × 36 cm]* (PV 48, *Étude de cheval*, 1100 F à Haro)	**? Delacroix, *Étude de cheval au galop*, n.d. (Johnson I, p. 228, D 12), n.l.** Vu par Robaut chez Chocquet en août 1877 (voir l'essai d'Arlette Sérullaz, p. 83)

<table>
<tr>
<td>Une esquisse par Eugène Delacroix, forme cintrée (Andromède)</td>
<td>N° 55, Delacroix, Hercule délivre Hésione. Esquisse pour un tympan demi circulaire, pour la décoration du Salon de la Paix, à l'Hôtel de Ville de Paris (1850-1853). Hercule vient de débarquer et déchaîne Hésione, dont le corps s'abat entre ses bras. Au dos, le cachet de la vente. Toile de forme cintrée. [22½ × 45 cm]
(PV 51, 500 F à M. Degas, 7 [sic] rue Laffitte)</td>
<td>Delacroix, Hercule délivre Hésione, 1852
(Johnson V 591 ; VI, pl. 59)
Copenhague, Ordrupgaard Museum (cat. 6)

Fig. 145a

Vente Degas 1918, n° 34
Le cat. expo. New York 1997, n° 202, indique que Durand-Ruel a acheté pour Degas, qui l'a payé le 8 juillet 1899, ce qui expliquerait le curieux libellé du PV : le nom de Degas qui donne ensuite l'adresse de Durand-Ruel, 16 rue Laffitte mais le commis aurait compris « 7 ».</td>
</tr>
<tr>
<td>Deux petites peintures encadrées, fleurs et petite esquisse

Le tout prisé 300 F</td>
<td></td>
<td></td>
</tr>
<tr>
<td>Un paysage (gros arbre, trouée de bois) attribué à Courbet</td>
<td>? N° 34, Courbet, Les gros Chênes. A gauche, on aperçoit un étang, à la surface duquel des vapeurs montent, matinales et fugitives ; à droite, la forêt, sur un sol dont la pente s'accentue lentement : de grands arbres, aux troncs puissants, dressent leur stature de géants et portent à leurs branches des frondaisons déjà rouillées. Près de l'étang, l'écartement des branches permet au soleil de filtrer à travers les feuilles moins denses et, sur l'écorce des troncs, quelques lueurs blondes viennent s'inscrire. A gauche, au fond, de l'autre côté de l'étang, la forêt s'épaissit, sous le ciel, dont on découvre un coin d'azur que masquent des nuages partiellement. Cadre en bois sculpté. Toile. [63 × 79 cm]
(PV 62, Les gros chênes (tableau), 1900 F à Pineto [Pinto])</td>
<td>Non identifié dans Fernier ; de tous les Courbet de la vente Chocquet, ce paysage est le meilleur candidat à l'identification avec le tableau cité dans une lettre de Mme Cézanne à Mme Chocquet datée « Emagny, 1er août [1890] » : « Nous avons vu Vevey où Courbet a fait ce joli tableau que vous possédez. » (Cézanne Correspondance 1978, p. 233)</td>
</tr>
<tr>
<td>Un tableau par Tassaert, 1862, sujet allégorique (amour profane et amour religieux)

Le tout prisé 1 000 F</td>
<td>N° 99, Tassaert, Les deux Sœurs de charité, 1862
[mention :] Cadre en bois sculpté
(PV 95, Les deux sœurs de charité, 5000 F à D'Hauterive)
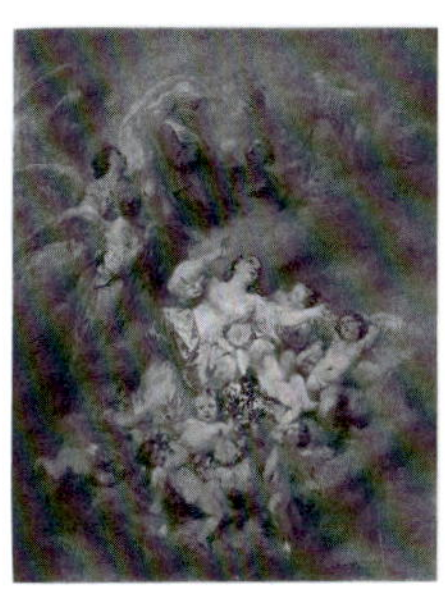
Fig. 101</td>
<td>Tassaert, Les deux Sœurs de charité, 1862
(Prost 240, repr.), n.l.</td>
</tr>
</table>

Une esquisse attribuée à ***Eugène Delacroix*** *(le Pont de Taillebourg)*	N° 48, Delacroix, *La Bataille de Taillebourg. Admirable esquisse. Toile. [47 × 69 cm]* (PV 56, 7300 F à Sinet)	**Delacroix (?), *La Bataille de Taillebourg* , n.l.** **Johnson III, p. 74,** considère le tableau comme une copie d'après le tableau du musée de Versailles (1837, Johnson III 260). Voir l'essai d'Arlette Sérullaz, p. 84
Un tableau par ***Tassaert*** *(la mère abandonnée)*	N° 100, Tassaert, *L'Abandonnée* (PV 97, *L'abandonnée*, 2 500 F à D'Hauterive)  Fig. 102	**Tassaert, *L'Abandonnée* ou *Jeune femme évanouie dans une église*, 1856** **(Prost 177 repr.), n.l.**
Une esquisse, scène de Faust Le tout prisé 2 000 F	? N° 62, Delacroix, *Faust. Esquisse. Cadre en bois sculpté. Toile. [46½ × 36 cm]* [non décrit, non repr.] (PV 52, *Faust (tableau)*, 300 F à Natanson)	**Delacroix, *Le Bal chez les Capulet, inachevé*, vers 1826-1828** **(Johnson I 117 ; II, pl. 103)** **ancienne Collection Claude Roger-Marx** Voir l'essai d'Arlette Sérullaz, p. 87
Huit peintures encadrées : *Petites études de pêches*	N° 63, Delacroix, *Deux Pêches. Panneau. [10 × 20 cm]* [non décrit, non repr.] (PV 122, *Une esquisse attribuée à Delacroix*, 30 F à M. Sinadino [sic]) Le tableau a été présenté à la vente comme « *attribué* » à Delacroix (voir PV et exemplaire du catalogue annoté de la bibliothèque du musée d'Orsay) d'où son petit prix. À noter que le cadre n'est pas mentionné au catalogue. Il a également été vendu, sous le n° 106, sans nom d'artiste, PV 3, *Un tableau pêches, 300 F à M. Rosenberg, Fbg Saint Honoré 77*	**Delacroix (?), *Deux pêches*, n.d.** **(Johnson III, p. 294, L 212), n.l.**
Esquisse de Médée attribuée à ***Eugène Delacroix***	N° 49, Delacroix, *Médée. Une des plus belles recherches de Delacroix pour sa* Médée furieuse*. La tête de l'enfant le plus âgé est presque cachée : le dernier né est nu, sur une draperie rouge, retenue à l'épaule de Médée par une bretelle verte. La robe est noire, avec une doublure rouge. Toile. [33 × 22½ cm]* (PV 17, *attribué à Delacroix*, 520 F à Haro, rue Visconti) Le tableau a bien été présenté à la vente comme « *attribué* » à Delacroix (voir PV et exemplaire du catalogue annoté de la bibliothèque du musée d'Orsay) ; pas de cadre mentionné au catalogue.	**Delacroix (?), *Médée furieuse*, n.l.** Johnson III, p.79, considère le tableau comme une copie d'après le tableau du musée de Lille (1836-1838 ; Johnson III 261). Voir l'essai d'Arlette Sérullaz, p. 77, note 3.
Esquisse de paysage par ***Delacroix***	N° 65, Delacroix, *Chemin tournant, en forêt. Signé à gauche, en bas. A droite, en bas, le timbre de la vente. Cadre en bois sculpté. Toile. [20 × 15 cm]* (PV 121, *Une esquisse par Delacroix*, 60 F à Sinadino [sic])	**Delacroix, *Chemin tournant en forêt*, n.d.** **(Johnson III, p. 293, L 208), n.l.** Probablement prêté par Victor Chocquet à l'exposition commémorative de Delacroix en 1864 (cat. expo. Paris 1864, n° 115) ; voir l'essai d'Arlette Sérullaz, p. 82.
Peinture par ***Daumier*** *(le nid d'oiseaux deux figures)*	N° 41, Daumier, *La becquée. Tous deux, le père et le fils, ont trouvé un nid d'oiseaux, et le fils leur donne la becquée. Tous deux sont vus jusqu'à mi-corps. Signé à droite, en bas :* H. D. *Cadre en bois sculpté. Panneau. [21 × 30 cm]* (PV 64, *La becquée*, 800 F à Vollard)	**Daumier, *Dénicheurs de nids*, 1866-1868** **(Maison I-208), Berlin, Collection Scharf**  Fig. 145b

Esquisse cintrée attribuée à **Delacroix** (*hypocambre* [sic])	N° 54, Delacroix, *Hercule enchaine Nérée, dieu de la mer. Esquisse pour un tympan demi-circulaire de la décoration du Salon de la Paix, à l'Hôtel de Ville de Paris (1850-1853). L'homme est porté, nu, sur le dos d'un monstre marin. Cadre en bois sculpté. Toile de forme cintrée. [14½ × 28 cm]* (PV 38, *Hercule enchaine Nérée*, 310 F à « Ducret» selon transcription du PV)	**Delacroix, *Néréide sur un hippocampe*, vers 1821 ? (Johnson V, p. 156, L 233, fig. 67), n.l.** Bien que la transcription du PV désigne l'acquéreur comme « Ducret », le catalogue annoté de la Bibliothèque du Louvre mentionne « Degas ». Toutefois, comme l'œuvre ne se retrouve pas aux ventes, en 1918, de la collection du peintre, il est probable qu'il n'en fut pas adjudicataire, une confusion ayant été faite avec le n° 55 (voir cat. 6)
Une étude de ruines signée **O. T.**	N° 103, Tassaert, *L'intérieur des ruines de l'ancienne Abbaye de Jumièges. Signé à droite, en bas : O. T. 1834. Toile. [39 × 32 cm]* [non décrit, non repr.] (PV 27, *L'intérieur des ruines de l'ancienne abbaye de (tableau)*, 410 F à Montaignac, 9 rue Caumartin)	**Tassaert, *Vue des ruines de l'abbaye de Jumièges*, (Prost 18, *daté 1836* [sic], repr.), n.l.**
Étude de cheval pommelé	N° 60, Delacroix, *Etude de cheval gris pommelé, de profil à gauche. Au dos, le cachet de la vente. Cadre en bois sculpté. Toile. [31 × 42 cm]* [non décrit, non repr.] (PV 41, *Étude de cheval (tableau)*, 500 F à Bernheim Jeune, stock n° 9635)	**Delacroix, *Étude de cheval gris pommelé de profil à gauche*, 1824 ? (Johnson I, p. 189, L 57 ; II, pl. 147), n.l.** Vu par Robaut chez Chocquet en août 1877; voir l'essai d'Arlette Sérullaz, p. 89, note 34.
La résurrection de Lazare	N° 53, Delacroix, *Jésus et le paralytique. Le paralytique est couché sur son grabat : Jésus s'approche et lui tend la main, et voici que le grabataire se soulève, devant les disciple pleins d'une pieuse admiration. Cadre en bois sculpté. Toile. [25 × 29 cm]* (PV 36, *Jésus et le Paralytique (tableau)*, 330 F à M. Herran 42 Cortambert)	**Delacroix, *Jésus et le Paralytique*, 1830 (Johnson I, p. 210, L 112 ; II, pl. 155), n.l.** Vu par Robaut chez Chocquet en août 1877; voir l'essai d'Arlette Sérullaz, p. 83, note 38.
Le tout prisé 1 000 F		
Une peinture, portrait d'enfant appuyé sur une balustrade, étude de pleine mer Prisé 100 F		
Un portrait d'homme en buste, forme ovale par **Tassaert**	N° 101, Tassaert, *Portrait d'Homme (Tassaert par lui-même). Vu jusqu'aux épaules ; le corps de profil, la tête tournée presque de face, dans un geste énergique ; cheveux blonds rejetés en arrière, moustaches coupées court à la commissure des lèvres, de grands yeux au regard décidé, un nez puissant, une bouche toute de volonté. Costume vert foncé, col blanc non empesé, cravate blanche à rabat souple. Signé en bas au milieu :* O. Tassaert. *Cadre en bois sculpté. Panneau de forme ovale. [25 × 21 cm]* (PV 61, *Portrait d'homme*, 530 F à Cosson, 93 bd Malesherbes)	**Tassaert, *Portrait de l'auteur*, 1845 (Prost 49), n.l.** Prost décrit le portrait comme « Tête de ¾ et partie supérieure du buste », 25 × 25 cm, et appartenant à Chocquet, mais il ne le reproduit pas.
Un paysage effet de neige **genre Courbet**	Voir commentaire	Selon Rewald 1969, p. 76, *Neige* par **Delacroix** donc n° 51, Delacroix, *La neige. A gauche, une haie, que domine un arbre aux branches dépouillées ; à droite, au milieu, le sol enseveli sous un linceul de neige. Au fond, des montagnes sous un ciel gris et bleu. Panneau. [21 × 33½ cm]* (PV 44, *La neige (tableau)* 760 F à Haro). Un Delacroix est plausible dans cette pièce où ce maître domine. Pourrait être l'esquisse à l'huile *Effet de neige à Champrosay*, vu par Robaut chez Chocquet en août 1877 (Robaut 543 ; Johnson I 160 ; II, pl. 141, *Paysage de neige*, 1834, panneau 22 × 35 cm, n.l.). Peut aussi être vraiment « genre Courbet » relégué à la vente Chocquet Drouot.
Une étude de femme Egyptienne		
Un tableau, Suzanne et les vieillards		
Le tout prisé 400 F		
Quatre petites peintures : *Deux jeunes filles orientales sous bois* *Un personnage persan* *Paysage avec deux jeunes filles assises* *Un paysage avec table de pierre* Le tout prisé 80 F		

Un tableau de ***Cézanne*** *(bouquet de fleurs dans un vase)* *Six petites peintures : esquisses* ***Georgion*** [sic] *Paysage sous bois* ***attribué à Delacroix*** *Étude de fleurs et de [? meuble]* *Femme au lavoir* *Ermite en prière* Le tout prisé 70 F		Non identifié
Une marine, plage avec bateau par ***Courbet***	N° 33, Courbet, *Marée basse. Sur la plage aux galets rugueux, les barques de pêche sont retirées ; à gauche, la vague déferle, roulant de l'écume ; au loin, sous le ciel dont une brume masque le fond d'azur, le soleil, presque couché, laisse sur l'horizon une longue clarté fauve ; des barques de pêche, des* [sic] *voiles gonflées, regagnent lentement le port, dont on aperçoit, à droite, la forêt de mâts aux cordages enchevêtrées. Signé à gauche, en bas. Toile. [36 × 44 cm]* (PV 47, *Marée basse (tableau)*, 2750 F à D'Hauterive)  Fig. 103	**Courbet, *Marée basse*, 1865 (Fernier 523), coll. part.**
Une étude de paysage Le tout prisé 150 F	? N° 40, Courbet, *La Mare dans la forêt. Signé à gauche, en bas. Cadre en bois sculpté. Toile. [58 × 38 cm]* [non décrit, non repr.] (PV 37, *La mare dans la forêt (tableau)*, 270 F à D'Hauterive)	Non identifié
Douze petites peintures encadrant la cheminée : Copies d'après les maîtres, études de figures, paysages, fruits et fleurs par ***divers artistes*** Le tout prisé 300 F	N° 64, Delacroix, *Esquisse, d'après une gravure de Rubens. Toile. [23½ × 25½ cm]* (PV 25, *Esquisse, d'après une gravure de Rubens*, 460 F à Vollard pour Julie Manet) Voir l'essai d'Anne Distel, p. 64-65.	**Delacroix, *Entrée de Ferdinand d'Autriche à Anvers, d'après Rubens*, après 1846 (Johnson III, p. 267, L 119, non repr.), coll. part.**  Fig. 146 Peut-être acheté par Chocquet 45 F à la vente Riesener 1879, n° 224 ; voir l'essai d'Arlette Sérullaz, p. 83.

Un tableau par ***Renoir****, 1879, jeune femme assise sur une terrasse, cadre sculpté*	N° 90, Renoir, *A la Grenouillère*, 1879 [mention :] *Cadre en bois sculpté, non doré* (PV 83, *À la Grenouillère (tableau)*, 20 000 F à Bernheim Jeune) ; Durand-Ruel est pour ½, part vendue à Bernheim le 9 février 1900.  Fig. 104	**Renoir, *Alphonsine Fournaise (À la Grenouillère)*, 1879** **(Daulte 301 ; Dauberville 321)** **Paris, Musée d'Orsay**  Fig. 147 Le titre *À la Grenouillère*, allusion à un établissement de Croissy, est erroné puisqu'il s'agit du portrait d'Alphonsine Fournaise, fille des patrons de la guinguette située sur l'île de Chatou.
Une vue de rivière, toile sans cadre, par ***Berthe Morisot*** Le tout prisé 600 F	N° 86, Morisot, *La jetée. Signé à gauche, en bas. Toile. [24 × 51 cm]* [non décrit, non repr., pas de mention de cadre] (PV 63, *La jetée (tableau)*, 1 650 F à Durand-Ruel)	**Morisot, *La Jetée*, 1875** **(Bataille/Wildenstein 55)** **Richmond, Virginia, Virginia Museum of Fine Arts**  Fig. 148
Un cache pot en porcelaine de Chantilly *et un autre en faïence de Rouen* Le tout prisé 150 F	N° 259, *Cache-pot cylindrique, décor de fleurs de style japonais. Ancienne porcelaine de Chantilly*, 170 F	
Douze dessins, croquis, aquarelles, sujets divers, figures, paysages et fleurs par ***Eugène Delacroix****)* Le tout prisé 360 F		Pour les œuvres de Delacroix décrites globalement, voir l'essai d'Arlette Sérullaz, p. 87. Il est probable que le pastel par Delacroix ***La Nuit*, 21 × 36 cm (Paris, Musée du Louvre)** figurait dans cet ensemble. Il fut acquis 350 F par Isaac de Camondo à la vente Chocquet Petit (n° 112, PV 190).  Fig. 149
Neuf autres dessins, aquarelles ou croquis par le même Prisés 270 F		

Dix neuf autres croquis et aquarelles par ***Eugène Delacroix****, principalement paysages et marines* Le tout prisé 600 F		
Un dessin, étude de grenadier *Une aquarelle, étude de vache* *Une petite esquisse peinte, portrait de jeune homme* Le tout prisé 10 F		
Dans le meuble à deux corps sculpté environ quatre vingt six volumes de littérature moderne romans (Théophile Gautier, Champfleury, Albéric Segond, Dickens, George Sand, Alphonse Karr, Lamartine) et brochures diverses Le tout prisé 50 F		

PIÈCE ÉCLAIRÉE PAR UNE FENÊTRE SUR COUR

Un secrétaire Louis XVI en acajou à filets de cuivre,	N° 353, *Secrétaire droit à abattant, portes et tiroirs en acajou et filets de cuivre. Dessus de marbre blanc. Époque Louis XVI*, 520 F à Vrignault	
une console demi ronde Louis XVI en acajou et bronze,	? N° 354, *Console demi-lune du temps de Louis XV, à un tiroir avec tablettes d'entre-jambes en acajou, garniture de bronze, dessus de marbre blanc*, 1 380 F	La datation de Louis XV semble une erreur au regard de la description.
une table à jouer à pieds cannelés en acajou et une petite table ronde sur pieds carrés cannelés Le tout prisé 800 F		
Une table à jouer Louis XV en bois satiné, *une petite table ovale Louis XV à dessus de marbre,*	? N° 334, *Petite table de dame ovale du temps de Louis XV, en bois de rose ; dessus de marbre blanc ; galerie de cuivre*, 450 F à Jacob	
deux petits fauteuils et deux chaises Louis XV cannés Le tout prisé 300 F		Fauteuils et chaises probablement dans la vente Chocquet Drouot
Petite pendule Louis XVI en bronze doré, fût carré surmonté d'un vase,	N° 298, *Petite pendule en bronze surmontée d'un vase de flammes. Cadran signé* Martin à Paris. *On lit au dos le nom de* Saint-Germain, 640 F à Houzeau	
deux flambeaux, fûts cannelés en bronze doré, *deux girandoles à deux lumières en cuivre,*		
deux vases en verre bleu Le tout prisé 210 F		Vases en verre bleu probablement dans la vente Chocquet Drouot
Une carpette orientale et une natte Le tout prisé 35 F		Les carpettes étaient exclues de la vente Chocquet Petit.
Cinq aquarelles sous-verres, paysages dont une attribuée à ***Eugène Delacroix*** Le tout prisé 50 F		Pour les œuvres de Delacroix décrites globalement, voir l'essai d'Arlette Sérullaz, p. 87.

Six pièces par ***Eugène Delacroix :***
Une grande aquarelle, fleurs

N° 111, Delacroix, *Roses et hortensias. Aquarelle sur papier gris. [61 × 61 cm]*
(PV 140, *Roses*, 1325 F à Vollard)

Delacroix, *Bouquet de fleurs*, 1849
(Johnson Pastels 47)
Paris, Musée du Louvre, RF 31 719

Fig. 150

Rewald souligne que c'est le prix le plus cher payé par Vollard à la vente (Rewald 1969, p.76, 88-89, fig. 40).
On peut se demander si Cézanne n'avait pas suggéré cet achat pour procéder ensuite à un échange. Cézanne est de toute façon devenu propriétaire de l'œuvre qu'il a copiée (cat. 28).

Un dessin, lion dévorant un arabe

N° 165, Delacroix, *Combat de lion. L'homme est terrassé, le lion le tient sous ses griffes et lui enfonce ses crocs dans le bras. Signé à droite, en bas, du timbre de la vente. Dessin sur papier crème. [22 × 28 cm] Exposition centennale de l'art français.*
(PV 166, *Combat de lion*, 630 F à Haro)

Non identifié

Deux aquarelles pour tympans

N° 141, Delacroix, *La Poésie élégiaque*
(PV 195, *La poésie élégiaque*, 570 F à Haro)

Fig. 105

Delacroix, *La Captivité à Babylone*, vers 1845-1847
Paris, Musée du Louvre, RF 4774 (cat. 5)

Fig. 151

N° 143, Delacroix, *Esquisse d'un pendentif, pour la décoration de la Chambre des Députés*
(PV 194, *Esquisse d'un pendentif*, 380 F à Haro)

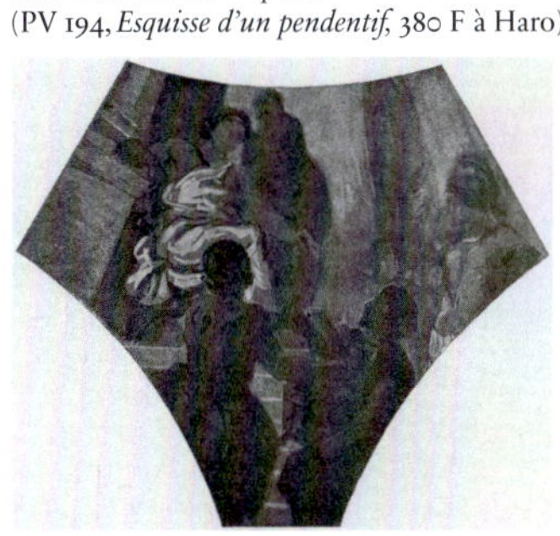

Fig. 106

Delacroix, *Alexandre et les poèmes d'Homère*, n.d., coll. part.
Voir Johnson V 558 et l'essai d'Arlette Sérullaz, p. 84 et p. 90, note 42.

<table>
<tr>
<td>Une aquarelle, Intérieur Mauresque

Et une étude de femme

Le tout prisé 700 F</td>
<td>N° 115, Delacroix, Cour intérieure de maison arabe. Une cour que domine une galerie verte. À gauche, une porte ouverte sur une pièce et au coin de laquelle est une figure assise ; à droite, une ouverture donnant accès à un escalier. A gauche, en bas, le timbre de la vente de l'artiste. A droite, le timbre de la vente Dauzats. Aquarelle sur papier blanc. [21 × 28 cm]
(PV 170, Cour, 260 F à Mr. Mathey)</td>
<td>Delacroix, Une cour à Tanger (Étude pour la Noce Juive), n.d.
Paris, Musée du Louvre, RF 3375

Fig. 152

Voir Johnson III 366, fig. p. 177 et l'essai d'Arlette Sérullaz, p. 88 et p. 90, note 61.</td>
</tr>
<tr>
<td>Aquarelle par J. Jacquemart (marchand d'oranges)

Prisée 100 F
[ajournement de l'inventaire et reprise le 18 avril]</td>
<td>N° 146, Jules-Ferdinand Jacquemart, Marchandes de citrons [aquarelle]. Signée à droit, en bas : 1878. [34 × 43 cm] Exposition centennale de l'Art français, 1889.
(PV 189, Marchande citrons, 510 F à Raty)

Fig. 107</td>
<td></td>
</tr>
<tr>
<td>Neuf aquarelles ou dessins sous-verres par Eugène Delacroix (paysages, figures, marines, le Christ sur les eaux)

Le tout prisé 150 F</td>
<td>N° 144, Delacroix, Jésus marchant sur les flots. Pastel. [30 × 23 cm]
(PV 193, Jésus marchant sur les flots, 520 F à Haro)

Fig. 108</td>
<td>Delacroix, Jésus marchant sur les flots, n.d.
(Johnson Pastels 38)
Cambridge, Massachusetts, Fogg Art Museum

Fig. 153

Vu par Robaut chez Chocquet en août 1877 (Robaut 1204 ; voir l'essai d'Arlette Sérullaz, p. 88 et p. 89-90, note 36).</td>
</tr>
</table>

Trois aquarelles, études de marines par **Claude Monet**	N° 147, Monet, *Soleil couchant. La plage, avec, à droite, une barque échouée ; la mer calme, et, au-dessus de l'horizon, un ciel tragique où le soleil couchant allume sa dernière féerie du jour à son déclin. Signé à droite, en bas. Pastel. [13 × 22 cm]* (PV 178, *Soleil couchant*, 310 F à D'Hauterive)	**Monet, *Étude de ciel sur la mer*, n.d. (Wildenstein P 31), n.l.** Wildenstein propose cette identification avec réserves.
	N° 148, Monet, *Coucher de soleil. La mer calme, et, au-dessus de l'horizon, dans le ciel, dans l'infini, des clartés d'incendie, de l'or, du feu et de la splendeur, et aussi des nuages où s'évoquent d'étranges formes, et plus haut l'immuable azur dont le ton s'attendrit devant cette fantasmagorie du soleil qui se couche. Signé à droite, en bas. Pastel. [17½ × 27 cm]* (PV 171, *Coucher de soleil*, 1 050 F à Cherfils, 16 Malesherbes)	Wildenstein n'a proposé aucune identification dans son catalogue raisonné où n'apparaît pas non plus la provenance Cherfils
	N° 149, Monet, *Au large. Pastel. [21 × 40 cm]* (PV 176, *Au large*, 1 010 F à D'Hauterive)  Fig. 109	**Monet, *Au large*, n.d. (Wildenstein P 29) Water Mill, New York, The Parrish Art Museum** Selon carnet de Monet (Paris, Musée Marmottan, 5160 (1) fol. 10) Chocquet a acheté un pastel à Monet 20 F en février 1876 (Rewald 1969, p.76 et 85).
Une aquarelle fleurs par **Cézanne**	N° 109, Cézanne, *Fleurs et fruits. Sur une table couverte d'une nappe, un vase de fleurs, une orange et différents objets de métal. Signé à gauche, vers le milieu. Aquarelle sur papier maïs. [18 × 15 cm]* (PV 129, *Fleurs et fruit (aquarelle)*, 390 F à Bernheim)	**Cézanne, *Fleurs et fruits*, vers 1865-1870 (Rewald Watercolours 8), coll. part.**
Et un intérieur par **Pissaro** [sic]	N° 151, Pissarro, *Intérieur rustique. Près de la fenêtre à petits carreaux, par où le soleil pénètre dans la chambre, la vieille, en bonnet et tablier bleu, travaille assise, vue de profil à droite. Devant elle, le vieux, assis également et de profil à gauche, a l'air de sommeiller : il est adossé au lit de bois. Contre le mur, différents objets sont pendus. Signé à gauche, en bas. Pastel. [37 × 26 cm]* (PV 191, *Intérieur rustique*, 475 F à Rosenberg)	Non identifié
Le tout prisé 350 F		
Sept pièces sous verres : Aquarelles et dessins par **Renoir** *(tête de femme)*	N° 184, Renoir, *Jeune femme accoudée. De trois quarts à droite, assise, vue jusqu'à la poitrine. Signé à droite, en bas. Dessin au crayon, sur papier Ingres gris. [35 × 27 cm]* (PV 149, *Jeune femme accoudée*, 175 F à Mme S. Meyer	Non identifié
Eugène Delacroix		
Berthe Morisot *Paysages et figures*	N° 150, Morisot, *En promenade au bois. A la lisière d'un bois, une jeune femme et ses deux enfants sont assis sur la mousse ; la jeune femme tient une ombrelle ouverte. Signé à gauche, en bas. Aquarelle sur papier blanc. [17 × 24 cm]* (PV 169, *Nymphe* [?], 370 F à Durand-Ruel)	Non identifié
Le tout prisé 120 F		

Quatre pièces sous verre, dessins et aquarelles *Tigre par* ***Eugène Delacroix***	? N° 135, Delacroix, *Tigre dévorant une proie. Les deux pieds de derrière en arrête, les reins écrasés, la queue rasant le sol ; les pieds de devant s'agrippant des ongles à la terre, le fauve broie de ses crocs tenaces une proie dont la dureté l'oblige à un effort et lui fait pencher la tête sur le côté. Signé à droite, en bas. Dessin au lavis de sépia et d'encre de Chine, sur papier blanc. [12½ × 19½ cm]* (PV 164, *Tigre dévorant une proie*, 440 F à Salvator [sic])	Peut-être le dessin prêté par Chocquet à l'exposition commémorative de Delacroix en 1864 (cat. expo. Paris 1864, n° 216, *Un tigre*). Voir l'essai d'Arlette Sérullaz, p. 81-82.
Paysage par ***Cézanne***	Voir commentaire	Soit n° 107, *Roches, parmi les bruyères, en forêt. Signé à gauche, en bas :* 1867. *Aquarelle sur papier blanc. [22 × 35 cm]* (PV 132 *Roches (aquarelle)*, 155 F à Sainsère, 30 Miromesnil) Identifié par Rewald : **Cézanne, *Rochers*, 1867-1870** **(Rewald Watercolours 10)** **Francfort-sur-le-Main, Städel Museum** (cat. 29)  Fig. 154 Soit n° 108, *Chemin dans la montagne. Signé à droite, en bas. Aquarelle sur papier mastic. [23 × 35 cm]* (PV 108 *aquarelle*, 180 F à Blot) Identifié par Rewald : **Cézanne, *La Route*, 1867** **(Rewald Watercolours 17), n.l.**
Portrait d'homme par ***Renoir*** Le tout prisé 180 F	N° 152, Renoir, *Portrait d'homme* [annoté dans le catalogue : *portrait de Cézanne*]. *De face, vu jusqu'à mi-corps ; chauve, couronné de cheveux frisants* [sic], *barbe châtain. Vêtement noir. Signé à gauche, en haut :* 1880. *Pastel. [54 × 44 cm]* (PV 180, *Portrait d'homme*, 1 500 F à Durand-Ruel)	**Renoir, *Portrait de Cézanne*, 1880** **(Dauberville 617), coll. part.**  Fig. 155

Deux dessins à la sépia par ***O. Tassaert,*** *Les Catacombes*	N° 187, Tassaert, *Les Chrétiens dans les Catacombes. Debout, appuyé contre la roche, immobile en sa robe de bure, à la capuche relevée, l'ascète médite sur l'œuvre d'humaine piété de ceux qu'il invoque en sa prière ; et loin des tentations du monde, il ne se rappelle la vie terrestre que pour voir en son cœur l'œuvre de charité et de tendresse à laquelle il s'est dévoué. Et ce sont toutes les misères qui pleurent autour de lui, les misères pour lesquelles il lui faut trouver le mot qui console, et l'élan de cœur que Dieu aime à écouter. Signé à gauche, en bas :* O. T. *Dessin à la sépia sur papier blanc. [26 × 27 cm]* (PV 145, *Les chrétiens dans les catacombes*, 145 F à Mr Neufville)	**Tassaert, *Les Chrétiens dans les catacombes*, n.d. (Prost 419, repr.), n.l.** Prost indique la technique comme sépia et donne la mesure du tableau, 26 × 27 cm, et identifie Chocquet comme propriétaire.
La Tentation de Saint Hilarion	N° 186, Tassaert, *La Tentation de saint Antoine* [corrigé à main : St Hilarion]. *Dessin au crayon sur papier creme, avec retouche de blanc et de bistre. [22½ × 31½ cm]* (PV 155, *La tentation de Saint Antoine*, 110 F à Dufour, 16 Malesherbes)  Fig. 110	**Tassaert, *Tentation de Saint Antoine*, 1851 (Prost 403, repr.), n.l.** Prost indique la technique comme sépia et et donne la mesure du tableau, [23 × 33 cm], et identifie Chocquet comme propriétaire.
Et un dessin de ***Courbet,*** *Femme dans un paysage*	N° 159, Courbet, *La fillette à la fontaine. Signé à droite, en bas. [Dessin.] [47 × 38 cm]* (PV 143, *La fillette à la fontaine*, 255 F à D'Hauterive)	**Courbet, *Les Demoiselles d'Ornans et la mendiante*, 1860 (Fernier II, dessin n° 46), n.l.**
Le tout prisé 200 F		
Cinq pièces sous verre : Tigre par ***Eugène Delacroix***		Pour ce *Tigre* par Delacroix, voir la vente Chocquet Petit, n° 135 (dans cette table p. 238).
Et autres dessins par ***Tassaert***	N° 188, Tassaert, *Jacquemin Gringonneur inventant les cartes à jouer. Il est assis et cherche le dessin des cartes à jouer. Devant lui sur un chevalet, se trouve le roi de cœur, dessiné d'après une statuette. Au bas de la carte se trouve cette inscription :* Jacquemin Gringonneur, fecit 1420, rue de la Verrerie. *Ce dessin est des environs de 1861. Dessin au lavis de sépia sur papier havane. [23 × 17½ cm]* (PV 126, *Un dessin*, 40 F à Deneuf)	**Tassaert, *Gringonneau inventant les cartes à jouer*, vers 1861 (Prost 409, repr.), n.l.** Prost indique la technique comme sépia et la masse avec 23½ × 18 cm, et il nomme Chocquet comme propriétaire. « Et autres dessins par Tassaert » : non compris dans le catalogue de la vente Chocquet Petit, mais mentionné par Prost comme à Chocquet : *Études d'anges* (Esquisse pour *Les deux sœurs de charité*), 1861 (Prost 408, sanguine, 30 × 24 cm, repr.)
Le tout prisé 60 F		
Aquarelle (cavalier) par ***Delacroix***	N° 142, Delacroix, *Cavalier arabe dans une fantasia* (PV 197, *Cavalier arabe*, 650 F à M. Degas)  Fig. 111	**Delacroix, *Cavalier arabe dans une fantasia* Coll. part.** Vente Degas 1918, n° 118 Voir l'essai d'Arlette Sérullaz, p. 90, note 62.
Prisée 25 F		

DEUXIÈME ÉTAGE

CABINET DE TOILETTE

Une petite pendule et socle de suspension en marqueterie de cuivre, *un miroir ovale bois peint,* *un petit meuble Louis XVI acajou et bronzes* Le tout prisé 160 F	N° 291, *Petite pendule sur socle-applique en écaille incrustée de cuivre, garnie de bronzes. Cadran au nom de* Martinot à Paris, 250 F à Woernitz ? N° 352, *Petit meuble du temps de Louis XVI, à hauteur d'appui, à une porte, avec tiroirs intérieurs, en acajou ; dessus de marbre*, 425 F	
Un lavabo bois courbé ; une garniture de toilette faïence et porcelaine (douze pièces) un bidet ; un séchoir Le tout prisé 10 F		Probablement dans la vente Chocquet Drouot

CHAMBRE À COUCHER ÉCLAIRÉE PAR UNE FENÊTRE SUR COUR

Une couchette Louis XVI acajou garnie de bronze, *une table de nuit Louis XVI à cylindre,* *une petite table d'enfant et un coffre,* *un meuble de toilette Louis XVI acajou à tablettes de marbre,* *une petite commode Louis XV en bois de placage et bronze,* *une armoire à glace acajou* [voir son contenu en fin d'inventaire] Le tout prisé 450 F	N° 361, *Meuble-toilette du temps de Louis XVI, en acajou, à tiroirs ; dessus et tablette de marbre blanc, fond de glace,* 510 F à Lion N° 339, *Petite commode du temps de Louis XV, à deux tiroirs en bois de placage, garnie de bronzes. Dessus de marbre ranz* [sic], 350 F à Dufour	Les trois premiers meubles ne sont pas inclus dans la vente Chocquet Petit. Armoire à glace en acajou probablement dans la vente Chocquet Drouot
Un prie dieu en bois sculpté Prisé 25 F		Probablement dans la vente Chocquet Drouot
Deux chaises anciennes dont une paillée Prisées 15 F		Probablement dans la vente Chocquet Drouot
Une pendule Louis XVI marbre blanc et bronze doré à cariatides sur les côtés, *deux petits flambeaux Directoire en bronze* *deux cache pots en faïence genre Delft* Le tout prisé 450 F	N° 296, *Petite pendule du temps de Louis XVI en bronze doré et marbre blanc : cariatides et amours. Cadran signé :* Festeau à Paris, 800 F à Baloy	Non inclus dans la vente Chocquet Petit Non inclus dans la vente Chocquet Petit
Un crucifix ivoire cadre doré Prisé 75 F		Non inclus dans la vente Chocquet Petit
Sept miniatures cadres sous verre (portraits) d'homme et de femme avec souvenirs portés ici pour mémoire *Onze pièces portraits de famille ou dessins portés ici pour mémoire* *Un pastel portrait de femme et deux petits dessins sous verre (paysages)* Prisés 5 F		Distinction est faite entre portraits, souvenirs de famille, non prisés, et le pastel et deux dessins sous verre, « œuvres artistiques » sujettes à prisée. Certaines miniatures sont conservées dans la collection d'un descendant du Dr Chocquet d'Armentières, cousin de Victor Chocquet. Voir fig. 17, p. 36.

GRANDE CHAMBRE À COUCHER ÉCLAIRÉE PAR DEUX FENÊTRES SUR RUE

Un grand lit à colonnes et baldaquin en bois sculpté avec panneaux Renaissance avec sa literie (trois matelas, deux oreillers, un traversin) Le tout prisé 250 F	N° 325, *Lit à baldaquin en bois sculpté, décoré de panneaux Renaissance, à décor de bustes, chimères, oiseaux, vases et armoiries*, 790 F à Jacob	
Une grande commode Louis XV marqueterie et bronzes,	N° 336, *Commode à deux tiroirs en marqueterie en bois de couleur à décor de rinceaux fleuris ; chutes, poignées, cul-de-lampe en bronze. Dessus de marbre. Époque Louis XV*, 3 100 F, ou 338, *Commode du temps de Louis XV, à deux tiroirs en marqueterie de bois de couleur à branches fleuries, chutes et poignées de bronze. Dessus de marbre brèche d'Alep*, 2 720 F	Toutes les commodes sont décrites comme Louis XV, à deux tiroirs
une petite commode Louis XV à deux tiroirs,	? N° 337, 340, 366	
une autre commode Louis XV à deux portes,	N° 335, *Meuble du temps de Louis XV à hauteur d'appui à deux portes, en forme de commode, en marqueterie et bois de couleurs à fleurs, chutes en bronze. Dessus de marbre brèche d'Alep*, 1 450 F à Lion	
une autre commode Louis XV bombée à deux tiroirs le tout en marqueterie Le tout prisé 1 500 F	N° 336 ou 338 (voir ci-dessus)	
Un meuble de toilette Louis XVI en marqueterie à damier garni de bronzes,	? N° 355, *Meuble-toilette du temps de Louis XVI en marqueterie de bois de couleur, à tiroirs ; garnitures de bronze, dessus et tablette de marbre blanc ; miroir mobile*, 1 100 F à G. Petit	
une table de nuit Louis XV portes à coulisses,	N° 333, *Table de nuit du temps de Louis XV en bois de rose et filets de bois de violette, fermant à coulisse et contenant trois tiroirs, l'un d'eux formant bureau ; galerie de cuivre. Dessus de marbre*, 5 050 F à Jacob	
une petite table Louis XV et un dessus de marbre brèche Le tout prisé 500 F	N° 332, *Petite table de dame du temps de Louis XV, en bois de rose, à un tiroir avec tablette d'entrejambes. Dessus de marbre brèche d'Alep*, 830 F	
Un guéridon Louis XV acajou, un petit fauteuil Louis XV garni d'étoffe, deux petites chaises gondole en acajou, un prie-dieu, un tabouret Le tout prisé 80 F		Meubles probablement dans la vente Chocquet Drouot
Une pendule borne Louis XVI marbre et bronze,	N° 297, *Pendule borne surmontée d'un vase enguirlandé en marbre blanc et bronze. Cadran signé* : François à Paris. *Époque Louis XVI*, 1 020 F à Baloy	
deux girandoles Louis XVI en bronze à deux lumières,		
deux petits vases en Mennecy sur socles en bronze,	? N° 255, *Paire de petits vases en ancienne porcelaine tendre française, montés sur fûts de colonne cannelée en bronze*, 250 F	
deux vases à piédouche en porcelaine à la Reine		
et deux chenets Louis XV bronze doré Le tout prisé 500 F		Chenets probablement dans la vente Chocquet Drouot
Un crucifix ivoire sculpté sur croix bois noir et peluche, quatre figures religieuses en plâtre sous globes, un petit miroir de table en bronze, un bougeoir et une lampe à pétrole Le tout prisé 160 F		Probablement dans la vente Chocquet Drouot

<table>
<tr>
<td>Une peinture sur bois attribuée à Rubens (Vierge, Jésus et Saint Joseph), cadre en bois sculpté

Prisé 500 F</td>
<td>? N° 67, Delacroix, d'après Rubens, L'Enfant à la pomme. La Vierge est assise, vêtue de rouge et une cape ouverte jetée sur les épaules ; elle est vue de trois quarts à gauche légèrement et tient debout sur ses genoux l'Enfant nu, portant une pomme dans la main gauche relevée et abandonnant sa main droite à un petit Saint Jean debout, aux genoux de la Vierge et contemplant l'Enfant avec admiration. A gauche, par une fenêtre que découvre une tenture relevée, on aperçoit la campagne heureuse sous un ciel de feu où le soleil couchant allume de fauves clartés. Cadre en bois sculpté. Panneau.
[90 × 72 cm]
(PV 59, L'enfant à la pomme, 4 000 F à Bernheim Jeune)</td>
<td>Non identifié</td>
</tr>
<tr>
<td>Une esquisse par Eugène Delacroix (deux figures mythologiques)</td>
<td>N° 57, Delacroix, La Muse inspirant Hésiode. Esquisse de pendentif pour la décoration de la Chambre des Députés. Au dos, le cachet de la vente [Delacroix 1864, N° 26]. Toile.
[24 × 30 cm]
(PV 50, La muse inspirant Hésiode, 2 400 F à M. Haro)</td>
<td>Delacroix, Numa et Egérie, 1843-1844
(Johnson V, 533 ; VI, pl. 21)
Paris, Musée du Louvre, dépôt du Musée national des beaux-arts d'Alger

Fig. 156

Achetée par Chocquet 657 F à la vente Piron 1865, n° 7 (voir l'essai d'Arlette Sérullaz, p. 82 et 89, notes 2 et 27).</td>
</tr>
<tr>
<td>Trois petites peintures encadrées :
(Jeune fille en robe bleue) par Renoir</td>
<td>N° 96, Renoir, Portrait de Fillette. Debout en bleu : cheveux blonds dénoués ; au col, un collier et une petite croix de corail. Elle s'appuie de la main gauche au dossier d'une chaise. Toile.
[21 × 16 cm]
(PV 49, Portrait de fillette, 2 450 F à Pennetaud [sic], 59 avenue Malakoff</td>
<td>Non identifié ; malgré son petit format pourrait avoir figuré à la deuxième exposition impressionniste, Paris 1876, n° 215, Portrait d'enfant. Appartient à M. Choquet.
À noter son prix d'adjudication relativement élevé en 1899 pour un petit format</td>
</tr>
<tr>
<td>Portrait d'homme assis,</td>
<td></td>
<td>Pourrait-il s'agir d'un Renoir ou d'un Cézanne ?</td>
</tr>
<tr>
<td>paysage en largeur</td>
<td></td>
<td>Non identifié</td>
</tr>
<tr>
<td>Pastel, tête d'enfant

Le tout prisé 250 F</td>
<td>N° 158, École française, La Fillette au capuchon blanc. De face, vue jusqu'aux épaules, une médaille pendant autour du col à un ruban bleu. Elle a des cheveux blonds, qui débordent d'une sorte de capuchon ; de chaque côté de la tête, deux fleurettes pâlissent, à les comparer à l'incarnat des joues rebondies et des lèvres. Petit nez épaté, menton rond, yeux bleus d'une jolie expression de douceur et de bonté. Pastel. Cadre en bois sculpté.
[28 × 23 cm]
(PV 136, La fillette au capuchon blanc, 700 F à Rosenberg)</td>
<td></td>
</tr>
</table>

Un paysage maritime	? N° 83, Monet, *Marée haute. Des vagues et des vagues, sous un ciel amplement ennuagé et menaçant d'orage, et, sur l'horizon, des voiliers qui s'éloignent. Cadre en bois sculpté. Toile. [41 × 58 cm]* (PV 67, *Marée haute (tableau)*, 1 000 F à Meier Graefe 37 rue Pergolèse)	**Monet, *Marine*, 1866** **(Wildenstein 72)** **Copenhague, Ordrupgaard Museum**  Fig. 157 Prêté par Chocquet à l'exposition *Monet-Rodin*, Paris, galerie Georges Petit, 1889, n° 3
Un tableau étude de fleurs par ***Eugène Delacroix***	? Partie du n° 106, non décrit, mais noté à main comme n° 67ter, Delacroix, *Fleurs* (PV 53, *Un tableau*, 3 250 F à M. Haro. – Drouot 1899 : *Tableau par Eug. Delacroix. Fleurs, à M. Haro 3.250.*)	**Delacroix, *Une Vase de fleurs avec dahlias et gueules-de-loup*, 1848** **(Johnson III 500 ; IV, pl. 297), n.l.**
Et une esquisse attribuée à ***Eugène Delacroix*** *(Halte dans un site montagneux)* Le tout prisé 800 F	? N° 52, Delacroix, *Ovide en exil chez les Scythes. L'exilé est couché sur le sol, au milieu d'un paysage dévasté. Les Scythes, autour de lui pressés, le regardent avec une curiosité où se mêle la pitié ; quelques-uns lui apportent des fruits et du lait de jument. Vers le fond, l'horizon montagneux se réfléchit dans le miroir de l'eau. Très importante esquisse. Cadre en bois sculpté. Panneau. [36 × 55 cm]* (PV 45, *Ovide en exil (tableau)*, 1 850 F à Haro)	**Delacroix, *Ovide en exil chez les Scythes, esquisse*, vers 1855** **(Johnson III 318 ; IV, pl. 143), n.l.** Bien que le PV nomme le marchand Haro comme adjudicataire, il est mentionné Chéramy sur des exemplaires annotés du catalogue de la vente Chocquet Petit ; figure à la vente Chéramy 1908, n° 156

Une petite peinture, bords de Mer		
Une peinture par Eugène ***Delacroix*** *(l'Annonciation)*	N° 45, Delacroix, *L'Annonciation* (PV 54, *L'Annonciation*, 5 210 F à Forgeron, 73 rue de Provence)  Fig. 112	**Delacroix, *L'Annonciation*, 1841** **(Johnson III 425 ; IV, pl. 236)** **Paris, Musée national Eugène Delacroix**  Fig. 158 Vente Blanc 1862, n° 18, 600 F à Chocquet (cité par Rewald 1969, p. 36, achetée trois semaines après le refus par Delacroix de faire le portrait de Mme Chocquet) ; probablement le n° 114 de l'exposition commémorative de Delacroix en 1864 prêtée par Chocquet ; voir l'essai d'Arlette Sérullaz, p. 72, note 75.
Une peinture signée Eugène ***Delacroix*** *1840 (Grotte au bord de la Mer)* Le tout prisé 1 500 F	N° 47, Delacroix, *Le Naufrage* (PV 57, *Le naufrage (tableau)* 9500 F à Durand-Ruel) [*Le naufrage*, selon BA Petit qui lui attribue le n° stock 5350 ; fig. 45)]  Fig. 113	**Delacroix, *Un naufrage à la côte*, 1862** **(Johnson III 490 ; IV, pl. 289)** **Houston, Texas, The Museum of Fine Arts** (cat. 2)  Fig. 159
Quatre petites peintures encadrées : *Vierge et enfant dans les blés*	N° 56, Delacroix, *La Vierge des moissons. Elle est assise, vêtue de rouge et de bleu, et tient devant elle un enfant nu, debout. A ses pieds sont des gerbes de blé ; sa silhouette se dessine sur une campagne aux moissons blondes, sous le ciel d'azur. C'est là une des esquisses que fit Delacroix pour l'église d'Orcemont, vers 1819. Cette esquisse appartint à M. Riesener. Cadre en bois sculpté. Toile. [31 × 15½ cm]* (PV 31, *La Vierge des moissons*, 600 F à M. Joaquin, 9 Godot de Maurois [sic] [Baron de Saint Joachim selon Drouot 1899])	**Delacroix, *Esquisse pour La Vierge des moissons*, n.d.** **(Johnson III, p. 317 [suppl. au vol. I 151], L 106 ; IV, pl. 339), n.l.** Voir l'essai d'Arlette Sérullaz, p. 86 et 90, note 53.
Étude de tulipes	? N° 106 (partie) (PV 10 [sans nom d'artiste] *Tulipes et raisins*, 52 F à M. Ducret 10 Grange Batelière)	Rewald 1969, p. 77 : « par Cézanne », mais son emplacement suggère plutôt Delacroix et le Cézanne est identifié ailleurs.
Petite étude de cheval par Eugène ***Delacroix,***	N° 58, Delacroix, *Étude de cheval, de profil à gauche. Au dos, le cachet de la vente. Cadre en bois sculpté. Toile. [12 × 18½ cm]* (PV 23, *Étude de cheval de profil à gauche*, 240 F à Durand-Ruel) [*Étude de cheval* selon BA Petit qui lui attribue n° stock 5351 (fig. 45)]	**Delacroix, *Étude de cheval de profil à gauche*, avant 1830** **(Johnson I 42 ; II, pl. 36), n.l.** Vu par Robaut chez Chocquet en août 1877; voir l'essai d'Arlette Sérullaz, p. 83, note 33.
Deux figures dans un paysage d'orient Le tout prisé 200 F		
Une gravure sous verre (Sainte famille d'après Raphaël) Prisée 5 F		

CHAMBRE À COUCHER AU DEUXIÈME ÉTAGE ÉCLAIRÉE PAR UNE FENÊTRE SUR RUE		
Une couchette style Louis XV en noyer sculpté avec sommier, deux matelas, oreiller, couvre lit Le tout prisé 150 F		Probablement dans la vente Chocquet Drouot
Une grande armoire normande en chêne sculpté Prisée 250 F	? N° 329, *Grande armoire Régence à deux portes, en chêne sculpté, à décor de mascarons, fleurs et entrelacs,* 470 F à Baulm	
Une table de nuit Louis XV, *une table bureau Louis XV et* *un bureau Louis XV à abattant le tout en bois satine* Le tout prisé 500 F	N° 343, *Table de nuit du temps de Louis XV, en bois de rose. Dessus de marbre brèche d'Alep,* 410 F à Vrignault ? N° 344, *Table-bureau du temps de Louis XV en bois de rose, à tiroir et tablette mobile,* 1 500 F à Jacob ? N° 342, *Bureau à dos d'âne en marqueterie de bois de couleur à fleurs. Époque Louis XV,* 800 F à Baloy, ou N° 345, *Bureau à dos d'âne du temps de Louis XV, en bois de placage,* 220 F	
Une petite commode Louis XV à deux tiroirs garnis de bronzes, *une table Louis XV en noyer,* *un fauteuil Louis XIV canné,* *une chaise d'enfant Louis XV,* *une chaise basse en acajou,* *une autre chaise ancienne,* *une corbeille vide-poches en osier,* *un tabouret pliant,* *un pupitre palissandre,* *un fauteuil garni velours rouge* Le tout prisé 270 F [ajournement et continuation de la prisée le mercredi 19 avril]	? N° 366, *Petite commode à deux tiroirs, en bois de placage, garnie de bronzes, dessus de marbre,* 175 F à Dennery ? N° 350, *Petite table en chêne sculpté Louis XV, à un tiroir ; décor de motifs rocaille et fleurettes,* 540 F à De Montbel	Probablement dans la vente Chocquet Drouot
Une pendule Louis XVI marbre blanc et corne d'abondance bronze doré, *deux flambeaux marbre et bronze,* *deux jardinières porcelaine à la Reine,* *un groupe Madone en plâtre,* *deux chenets, pincettes, pare-étincelles en cuivre* Le tout prisé 800 F	N° 294, *Petite pendule du temps de Louis XVI en marbre blanc et bronze doré, surmonté d'un vase de flammes et accostée de cornes d'abondance. Cadran signé :* Viger à Paris, 540 F	Probablement dans la vente Chocquet Drouot
Deux peintures vues de Trianon par **Schnetz** [ou Schnitz] *Un tableau tête de jeune fille* **genre de Greuze** Le tout prisé 100 F		Probablement dans la vente Chocquet Drouot
Un tableau, peinture, esquisse, pêcheur à la ligne Prisé 10 F	? N° 97, Renoir, *Le Pêcheur à la ligne en train d'amorcer. Toile. [30 × 35 cm]* (PV 34, *Le pêcheur à la ligne tableau,* 330 F à Blot)	Non identifié ; se retrouve à la vente Blot 1900, n° 149, Renoir, *Le Pêcheur,* comme provenant de la vente Doria 1899, incompatible avec la provenance Chocquet et sans doute une confusion ; rachetée 480 F par Blot, mais ne figure pas à la vente Blot 1937.

TROISIÈME ÉTAGE		
Un berceau, un bidet porcelaine, un métier à tapisserie, six caisses contenant lot de chiffons jouets d'enfants, écheveaux Le tout prisé 20 F		Probablement dans la vente Chocquet Drouot
Un tableau encadré, baigneuses	? N° 27 Cézanne, *La Baigneuse. Signé en bas, à gauche. [33½ × 42 cm]* [non décrit ; pas de cadre signalé] (PV 33, *La baigneuse*, 505 F à Bernheim)	Il est difficile de savoir si tout le groupe décrit est « par et attribué à Cézanne » ou si cette mention concerne seulement les « paysages ». Mais deux œuvres significatives de Cézanne auraient ainsi été reléguées au 3e étage.
Une tête d'homme	Voir commentaire	Peut-être Cézanne, possiblement vente Chocquet Drouot ; vendu à Vollard qui cède le 13 juillet 1899, 182,50 F à Bernheim Jeune « Cézanne *Tête de Chocquet* » (Paris, Bibliothèque centrale des musées nationaux, Archives Vollard, MS 421 (4,3), fol.138) **Cézanne, *Portrait de Victor Chocquet*, 1876-1877 (Rewald 292), coll. part.** (cat. 15)  Fig. 160 Le premier propriétaire connu après Chocquet est Bernheim Jeune (cat. expo. Paris 1910, n° 44). Portrait ridiculisé lors de la troisième exposition impressionniste, Paris, 1877, n° 29, *Tête d'homme ; étude* (sans propriétaire nommé ; voir Berson 1996, p. 130)
Quatre paysages sans cadre ***par*** *et* ***attribués à Cézanne***		
Un tableau de ***l'école de Ribera*** *(Vieillard en buste, mains jointes)* Le tout prisé 200 F	N° 105, École espagnole, *Tête de Vieillard. Vu jusqu'à mi-corps, les mains croisées sur la poitrine ; vêtu d'un somptueux costume aux parements brodés. Il a les cheveux blancs et blanche également sa longue barbe ; le nez et les joues sont d'un incarnat vigoureux ; il lève vers le ciel des regards éplorés de contrition, et dans ses yeux perlent de grosses larmes. Cadre en bois sculpté. Toile. [77 × 62 cm]* (PV 26, *Tête de vieillard (tableau)*, 430 F à Durand-Ruel) [*Tête de vieillard*, BA Petit qui lui attribue n° stock 5363 (fig. 45)]	Une des rares œuvres anciennes comprises dans la vente Chocquet Petit ; non identifié
Vingt trois petites peintures dont trois encadrées (paysages et figures) par divers ne méritant description Prisées 30 F		

Un dessin sous verre par ***Delacroix*** *(scène biblique)* Prisé 10 F	N° 169, Delacroix, *Étude pour une décoration. Deux figures : l'une assise, le bras gauche entourant l'épaule de sa compagne, tient un livre ouvert sur les genoux. L'autre, presque agenouillée, indique du doigt ce qu'elle lit. A gauche, en bas, le timbre de la vente. Dessin au crayon sur papier crème. [30½ × 28 cm]* (PV 158, *Étude pour une décoration*, 70 F à M. Degas)	**Delacroix, *Étude pour « L'Éducation de la Vierge »*** **Londres, The British Museum, 1975,0301.43**  Fig. 161 Étude pour *L'Éducation de la Vierge*, 1842, Paris, Musée national Eugène Delacroix (Johnson III 426) ; voir l'essai d'Arlette Sérullaz, p. 88, note 71. Vente Degas 1918, n° 164

CHAMBRE DE DOMESTIQUE

Un lit de fer, sommier, deux matelas, un traversin, une cuvette, un pot à eau et broc un lit de camp et matelas le tout prisé 25 F		

GRENIER-CUISINE

Dix pièces casseroles et bassine en cuivre, une lessiveuse, neuf flambeaux et bougeoirs en cuivre Le tout prisé 25 F		

DÉBARRAS

Un petit cadre sculpté, un lot de bordures, un porte pelle, un lot débarras Le tout prisé 10 F		
Dans l'armoire à linge en bois sculpté se trouvant dans l'antichambre du premier étage : Quarante deux draps, vingt sept taies d'oreillers, un service de table de soixante quatre nappe et serviettes, six draps toile, soixante pièces torchons et serviettes, douze tabliers, une coupe molleton rouge, deux corsages dans un carton Le tout prisé 150 F		
Dans le petit meuble Louis XV se trouvant dans la même antichambre : Cinquante huit volumes reliés (œuvres d'Alfred de Musset, Michelet, Théâtre de Labiche, Rabelais et ouvrages divers Le tout prisé 35 F		
Dans l'armoire à glace se trouvant dans la petite chambre à coucher du deuxième étage : un carnet ivoire, une jumelle de théâtre, un lot de flacons à odeurs, frivolités, boites en cartons, petit sac en cuir, un encrier (nacelle imitation ivoire) Le tout prisé 25 F		

CAVE

Environ cent bouteilles vin rouge, environ soixante quinze bouteilles vins fins rouge et quelques bouteilles eau de vie Le tout prisé 100 F		
Trois casiers à bouteilles en fer fermant, environ deux cents bouteilles vides Le tout prisé 100 F		

ARGENTERIE

Un moutardier double monture en argent à guirlandes de fleurs et couvercles, carafons verre bleu sur plateau à galerie à anses et à pieds *Un huilier monture argent à guirlandes de fleurs, carafons cristal bleu taillé sur plateau à galerie à anses et bouchons d'argent* *Un huilier monture argent à guirlandes, carafons cristal et bouchons cristal attachés par des chainettes à la pyramide* Le tout prisé 300 F	N° 286, *Ménagère à deux places en argent, galerie ajourée et guirlandes ; récipients en verre bleu*, 305 F à Mme Doucet N° 285, *Porte-huilier en argent, guirlandes et galerie ajourée ; burettes en verre bleu*, 580 F à Vrignault N° 284, *Porte-huilier en argent, à guirlandes de fleurs ; tige pyramide. Burettes en cristal gravé. XVIIIe siècle*, 200 F à Helft	
Sept fourchettes et sept cuillères en argent initiales AL *Un couvert d'enfant en argent à filets initiales MC* *Deux fourchettes et une cuiller en argent uni initiales HIC* *Une cuiller en argent uni initiales MC* *Une cuiller argent uni initiales ID* *Une fourchette et une cuiller argent uni initiales F F* *Une cuiller et une fourchette argent uni initiales ADIC* *Une fourchette argent uni initiales IBC* *Le tout pesant mille sept cents grammes* Prisé, à raison de 7 cts le gramme, 119 F		
Une verseuse Louis XV en argent à cotes en spirales pesant treize cent quatre vingt grammes Prisés, à raison de 15 cts le gramme, 207 F	N° 281, *Cafetière en argent côtelé en spirale. Chiffrée. XVIIIe siècle*, 330 F à Dufour	
Une sonnette argent gravé, *un pot à crème Louis XV à cotes en spirales le tout pesant quatre cents grammes* Prisé, à raison de 20 cts le gramme, 80 F	 N° 282, *Petit pot à lait en argent côtelé en spirale, couvercle orné de rocailles. XVIIIe siècle*, 405 F	Non inclus dans la vente Chocquet Petit
Deux moutardiers Louis XVI, un petit encrier Empire le tout en argent pesant trois cent quatre vingt dix grammes Prisé, à raison de 25 cts le gramme, 97,50 F		
Six cuillers style Louis XIII à figurines, deux autres avec buste, *une cuiller à sucre, un passe thé, un porte cure-dents, deux ronds de serviettes, une tasse à déguster, une brochette, une bouillotte initiales SC le tout en argent pesant douze cent vingt grammes* Prisé, à raison de 10 cts le gramme, 122 F	N° 288, *Huit cuillères à poignées ornées de bustes et figurines en argent*, 410 F	
Une cuiller à punch argent manche en baleine, une petite tasse cuivre argenté, douze fourchettes à huitre argent, manches ivoire, sept petites cuillères à sel ou à moutarde en argent, douze couteaux à dessert manches nacre, lames acier Le tout prisé 65 F		

Un bougeoir et une bourdaloue en métal Le tout prisé 10 F		
Deux bracelets, deux boucles d'oreilles et une bague, le tout en or Prisé 45 F		
Un collier avec croix et deux boucles d'oreilles *Cinq doubles boutons de manchettes argent et strass* *Une décoration paraissant être en or émaillé* *Deux chapelets* *Un bracelet coquillages et métal* *Une petite boite Louis XVI en ivoire* *Une miniature portrait d'officier Louis XVI entourage or* *Une médaille de mariage en argent chiffre CB* *Deux épingles de cravate et deux boutons de manchettes en métal* Le tout prisé 40 F		

TOTAL DE LA PRISÉE DU MOBILIER 58 968,50 F

	Tableaux non repérés dans l'inventaire mais figurant sous une attribution précise au catalogue et procès-verbal de la vente Petit	
	N° 32, Corot, *Prairie à la lisière d'un bois. Signé à gauche, en bas. Toile. [18 × 36 cm]* (PV 30, *Prairie à la lisière d'un bois*, 290 F à Montaignac)	Aucun Corot signé signalé nommément dans l'inventaire, bien que l'œuvre soit désignée comme signée au catalogue Petit et ait été vendue comme telle.
	N° 106 (partie) Corot *La femme en noir* (PV 2, *La femme en noir*, 95 F à Durand-Ruel rue Laffitte) [*La femme en noir* selon BA Petit qui lui attribue le n° stock Corot 5 365 (voir fig. 45, p. 66).]	Aucun Corot signalé dans inventaire, bien que l'œuvre soit désignée comme telle dans les archives Durand-Ruel.
		Corot, *Paysage*, vente Mme Vve Chocquet, Paris, Hôtel Drouot, 5 juillet 1899, salle 6 : enregistré dans le stock Vollard (voir registre Paris, Bibliothèque centrale des musées nationaux, MS 421 (4,5), fol.69, n° 3983), comme *Corot, Paysage, 21 × 15 cm, 20 F* [provenant de] *H[ôt]el Drouot Petite vente Choquet* [sic] ; non identifié
	N° 35, Courbet, *Intimité. Elle est assise dans un fauteuil rouge, et, d'une main prête à céder, essaie de retenir sur sa gorge plantureuse le tissu complaisant de sa chemise. Elle incline la tête vers l'épaule gauche et sourit ; ses cheveux châtains commencent à se dénouer. Signé à gauche, en bas. Cadre en bois sculpté. Toile. [59 × 50 cm]* (PV 42, *Intimité (Tableau)*, 490 F à Bernheim jeune)	**Courbet, *Intimité*, 1860 (Fernier 272), n.l.**
	N° 42, Dehodencq, *Arabe assis. Vêtu d'un costume rouge et d'un burnous blanc, il est assis de profil : un pied posé sur une roche, le coude appuyé au genou, la main pendante. Au fond, une mosquée et, vers la droite, deux palmiers que le soleil couchant dore de lueurs jaunes. Ciel bleu profond. Toile. [38 × 30 cm]* (PV 32, 110 F à M. Reyre, rue Chateaudun 34)	Non identifié
	N° 43, Dehodencq, *L'Enfant prodigue. Il est tombé épuisé ; une femme le soutient et porte dans les yeux des regards qui plaignent et qui supplient. Au fond, des montagnes sous une lumière cuivrée. Cadre en bois sculpté. Toile. [22½ × 26½ cm]* (PV 1, *l'enfant prodigue*, 52 F à Vollard)	Non identifié
	N° 44, Dehodencq, *Marocain debout. Toile. [42½ × 24 cm]* (PV 8, *Marocain debout*, 12 F à Natanson, 85 Jouffroy)	Non identifié

Bibliographie

Liste de littérature et de sources abrégées, catalogues d'expositions et d'enchères

Alexandre 1899
Arsène Alexandre, *Album-souvenir de la collection du comte Armand Doria*, Paris 1899

Andersen 1967
Wayne V. Andersen, « Cézanne, Tanguy, Choquet » [sic], in *The Art Bulletin*, t. 49, n° 2 (juin 1967), p. 137-139

Andersen 1970
Wayne V. Andersen, *Cézanne's portrait drawings*, Cambridge, Mass., et Londres 1970

André 1919
Albert André, *Renoir,* Paris [1919] (Cahiers d'Aujourd'hui)

Athanassoglou-Kallmyer 2011
Nina Athanassoglou-Kallmyer, « Cézanne et Delacroix. Autour d'un hommage manqué », in cat. expo. Paris 2011, p. 58-61

ATSCAT 1979
« 20ème anniversaire du prix Victor Chocquet », in *Art, sport, et voyages. Revue de l'ATSCAT,* n° 75, avril 1979

Auriant 1946
Auriant, « Duranty et Zola, lettres inédites », in *La Nef*, 3ème année, n° 20, juillet 1946, p. 43-58

BA Drouot
Bordereau d'adjudication Durand-Ruel pour ses achats à la vente Chocquet Drouot

BA Petit
Bordereau d'adjudication Durand-Ruel pour ses achats à la vente Chocquet Petit

Badt 1956
Kurt Badt, *Die Kunst Cézannes*, Munich 1956

Bailey 1997
Colin B. Bailey, « Portrait of the artist as a portrait painter », in cat. expo. Ottawa/Chicago/Fort Worth 1997, p. 1-51

Ballas 2002
Guila Ballas, *Cézanne, Baigneuses et Baigneurs. Thème et composition*, Paris 2002

Bataille/Wildenstein
Marie-Louise Bataille et Georges Wildenstein, *Berthe Morisot. Catalogue des peintures, pastels et aquarelles*, Paris 1961

Baudelaire 1851
Charles Baudelaire, « Notice sur Pierre Dupont », in Pierre Dupont, *Chants et chansons (poésie et musique). Ornés de gravures sur acier d'après T. Johannot, Andrieux, C. Nanteuil*, t. I, Paris 1851, p. 1-8

Baudelaire 1976
Charles Baudelaire, *Œuvres complètes*, texte établi, présenté et annoté par Claude Pichois, 2 tomes, Paris 1975-1976, t. II, 1976 (Bibliothèque de la Pléiade; n° 7)

Bergerol 1998
Ivan Bergerol, *Eugène Delacroix. Aquarelles et lavis au pinceau*, avec la haute collab. de Arlette Sérullaz, Paris 1998

Bernadille 1877
Bernadille [pseudonyme pour François Besloy], « Chronique parisienne. L'exposition des impressionnistes », in *Le Français*, 13 avril 1877, p. 1. – Réimpression in Berson 1996, t. I, p. 130

Bernard 1904
Émile Bernard, « Paul Cézanne », in *L'Occident,* juillet 1904, p. 17-30. Réimpression in Doran 1978, p. 30-42

Bernard 1907
Émile Bernard, « Souvenirs sur Paul Cézanne et lettres inédites », in *Mercure de France*, année 69, n° 247-248, 1 et 15 octobre 1907, p. 385-404, 606-627. – Réimpression in Doran 1978, p. 49-80

Berson 1996
Ruth Berson, *The new painting. Impressionism 1874-1886. Documentation.* 2 tomes. Tome I, *Reviews,* tome II, *Exhibited Works*, San Francisco 1996
[Pour le catalogue de l'exposition de 1986 voir cat. expo. Washington/San Francisco 1986]

Bertall 1876
Bertall [pseudonyme pour Charles-Albert d'Arnoux], « Exposition des impressionnalistes, rue Lepeletier », in *Paris-Journal* et *Le Soir,* 15 avril 1876. – Réimpression in Berson 1996, t. I, p. 55-57

Blot 1934
Eugène Blot, *Histoire d'une collection de tableaux modernes. Cinquante ans de peinture (de 1882 à 1932),* Paris 1934

Bodelsen 1968
Merete Bodelsen, « Early impressionist sales 1874-94 in the light of some unpublished "procès-verbaux" », in *The Burlington Magazine,* t. CX, n° 783, juin 1968, p. 331-349

Boisjoly 2009
François Boisjoly, *Répertoire des photographes parisiens du XIXe siècle*, Paris 2009

Brettell 1986
Richard R. Brettell, « The "first" exhibition of impressionist painters », in cat. expo. Washington/San Francisco 1986, p. 189-202

Cabanne 1961
Pierre Cabanne, *Le roman des grands collectionneurs*, Paris 1961. Chapitre III, « Monsieur Chocquet qui "lança" Cézanne », p. 47-66

Cabanne 1970
Pierre Cabanne, « Monsieur Chocquet. Don Quichotte de l'impressionisme », in *Jardin des arts*, n° 190, septembre 1970, p. 44–57

Capdet 2011
Christian Capdet, « Mais qui était Buisson de Saint-Sulpice ? », in *Clichy Mag,* février-mars 2011, p. 54-55

Cat. expo. Ann Arbor/Dallas/Minneapolis 1998
Annette Dixon, Carole McNamara et Charles Stuckey, *Monet at Vétheuil. The turning point*, University of Michigan Museum of Art, Ann Arbor, Dallas Museum of Art, Minneapolis Institute of Arts, Ann Arbor 1998

Cat. expo. Bâle 2009
Von Dürer bis Gober. 101 Meisterzeichnungen aus dem Kupferstichkabinett des Kunstmuseums Basel, éd. par Christian Müller, Kunstmuseum Basel, Munich 2009

Cat. expo. Bâle 2012
Renoir. Zwischen Bohème und Bourgeoisie. Die frühen Jahre, Kunstmuseum Basel, Bâle 2012

Cat. expo. Berlin 1900
Bruno et Paul Cassirer, Berlin, *III. Jahrgang der Kunst-Ausstellungen*, 2. November - 1. Dezember 1900

Cat. expo. Berne 1939
Sammlung Oskar Reinhart Winterthur, Kunstmuseum Bern, Berne 1939

Cat. expo. Budapest 2012
Cézanne and the Past. Tradition and Creativity, éd. par Judit Geskó, Szépművészeti Múzeum Budapest [Musée des beaux-arts], Budapest 2012

Cat. expo. Chicago/Philadelphie/Amsterdam 2003
Juliet Wilson-Bareau et David Degener, *Manet and the sea*, The Art Institute of Chicago, Philadelphia Museum of Art, Van Gogh Museum Amsterdam, Philadelphie et al. 2003

Cat. expo. Cleveland et al. 1980
Gabriel P. Weisberg, *The Realist tradition. French painting and drawing 1830-1900*, Cleveland Museum of Art, Brooklyn Museum, Saint Louis Art Museum, Glasgow Art Gallery and Museum, Cleveland et al. 1980

Cat. expo. Édimbourg/Londres 1954 [2 catalogues]
An exhibition of paintings by Cézanne at the Royal Scottish Academy, Edinburgh, sponsored by the Edinburgh Festival Society and arranged jointly with the Royal Scottish Academy and the Arts Council of Great Britain, Édimbourg 1954
An exhibition of paintings by Cézanne at the Tate Gallery, organized with the Edinburgh Festival Society by the Arts Council of Great Britain, Londres 1954

Cat. expo. Florence 2007
Cézanne a Firenze: Due collezionisti e la mostra dell'impressionismo del 1910, éd. par Francesca Bardazzi, Palazzo Strozzi Florence, Milan 2007
[Édition anglaise : *Cézanne in Florence. Two collectors and the 1910 exhibition of impressionism*]

Cat. expo. Francfort 1987
Eugène Delacroix. Themen und Variationen. Arbeiten auf Papier, Städtische Galerie im Städelschen Kunstinstitut Frankfurt am Main, Francfort-sur-le-Main 1987

Cat. expo. Francfort 2001
Von Linie und Farbe. Französische Zeichnungen des 19. Jahrhunderts aus der Graphischen Sammlung des Stadel und aus Frankfurter Privatbesitz, Städelsches Kunstinstitut und Städtische Galerie Frankfurt am Main, Francfort-sur-le-Main 2001

Cat. expo. Francfort 2010
Courbet. Ein Traum von der Moderne, éd. par Klaus Herding et Max Hollein, Schirn Kunsthalle Frankfurt, Ostfildern 2010

Cat. expo. Karlsruhe 1961
Neuere französische Malerei aus der Staatsgalerie Stuttgart, Staatliche Kunsthalle Karlsruhe, Stuttgart 1961

Cat. expo. Kyōto/Tōkyō 1969
Exposition Delacroix, éd. par Maurice Sérullaz, Shizuka Sakazaki et Jo Okada, Kyoto Municipal Museum, National Museum Tokyo, Kyōto 1969

Cat. expo. Londres 1905
A Selection from the pictures by Boudin, Cézanne, Degas, Manet, Monet, Morisot, Pissarro, Renoir, Sisley, exhibited by Messrs Durand-Ruel and Sons, of Paris, at the Grafton Galleries London, Paris 1905

Cat. expo. Londres 2008
The Courtauld Cézannes, The Courtauld Gallery, Londres 2008

Cat. expo. Lugano 1990
Impressionismus und Postimpressionismus. Sammlung Thyssen-Bornemisza, texte de Sarah Whitfield, Villa Favorita, Castagnola, Lugano 1990

Cat. expo. Madrid/Barcelona 2011
Delacroix, 1798-1863. De l'idée à l'expression, éd. par Sébastien Allard, Caixa Forum Madrid, Obra Social La Caixa Barcelona, Madrid 2011

Cat. expo. Martigny 1996
Ronald Pickvance, *Manet*, Fondation Pierre Gianadda Martigny, Martigny 1996

Cat. expo. Martigny 2014
Pierre-Auguste Renoir. Revoir Renoir, éd. par Daniel Marchesseau, Fondation Pierre Gianadda, Martigny Suisse, Martigny 2014

Cat. expo. New Haven/Cambridge 2009
Endless forms. Charles Darwin, natural science and the visual arts, éd. par Diana Donald et Jane Munro, Yale Center for British Art New Haven, Fitzwilliam Museum Cambridge, New Haven et Londres 2009

Cat. expo. New York 1975
Felice Stampfle et Cara D. Denison, *Drawings from the collection of Mr. and Mrs. Eugene V. Thaw*, The Pierpont Morgan Library, New York 1975

Cat. expo. New York 1997
Ann Dumas et Gary Tinterow et al., *The Private Collection of Edgar Degas*, The Metropolitan Museum of Art, New York, New York 1997

Cat. expo. New York 1997a
The private collection of Edgar Degas. A summary catalogue, compilé par Colta Ives, Susan Alyson Stein et Julie A. Steiner, The Metropolitan Museum of Art, New York, New York 1997

Cat. expo. New York 2006
Cézanne to Picasso. Ambroise Vollard, patron of the avant-garde, éd. par Rebecca A. Rabinow, The Metropolitan Museum of Art, New York, New York 2006

Cat. expo. New York/Chicago/Paris 2006
De Cézanne à Picasso, chefs-d'œuvre de la galerie Vollard, The Metropolitan Museum of Art, New York, The Art Institute of Chicago, Musée d'Orsay Paris, Paris 2007

Cat. expo. Ornans 2013
Courbet/Cézanne. La vérité en peinture, Musée Gustave Courbet d'Ornans, Lyon 2013

Cat. expo. Ottawa/Chicago/Fort Worth 1997
Colin Bailey, *Renoir's portraits. Impressions of an age*, National Gallery of Canada Ottawa, The Art Institute of Chicago, Kimbell Art Museum Fort Worth, New Haven et Londres 1997
[Édition française : *Les Portraits de Renoir*, Paris 1997]

Cat. expo. Paris 1864
Exposition des œuvres d'Eugène Delacroix, Société nationale des beaux-arts, Paris 1864

Cat. expo. Paris 1876
Catalogue de la 2e exposition de peinture par MM. Béliard, Legros, Pissaro [sic], Bureau, Lepic, Renoir, Caillebotte, Levert, Rouart, Cals, Millet (J.-B.), Sisley, Degas, Monet (Claude), Tillot, Desboutin, Morisot (Berthe), François (Jacques), Ottin fils, Paris 1876. – Reproduit dans Berson 1996, t. I, p. 47-52

Cat. expo. Paris 1877
Catalogue de la 3e exposition de peinture par MM. Caillebotte, Cals, Cézanne, Cordey, Degas, Guillaumin, Jacques-François, Lamy, Levert, Maureau, C. Monet, B. Morisot, Piette, Pissarro, Renoir, Rouart, Sisley, Tillot, Paris 1877. – Reproduit dans Berson 1996, t. I, p. 117-121

Cat. expo. Paris 1883
Catalogue de l'Exposition des œuvres de P.-A. Renoir, 9 Boulevard de la Madeleine, ouverte du 1er au 25 avril [1883. Préface de Théodore Duret], Paris 1883

Cat. expo. Paris 1885
Exposition Eugène Delacroix au profit de la souscription destinée à élever à Paris un monument à sa mémoire, préface de Paul Mantz, catalogue d'Alfred Robaut, École nationale des beaux-arts, Paris, Paris 1885

Cat. expo. Paris 1889
Claude Monet, A. Rodin, [avec textes d'Octave Mirbeau et Gustave Geffroy], galerie Georges Petit, Paris 1889

Cat. expo. Paris 1889a
Exposition universelle internationale de 1889 à Paris, Catalogue général officiel. Beaux-arts. Exposition centennale de l'art français (1789–1889), Lille 1889. – Page 5 : « CÉZANNE, né à Paris. 124. – La maison du pendu. (App. à M. Choquet). »

Cat. expo. Paris 1904
Société du Salon d'Automne, *Catalogue de peinture, dessin, sculpture, gravure, architecture et arts décoratifs exposé au Grand Palais des Champs-Elysées*, Evreux 1904

Cat. expo. Paris 1907
Portraits d'hommes, galerie Bernheim Jeune, Paris, Paris 1907

Cat. expo. Paris 1910
Manet. Trente-cinq tableaux de la collection Pellerin, exposés en juin 1910 chez MM. Bernheim Jeune et Cie, Paris 1910

Cat. expo. Paris 1912
Portraits par Renoir, galerie Durand-Ruel, Paris, Paris 1912

Cat. expo. Paris 1917
Exposition d'art français du XIXe siècle, au profit de l'Association générale des mutilés de la guerre, galeries Paul Rosenberg, Paris 1917

Cat. expo. Paris 1930
Exposition Eugène Delacroix. Peintures, aquarelles, pastels, dessins, gravures, documents, [préface de Paul Jamot], Musées nationaux, palais du Louvre, Paris 1930, 2 t. : 1. *Catalogue* ; 2. *Album de planches*

Cat. expo. Paris 1933
Voyage de Delacroix au Maroc, 1832, et Exposition rétrospective du peintre orientaliste, Mr Auguste, [catalogue rédigé par Charles Sterling, préface de André Joubin], Musée de l'Orangerie, Paris 1933

Cat. expo. Paris 1963
Maurice Serullaz, *Mémorial de l'exposition Eugène Delacroix, organisée au Musée du Louvre à l'occasion du centenaire de la mort de l'artiste*, Paris 1963

Cat. expo. Paris 1994
Delacroix. Le voyage au Maroc, Institut du Monde Arabe Paris, Paris 1994

Cat. expo. Paris 2003
De Delacroix à Matisse. Dessins français du musée des Beaux-Art d'Alger, Musée du Louvre, Paris 2003

Cat. expo. Paris 2011
Cézanne et Paris, éd. par Denis Coutagne, Musée du Luxembourg (Paris), Paris 2011

Cat. expo. Paris/Londres 1977
Gustave Courbet (1819-1877), [catalogue par Hélène Toussaint ; biographie par Marie-Thérèse de Forges ; préface par Alan Bowles], Grand Palais Paris, Royal Academy of Arts London, Paris 1977

Cat. expo. Paris/Londres/ Philadelphie 1995
Cézanne, éd. par Françoise Cachin et al., Galeries nationales du Grand Palais Paris, Tate Gallery London, Philadelphia Museum of Art, Paris 1995.
[Édition anglaise : *Cézanne*, Galeries nationales du Grand Palais Paris, Tate Gallery London, Philadelphia Museum of Art, Londres resp. New York 1995]

Cat. expo. Paris/Londres/ Philadelphie 2014
Paul Durand-Ruel, le pari de l'impressionnisme, [catalogue] sous la direction de Sylvie Patry, Musée du Luxembourg Paris, National Gallery London, Philadelphia Museum of Art, Paris 2014

Cat. expo. Paris/New York 1983
Manet 1832-1883, Galeries nationales du Grand Palais Paris, The Metropolitan Museum of Art New York, Paris 1983

Cat. expo. Paris/New York/ Amsterdam 1999
Anne Distel et Susan Alyson Stein, *Un ami de Cézanne et van Gogh. Le Docteur Gachet*, Grand Palais Paris, The Metropolitan Museum of Art New York, Van Gogh Museum Amsterdam, Paris 1999 [Édition anglaise : *Cézanne to Van Gogh. The collection of Doctor Gachet*, New York 1999]

Cat. expo. Paris/New York/ Montpellier 2007
Gustave Courbet, Galeries nationales du Grand Palais Paris, The Metropolitan Museum of Art New York, Musée Fabre Montpellier, Paris 2007

Cat. expo. Paris/Philadelphie 1998
Delacroix, les dernières années, Galeries nationales du Grand Palais Paris et Philadelphia Museum of Art, Paris 1998

Cat. expo. Philadelphie 1983
Joseph John Rishel, *Cézanne in Philadelphia collections*, Philadelphia Museum of Art, Philadelphie 1983

Cat. expo. Strasbourg 1907
Catalogue de l'Exposition d'Art français contemporain, au château de Rohan, organisée par la Société des Amis des Arts de Strasbourg, Strasbourg 1907

Cat. expo. Stuttgart 2002
Ina Conzen, *Edouard Manet und die Impressionisten*, [avec textes de] Petra Buschhoff-Leineweber, Kathrin Elvers-Svamberk, Susanne Kohlheyer, Staatsgalerie Stuttgart, Ostfildern-Ruit 2002

Cat. expo. Tours 1998
Delacroix en Touraine, Musée des beaux-arts de Tours, Tours 1998

Cat. expo. Tübingen 1993
Cézanne – Gemälde, Kunsthalle Tübingen, Tübingen 1993

Cat. expo. Tübingen 1996
Götz Adriani, *Renoir*. Kunsthalle Tübingen, Tübingen 1996

Cat. expo. Washington/ San Francisco 1986
The New Painting. Impressionism 1874-1886, éd. par Charles S. Moffett, National Gallery of Art, Washington, The Fine Arts Museums of San Francisco, Genève 1986

Cat. expo. Winterthour 1942
Der unbekannte Winterthurer Privatbesitz 1500-1900, Kunstmuseum Winterthur, Winterthour 1942

Cat. expo. Winterthour 2008
Eugene Delacroix, Spiegelungen. Tasso im Irrenhaus. Sammlung Oskar Reinhart « Am Römerholz » Winterthur, Munich 2008 [Édition anglaise : *Eugene Delacroix, Reflections. Tasso in the madhouse*. Oskar Reinhart Collection 'Am Römerholz' Winterthur, Munich 2008]

Cat. expo. Zurich 1917
Französische Kunst des xix. und xx. Jahrhunderts, [avec préface de] Maurice Denis, Kunsthaus Zürich, Zurich 1917

Cat. expo. Zurich 1940
Sammlung Oskar Reinhart, Alte Meister und französische Maler des 19. Jahrhunderts, [avec préface de] W[ilhelm] Wartmann, Kunsthaus Zürich, Zurich 1940

Cat. expo. Zurich 1957
Sammlung Ragnar Moltzau, Oslo, Kunsthaus Zürich, Zurich 1957

Cézanne Correspondance
Paul Cézanne, *Correspondance*, recueillie, annotée et préfacée par John Rewald, nouvelle éd. révisée et augmentée, Paris 1978

Chappuis
Adrien Chappuis, *The Drawings of Paul Cézanne. A catalogue raisonné*, 2 t., Londres resp. Greenwich, Conn., 1973

Chaumelin 1876
Marius Chaumelin, « Actualités. L'exposition des intransigeants », in *La Gazette des étrangers*, 8. April 1876. – Réimpression in Berson 1996, t. I, p. 67-68

Chesneau 1882
Ernest Chesneau, « Eugène Delacroix », in *L'Art. Revue hebdomadaire illustrée*, année 8 (1882), t. II, p. 67-75, 101-111

Clairet/Montalant/Rouart
Alain Clairet, Delphine Montalant et Yves Rouart, *Berthe Morisot 1841-1895. Catalogue raisonné de l'œuvre peint*, Paris 1997

Colrat 2011
Jean-Marc Colrat, « Un visiteur oublié », in cat. expo. Paris 2011, p. 150-153

Courbet Correspondance
Correspondance de Courbet, éd. par Petra ten-Doesschate Chu, Paris 1996

Danchev 2012
Alex Danchev, *Cézanne. A life*, Londres 2012

Dauberville
Guy-Patrice et Michel Dauberville, *Renoir. Catalogue raisonné des peintures, pastels, dessins et aquarelles*, 5 t., Paris, 2007-2014. – T. I, *1858-1881*, Paris 2007

Daudet 1882
Alphonse Daudet, « Memoires d'un homme de lettres. IX, Un bohème », in *La Jeune France*, t. IV (1882), p. 481-489. – Réimpression in Alphonse Daudet, *Quarante ans de Paris, 1857-1897*, Genève 1945 (Chapitre II, « La fin d'un pitre et de la Bohème de Murger », p. 13-25)

Daulte
François Daulte, *Auguste Renoir. Catalogue raisonné de l'œuvre peint*, t. I : *Figures, 1860-1890*, Lausanne 1971

Daulte Sisley
François Daulte, *Alfred Sisley. Catalogue raisonné de l'œuvre peint*, préface de Charles Durand-Ruel, Lausanne 1959

Daulte 1953
François Daulte, *Le dessin français de David à Courbet*, Lausanne 1953

Debans 1877
C. D. [Camille Debans], « L'exposition des impressionnistes », in *Le Petit Moniteur universel*, 8. April 1877, p. 2. – Réimpression in Berson 1996, t. I, p. 142.

Delacroix Lettres
Lettres de Eugène Delacroix (1815 à 1863), éd. par Philippe Burty, Paris 1878.

Delacroix Journal
Eugène Delacroix, *Journal*, éd. par Michèle Hannoosh, 2 t., Paris 2009

Delacroix 1848
Eugène Delacroix: « Les peintures de la bibliothèque de la Chambre des Députés », [avec introduction de Théophile Thoré], in *Le constitutionnel, journal du commerce, politique et littéraire*, 31. Januar 1848, p. [3]. – Réimpression in cat. expo. Paris 1963, p. 272-274

Denis 1907
Maurice Denis, « Cézanne », in *L'Occident* 12, septembre 1907, p. 118-133. – Réimpression in Maurice Denis, *Théories, 1890-1910. Du symbolisme et de Gauguin vers un nouvel ordre classique*, Paris 1912, et in Maurice Denis, « Cézanne » [extrait de ses *Théories*, 1920], in Doran 1978, p. 166-179

Denis 1957
Maurice Denis, *Journal*, 3 t., Paris 1957-1959. T. I, *1884-1904*, 1957; t. II, *1905-1920*, 1957

Descubes 1877
Amédée Descubes, « L'exposition des impressionnistes », in *Gazette des lettres, des sciences et des arts*, t. I, n° 12, 20. April 1877, p. 185-188. – Réimpression in Berson 1996, t. I, p. 144

Dewhurst 1904
Wynford Dewhurst, *Impressionist Painting, its genesis and development*, Londres 1904

Distel 1989
Anne Distel, *Les collectionneurs des impressionistes. Amateurs et marchands*, Dudlingen 1989. – Chapitre IX: « Victor Chocquet », p. 124-139

Dixon 1998
Annette Dixon, « The Marketing of Monet. The exhibition at *La Vie Moderne* », in cat. expo. Ann Arbor/ Dallas/Minneapolis 1998, p. 91-115

Doran 1978
Conversations avec Cézanne, éd. par Michael Doran, Paris 1978

Drouot 1899
« Revue des ventes. Succession de Mme Vve Choquet », in *Gazette de l'Hôtel Drouot*, 9e Année, n°s 185-186, 4-5 juillet 1899

Dumas 1997
Ann Dumas, « Degas and his collection », in cat. expo. New York 1997, p. 3-73

Durand-Ruel 2014
Paul Durand-Ruel, *Mémoires du marchand des impressionnistes*, éd. par Paul-Louis Durand-Ruel et Flavie Durand-Ruel, Paris 2014

Duret 1878
Théodore Duret, *Les peintres impressionnistes. Claude Monet, Sisley, C. Pissarro, Renoir, Berthe Morisot*, Paris 1878

Duret 1906
Théodore Duret, *Histoire des peintres impressionnistes. Pissarro, Claude Monet, Sisley, Renoir, Berthe Morisot, Cézanne, Guillaumin*, Paris 1906

Duret 1924
Théodore Duret, *Renoir*, Paris 1924

Elder 1924
Marc Elder, *À Giverny, chez Claude Monet*, Paris 1924

Enault 1876
Louis Enault, « Mouvement artistique. L'exposition des intransigeants dans la galerie de Durand-Ruelle [sic] », in *Le Constitutionnel*, 10 avril 1876, p. 2. – Réimpression in Berson 1996, t. I, p. 81-83

Escholier 1927
Raymond Escholier, *Delacroix Peintre, Graveur, Ecrivain*, 3 t., 1926-1929. T. II: *1832-1848*, Paris 1927

Eudel 1882
Paul Eudel, *L'Hôtel Drouot en 1881*, Paris 1882

Feilchenfeldt/Warman/Nash
Walter Feilchenfeldt, Jayne Warman et David Nash, *The paintings of Paul Cézanne. An online catalogue raisonné.* http://www.cezannecatalogue.com

Fels 1925a
Florent Fels, *Claude Monet. Trente reproductions de peintures et dessins précédées d'une étude critique*, Paris 1925

Fels 1925b
Florent Fels, *Propos d'artistes*, Paris 1925

Fernier
Robert Fernier, *La vie et l'œuvre de Gustave Courbet. Catalogue raisonné*, 2 t., Genève et Lausanne 1977-1978

Fillonneau 1877
Ernest Fillonneau, « Les impressionnistes », in *Moniteur des arts*, 20 avril 1877, p. 1. – Réimpression in Berson 1996, t. I, p. 146

Freudenberg 2001
Inken Freudenberg, *Der Zweifler Cézanne*, Heidelberg 2001

Freudenberg 2012
Inken Freudenberg, « "And the picture, once left, torments us and pursues us" : Cézanne and Delacroix », in cat. expo. Budapest 2012, p. 49-62

Gasquet 1921
Joachim Gasquet, *Cézanne*, Paris 1921

Gastyne 1877
Jules de Gastyne, « Courrier de Paris », in *Le Nain Jaune*, 29 avril 1877, p. 1. – Réimpression in Berson 1996, t. I, p. 148

Gauguin Correspondance
Correspondance de Paul Gauguin. Documents, témoignages, éd. établie par Victor Merlhès. T. I, *1873-1888*, Paris 1984

Geffroy 1894
Gustave Geffroy, « Paul Cézanne, l'art d'aujourd'hui », in : *Le Journal*, 25 mars 1894, p. 1 (3ème année, n° 544)

Gimpel 1963
René Gimpel, *Journal d'un collectionneur, marchand de tableaux*, Paris 1963

Gloor 2014
Lukas Gloor, « Renoir en Suisse – une réception fluctuante. Renoir in der Schweiz – im Auf und Ab der Publikumsgunst », in cat. expo. Martigny 2014, p. 27-42

Gowing 1956
Lawrence Gowing, « Notes on the development of Cézanne », in *The Burlington Magazine*, t. XCVIII, n° 639, juin 1956, p. 185-192

Hallays 1899
André Hallays, « En flânant. L'impressionnisme et le public », in *Journal des débats politiques et littéraires*, 7 juillet 1899, p. 1-2

Herbert 2002
Robert L. Herbert, *From Millet to Léger. Essays in social art history*, New Haven et Londres 2002

Hoog 1984
Michel Hoog, *Catalogue de la collection Jean Walter et Paul Guillaume*, Paris 1984

House 1986
John House, *Monet. Nature into Art*, New Haven et Londres 1986

Joel 2002
David Joel, *Monet at Vétheuil and on the Norman Coast, 1878-1883*, Woodbridge 2002

Joëts 1935
Jules Joëts, « Lettres inédites. Les impressionistes et Chocquet », in *L'Amour de l'art*, n° 4, avril 1935, p. 121-125

Johnson
Lee Johnson, *The paintings of Eugène Delacroix. A critical catalogue*, 7 t., Oxford 1981-2002
T. I et II, *1816-1831*, 1981
T. III et IV, *1832-1863 (Movable pictures and private decorations)*, 1986
T. V et VI, *The Public Decorations and their Sketches*, 1989
T. [VII], *Fourth supplement and reprint of third supplement*, 2002

Johnson Pastels
Lee Johnson, *Delacroix Pastels*, Londres et New York 1995

Johnson 1996
Lee Johnson, « Letters: Delacroix chez les Scythes », in *The Burlington Magazine*, t. CXXXVIII, n° 1114, janvier 1996, p. 31

Kendall 2009
Richard Kendall, « Monet and the monkeys. The impressionist encounter with Darwinism », in cat. expo. New Haven/Cambridge 2009, p. 293-318

Kessler 2004
Harry Graf Kessler, *Das Tagebuch 1880–1937*, 9 t. + 1 CD-ROM, 2004-2010. T. III, *1897–1905*, Stuttgart 2004

Lafenestre 1877
[Georges Lafenestre], « Le Jour et la nuit », in *Le Moniteur universel*, 8 avril 1877, p. 2. – Réimpression in Berson 1996, t. I, p. 168-169

Larguier 1925
Léo Larguier, *Le dimanche avec Paul Cézanne (souvenirs)*, Paris 1925

Leroy 1876
Louis Leroy, « Choses et autres », in *Le Journal amusant*, 15 avril 1876, p. 3, 6-7. – Réimpression in Berson 1996, t. I, p. 88

Leroy 1877a
Louis Leroy, « Exposition des impressionnistes », in *Le Charivari*, 11 avril 1877, p. 2. – Réimpression in Berson 1996, t. I, p. 159

Leroy 1877b
Louis Leroy, « Le public à l'exposition des impressionnistes », in *Le Charivari*, 14 avril 1877, p. 82-83. – Réimpression in Berson 1996, t. I, p. 160-161

Lhander 1958
Louis Lhander, « Le grand peintre et le petit pont », in *Les Lettres Françaises*, 25 septembre - 1 octobre 1958

Lichtenstein 1964
Sara Lichtenstein, « Cézanne and Delacroix », in *Art Bulletin*, t. XLVI, n° 1, mars 1964, p. 55-67

Lichtenstein 1975
Sara Lichtenstein, « Cézanne's copies and variants after Delacroix », in *Apollo*, t. CI, n° 156, février 1975, p. 116-127

Loyrette 1995
Henri Loyrette, « Delacroix's "Ovid in exile" », in *The Burlington Magazine*, t. CXXXVII, n° 1111, octobre 1995, p. 682-683

Lucas 1979
The diary of George A. Lucas. An American art agent in Paris 1857-1909, éd. par Lilian M. C. Randall, 2 t., Princeton 1979

Lugt
Frits Lugt, *Les marques de collections de dessins & d'estampes. Marques estampillées et écrites de collections particulières et publiques. Marques de marchands, de monteurs et d'imprimeurs. Cachets de vente d'artistes décédés, marques de graveurs apposées après le tirage des planches. Timbres d'édition. Etc. Avec des notices historiques sur les collectionneurs, les collections, les ventes, les marchands et éditeurs, etc.*, Amsterdam, 1921 ; supplément, La Haye, 1956. En ligne : www.marquesdecollections.fr

Machotka 1996
Pavel Machotka, *Cézanne. Landscape into art*, New Haven et Londres 1996

Maison
Karl Eric Maison, *Honoré Daumier. Catalogue raisonné of the paintings, watercolours and drawings*, 2 t., Paris ou Londres 1968. – T. I, *The paintings* ; t. II, *The watercolours and drawings*

Manet 1979
Julie Manet, *Journal (1893-1899). Sa jeunesse parmi les peintres impressionnistes et les hommes de lettres*, préface de Jean Griot, Paris 1979

Meier-Graefe 1911
Julius Meier-Graefe, *Renoir*, Munich 1911

Meier-Graefe/Klossowski 1908
Julius Meier-Graefe et Erich Klossowski, *La collection Cheramy. Catalogue raisonné précédé d'études sur les maîtres principaux de la collection*. Munich 1908

Monneret 1978
Sophie Monneret, *Cézanne, Zola. La fraternité du génie*, Paris 1978

Moreau 1873
Adolphe Moreau, *E. Delacroix et son œuvre avec des gravures en fac-similé des planches originales les plus rares*, Paris 1873

Mothe 2011
Alain Mothe, *Ce que voyait Cézanne. Les paysages impressionnistes à la lumière des cartes postales*, Paris 2011

Near 1985
Pinkney L. Near, *French paintings. The collection of Mr. and Mrs. Paul Mellon in the Virginia Museum of Fine Arts*, Richmond 1985

Perruchot 1956
Henri Perruchot, « Un fonctionnaire des douanes », in *L'œil*, n° 23, novembre 1956, p. 36-41

Perruchot 1961
Henri Perruchot, *Cézanne*, translated by Humphrey Hare, Cleveland et New York, 1961 (Art and destiny ; 2). – La photographie de Victor Chocquet ne figure pas dans l'édition originale française.

Perruchot 1964
Henri Perruchot, *La vie de Renoir*, Paris 1964

Pétroz 1854
Pierre Pétroz, « Les plafonds de l'Hôtel de Ville », in *Revue franco-italienne*, Année I, n° 1, 16 novembre 1854, p. 5-6

Pissarro/Snollaerts
Joachim Pissarro et Claire Durand-Ruel Snollaerts, *Pissarro. Catalogue critique des peintures = Critical catalogue of paintings*. 3 t., Milan et Paris 2005

Pissarro 1950
Camille Pissarro, *Lettres à son fils Julien*, Paris 1950

Pissarro Correspondance
Correspondance de Camille Pissarro, éd. par Janine Bailly-Herzberg, 5 t., Paris 1980-1991. – T. I, *1865-1885*, 1980 ; t. II, *1886-1890*, 1986 ; t. III, *1891-1894*, 1988 ; t. IV, *1895-1898*, 1989 ; t. V, *1899-1903*, 1991

Porcheron 1876
Emile Porcheron, « Promenades d'un flâneur, les impressionnistes », in *Le Soleil*, 4 avril 1876, p. 2 3. Réimpression in Berson 1996, t. I, p. 102-103

Pothey 1876
Alex[andre] Pothey, « Chronique », in *La Presse*, Année 41, 31 mars 1876, p. 3. – Réimpression in Berson 1996, t. I, p. 103-104

Prat 1998
Louis-Antoine Prat, « Les dessins religieux de l'hiver 1862 », in cat. expo. Paris/Philadelphie 1998, p. 329-339

Prost
Bernard Prost, *Octave Tassaert. Notice sur sa vie et catalogue de son œuvre*, préface par Alexandre Dumas fils, Paris 1886

Prost 1886
Bernard Prost, « Tassaert », in *Gazette des Beaux-Arts*, t. XXXIII, janvier 1886, p. 28-47

PV
Procès-verbal de la vente Chocquet Petit. Original perdu ; copie dactylographiée : Washington, National Gallery of Art, Gallery Archives, Rewald Papers RG 43, box 68-11

Reff 1962
Theodore Reff, « Cézanne's Constructive Stroke », in *Art Quarterly*, t. XXV, n° 3, automne 1962, p. 214-227

Reinhard-Felice 2003
Sammlung Oskar Reinhart « Am Römerholz » Winterthur. Gesamtkatalog, éd. par Mariantonia Reinhard-Felice, Bâle 2003 [Édition anglaise : *Oskar Reinhart Collection 'Am Römerholz' Winterthur. Complete catalogue*, éd. par Mariantonia Reinhard-Felice, Bâle 2003]

Reinhard-Felice 2014
Kunst ohne Geschichte. Ästhetisch movitiertes Sammeln in Europa und Amerika. Symposium in der Sammlung Oskar Reinhart « Am Römerholz », Winterthur 2012, éd. par Mariantonia Reinhard-Felice, Munich 2014 (Scripta manent. Schriften zur Sammlung Oskar Reinhart « Am Römerholz »)

Renoir 1962
Jean Renoir, *Renoir*, Paris 1962

Renoir 1981
Jean Renoir, *Pierre-Auguste Renoir, mon père*, Paris 1981 (collection Folio) [Édition nouvelle de Renoir 1962]

Rewald
John Rewald, *The paintings of Paul Cézanne. A catalogue raisonné*, en collaboration avec Walter Feilchenfeldt et Jayne Warman, 2 t., New York 1996

Rewald Watercolours
John Rewald, *Paul Cézanne. The watercolours. A catalogue raisonné*, Londres 1983
Édition américaine : John Rewald, *Paul Cézanne. The watercolors. A catalogue raisonné*, Boston 1983

Rewald 1936
John Rewald, *Cézanne et Zola*, Paris 1936

Rewald 1969
John Rewald, « Chocquet and Cézanne », in *Gazette des Beaux-Arts*, Année CXI, t. LXXIV, juillet-août 1969, p. 33-96. – Pour la version révisée voir Rewald 1985

Rewald 1973
John Rewald, *The history of impressionism*, 4ème édition révisée, New York et Londres 1973

Rewald 1985
John Rewald, « Chocquet and Cézanne », in John Rewald, *Studies in impressionism*, Londres 1985, p. 120-187. – Les passages cités en français dans Rewald 1969 sont traduits ici en anglais.

Rewald 1986a
John Rewald, *Cézanne. A biography*, Londres 1986
Édition française: *Cézanne*, traduction par Jeanne Bouniort, Paris 1986

Rewald 1986b
John Rewald, « Paintings by Paul Cézanne in the Mellon Collection », in *Essays in Honor of Paul Mellon, Collector and Benefactor*, éd. par John Wilmerding, Washington, D.C., 1986, p. 289-319

Rivière 1876
Georges Rivière, « Les intransigeants de la peinture », in *L'Esprit moderne*, 13 avril 1876, p. 7-8, réimprimé par Pierre Dax sous le titre « Chronique », in *L'Artiste*, 1 mai 1876, p. 347-349. – Réimpression in Berson 1996, t. I, p. 70-71

Rivière 1877
Georges Rivière, « L'exposition des impressionnistes », in *L'Impressionniste*, 14 avril 1877, p. 1-4, 6. – Réimpression in Berson 1996, t. I, p. 181-184

Rivière 1921
Georges Rivière, *Renoir et ses amis*, Paris 1921

Rivière 1923
Georges Rivière, *Le maître Paul Cézanne*, Paris 1923

Rivière 1933
Georges Rivière, *Cézanne, le peintre solitaire*, Paris 1933

Robaut
L'œuvre complet de Eugène Delacroix. Peintures, dessins, gravures, lithographies, catalogué et reproduit par Alfred Robaut, commenté par Ernest Chesneau, Paris 1885

Robert/Cougny 1889
Dictionnaire des parlementaires français, comprenant tous les membres des Assemblées françaises et tous les ministres français depuis le 1er Mai 1789 jusqu'au 1er Mai 1889, éd. par Adolphe Robert et Gaston Cougny, Paris 1889

Roger-Marx 1933
Claude Roger-Marx, *Renoir*, Paris 1933 (Anciens et modernes)

Rouart/Wildenstein
Denis Rouart et Daniel Wildenstein, *Edouard Manet. Catalogue raisonné*, 2 t., Lausanne et Paris 1975. – T. I, *Peintures*

Rubin 2010
James R. Rubin, *Courbet, Wagner und das Volkslied*, in cat. expo. Francfort-sur-le-Main 2010, p. 52-57

Schapiro 1952
Meyer Schapiro, *Cézanne*, New York 1952

Sérullaz 1952
Maurice Sérullaz, *Eugène Delacroix – dessins, aquarelles et lavis. Musée du Louvre*, Paris [1952] (Documents d'art. Collection, Le Musée du Louvre, 23). – Titre de la couverture : *Musée du Louvre, Les dessins de Delacroix (1817-1827)*

Sérullaz 1963
Maurice Sérullaz, *Les peintures murales de Delacroix*, Paris 1963

Sérullaz 1984
Maurice Sérullaz, *Dessins d'Eugène Delacroix, 1798-1863* / Musée du Louvre, Cabinet des Dessins, 2 t., Paris 1984 (Inventaire général des dessins. École française)

Sérullaz 2004
Arlette Sérullaz, *Delacroix*, Paris 2004 (Louvre Drawing Gallery, 5)

Silvestre 1864
Théophile Silvestre, *Eugène Delacroix. Documents nouveaux*, Paris 1864

Simms 2008
Matthew Simms, *Cézanne's watercolors. Between drawing and painting*, New Haven et Londres 2008

Sterling 1957
Charles Sterling, *Musée de l'Ermitage. La peinture française de Poussin à nos jours*, Paris 1957

Vassy 1877
Punch [Gaston Vassy], « La journée à Paris. L'exposition des impressionnistes », in *L'Evénement*, 2 avril 1877, p. 2. – Réimpression in Berson 1996, t. I, p. 145

Vauxcelles 1905
Louis Vauxcelles, « Chez les peintres. Un après-midi chez Claude Monet », in *L'Art et les artistes*, décembre 1905, p. 85-90

Vente Barroilhet 1862
Catalogue de dessins et aquarelles modernes, provenant en partie de la collection d'un amateur [Paul Barroilhet]. [Vente à Paris, le 12 avril 1862], Francis Petit, expert

Vente Beurret & Bailly 2013
Gemälden, Arbeiten auf Papier und Skulpturen. Beurret & Bailly Auktionen, Basel, 15. Juni 2013 (Auktion 3)

Vente Blanc 1862
Catalogue de tableaux et dessins modernes appartenant à M. E[dmond] Blanc. [Vente à Paris, Hôtel Drouot, le lundi 7 avril 1862]

Vente Blot 1900
Catalogue de tableaux, aquarelles, pastels et dessins par Albert (Gustave), [...] Cézanne, *[...] Corot, [...] Degas, Delacroix, [...] Manet (Edouard), [...] Monet (Claude), [...] Morisot (Berthe), [...] Pissarro (C.), [...] Renoir, [...], composant la collection de M. E[ugène] Blot, et dont la vente aura lieu à Paris, Hotel Drouot, [...] les mercredi 9 et jeudi 10 mai 1900*

Vente Blot 1937
Tableaux modernes, aquarelles, pastels, dessins, lithographies par Angrand, [...] Daumier, Degas, [...] Manet [...]. Œuvres importantes de Bonnard, Cézanne, Van Gogh & Renoir. Sculptures par Claudel, Hœtger & Maillol [...]. Collection Eugène Blot. [Vente à Paris, Hôtel Drouot, le 23 avril 1937]

Vente Caillot 1934
Faïences anciennes de Alcora, Delft, Faenza, hispano-mauresque [...], porcelaines anciennes de Alcora, Chantilly, Chine, Marseille, Mennecy, Niederviller, Rouen, Sèvres, vitrine [...]. Collection de Mme Léonce Caillot. [Vente Hôtel Drouot, 21 mars 1934]

Vente Champfleury 1890
Catalogue de la collection de faïences patriotiques et de tableaux anciens et modernes dépendant de la succession de M. Champfleury, dont la vente aura lieu par suite de son décès, en vertu d'ordonnance enregistrée, hôtel Drouot [...] les lundi 28 et mardi 29 avril 1890, préface de Paul Eudel, Paris 1890

Vente Chéramy 1908
Catalogue des tableaux anciens et modernes, aquarelles, pastels, dessins. Œuvres remarquables de Boltraffio [...]. Très importante collection d'œuvres de Constable et d'Eugène Delacroix, primitifs italiens composant la collection P[aul]-A[rthur] Cheramy, et dont la vente aura lieu à Paris, Galerie Georges Petit, les mardi 5, mercredi 6 et jeudi 7 mai 1908

Vente Chéramy 1913
Catalogue des tableaux anciens et modernes, aquarelles, dessins, pastels, dont une importante collection d'œuvres d'Eugène Delacroix, sculptures, bronzes, plâtres, cires et biscuits, et des estampes anciennes & modernes, dépendant de la succession de M. [Paul]-A[rthur] Cheramy, et dont la vente [...] aura lieu à Paris, Hôtel Drouot, [...] le lundi 14 avril 1913, [...] les lundi 15 et mercredi 16 avril 1913

Vente Chocquet Drouot
Tableaux modernes, études et esquisses, paysages, figures, sujets de genre, mobilier meublant, piano d'Erard, meubles à tous usages, vaisselle, rideaux, tentures, carpettes, literie et objets divers, vins en bouteilles, après décès de Mme Vve Chocquet, Paris, Hôtel Drouot, salle 6, 5 juillet 1899

Vente Chocquet Petit
Catalogue des tableaux modernes par Cézanne, Courbet, Delacroix, Manet, Monet, Renoir, Sisley, Tassaert, aquarelles & dessins, objets d'art et d'ameublement, anciennes porcelaines tendres de Sèvres, porcelaines et faïences diverses, orfèvrerie, pendules et bronzes du XVIIIe siècle, sièges et meubles des époques Louis XV et Louis XVI, dont la vente, par suite du décès de Mme Vve Chocquet, aura lieu Galerie Georges Petit […] à Paris, les samedi 1er, lundi 3 et mardi 4 juillet 1899

Vente Chocquet Yvetot
Succession de Mme Chocquet. Riche mobilier ancien et moderne, argenterie, bijoux, livres, tableaux, gravures, dentelles, pendules, glaces, ivoires, objets d'art et voitures. Vente à Yvetot, rue de Caudebec, au domicile où est décédée Madame Chocquet, de son vivant rentière. 10, 11, 12, 17, 18, 19 et 20 juillet 1899 et jours suivants s'il y a lieu

Vente Courbet 1877
Catalogue de tableaux, meubles & objets d'art, provenant de l'atelier de Gve Courbet, dont la vente aura lieu à la requête de M. le Directeur des Domaines en vertu de jugement et d'une ordonnance de référé, Hôtel Drouot, […] le lundi 26 novembre 1877

Vente Courval 2014
Ancienne collection de la vicomtesse de Courval, provenant d'un hôtel particulier parisien près des Champs Elysées. [Sotheby's France,] vente à Paris 25 mars 2014. www.sothebys.com/de/auctions/2014/collection-vicomtesse-courval-pf1430.html

Vente Dauzats 1869
Catalogue des tableaux, études, esquisses peintes, des aquarelles, dessins et croquis d'après nature laissées par M. A[drien] Dauzats […] vente à l'hôtel Drouot 1er, 2, 3 et 4 février 1869, avec notice biographique par Ph[ilippe] Burty

Vente Degas 1918
Catalogue des tableaux modernes et anciens, aquarelles, pastels, dessins […]. Œuvres importantes de Delacroix et de Ingres, composant la collection Edgar Degas, et dont la vente aux enchères publiques après son décès aura lieu à Paris, Galerie Georges Petit […] les mardi 26 et mercredi 27 mars 1918

Vente Delacroix 1864
Catalogue de la vente qui aura lieu par suite du décés de Eugène Delacroix, Hôtel Drouot, [17-29 février 1864], avec notice biographique par Ph[ilippe] Burty

Vente Doria 1899
Collection de M. le Comte Armand Doria. Tome premier, Tableaux modernes. [2ème page de titre : …] *Catalogue de tableaux modernes. Œuvres importantes […], dont la vente aura lieu Galerie Georges Petit […] les jeudi 4 et vendredi 5 mai 1899*, préface et catalogue analytique par L[éon] Roger-Milès ; précédé d'un essai sur la vie du comte Armand Doria par Arsène Alexandre. [contient les Nos. 1-251] *Tome II, Aquarelles & pastels, dessins, gravures & sculptures*, catalogue analytique par L[éon] Roger-Miles. [2ème page de titre : …] *Catalogue de aquarelles & pastels […], dessins […], gravures […], bronzes par Barye, dont la vente aura lieu Galerie Georges Petit […] les lundi 8 et mardi 9 mai 1899* [contient les Nos 252-682 et 683-684 manuscrit]

Vente Drouot 1876
Catalogue de tableaux modernes dépendant de la collection de M. +++ [Hoschedé et Monet ?], *vente Hôtel Drouot, 14 avril 1876.* – Commissaire-priseur: Me Ch. Oudart; Expert: Emile Barre.

Vente Drouot 1881
Catalogue de tableaux modernes et quelques tableaux anciens. Collection de feu H. D. […] vente […] Hôtel Drouot […] vendredi 25 mars 1881

Vente Drouot 1909
Catalogue des dessins anciens et modernes par Boucher, Boudin, Constable, Delacroix,[…] A. Verocchio, A. Vollon, Watteau, etc., peinture par B. Lépicié, dont la vente aura lieu à Paris, Hôtel Drouot, […] le mercredi 27 janvier 1909

Vente Duranty 1881
Vente par suite du décès de Emile Duranty, homme de lettres. Tableaux modernes, esquisses, aquarelles, pastels, dessins, eaux-fortes, livres. Hôtel Drouot les vendredi 28 et samedi 29 janvier [1881], préface de Émile Zola

Vente Gangnat 1925
Catalogue des tableaux composant la collection Maurice Gangnat. 160 tableaux par Renoir, œuvres importantes de Paul Cézanne, tableaux par E. Vuillard, dont la vente aux enchères publiques aura lieu à Paris, Hotel Drouot, les mercredi 24 et jeudi 25 juin 1925, [préfaces de Robert de Flers et d'Élie Faure]

Vente Gaugain 1901
Catalogue de tableaux modernes par Boudin, Cézanne, Guillaumin, Lépine, Monet, Pissarro, Renoir, Sisley, pastels par Degas : composant la collection de M. [Paul Octave] G[augain] : et dont la vente aura lieu, à Paris, Hôtel Drouot, [...] le lundi 6 mai 1901

Vente Guasco 1900
Collection de M. Charles G[uasco]. Tableaux modernes, pastels, aquarelles, dessins, bronzes de Bayre, cire de Falguière, Paris, galerie Georges Petit, le lundi 11 juin 1900

Vente Hoschedé 1878
Vente judiciaire des tableaux modernes et anciens, meubles et curiosités composant la collection [Ernest] Hoschedé. Hôtel Drouot, 5 et 6 juin 1878

Vente Leprieur 1919
Catalogue des tableaux et dessins anciens et des tableaux, aquarelles et dessins modernes, bronzes, faïences, miniatures, sculptures, sièges et meubles, étoffes et meubles, étoffes et tapis […], succession de M. [Paul] Leprieur, […] vente après décès Hotel Drouot le vendredi 21 novembre 1919

Vente Leroux 1888
Catalogue des tableaux modernes, aquarelles, dessins, élégant mobilier, bronzes d'ameublement, ridaux, tapis, etc., le tout appartenant à M. Charles Leroux, et dont la vente aura lieu en vertu d'ordonnance Hôtel Drouot […], les lundi 27 et mardi 28 février, 1er mars 1888

Vente Manet 1884
Catalogue de tableaux, pastels, études, dessins, gravures par Édouard Manet et dépendant de sa succession, dont la vente aura lieu Hôtel Drouot, […] les lundi 4 et mardi 5 février 1884, [avec préface de Théodore Duret]

Vente Monet et al. 1875
Catalogue des tableaux et aquarelles par Claude Monet, Berthe Morisot, A. Renoir, A. Sisley […] vente Hôtel Drouot, 24 mars 1875, [avec préface de Philippe Burty]

Vente Pellerin 1997
Ten Paintings by Paul Cézanne formerly in the Auguste Pellerin Collection, Sotheby's, New York, Thursday, November 13, 1997, Sale 7075

Vente Pertuiset 1888
Catalogue des tableaux de Pertuiset et des œuvres de Manet, formant sa collection particulière, vente le 6 juin 1888 à […] l'Hôtel Drouot

Vente Piron 1865
*Collection de feu M*** [Achille Piron], légataire universel de M. Eugène Delacroix. Catalogue de tableaux et dessins par Eugène Delacroix, albums, ouvrages illustrés, biographies, etc.* [Vente à Paris, Hôtel Drouot, 21 avril 1865]

Vente Pissarro 1928
Catalogue des oeuvres importantes de Camille Pissarro et de tableaux, pastels, aquarelles, dessins, gouaches par Mary Cassatt, Cézanne, Dufeu, Delacroix, Guillaumin, Blanche Hoschede, Jongkind, Le Bail, Luce, Manet, Claude Monet, Piette, Seurat, Signac, Sisley, Van Rysselberghe, etc., composant la collection Camille Pissarro, dont la première vente aux enchères publiques aura lieu à Paris, galerie Georges Petit, le lundi 3 décembre 1928

Vente Riesener 1879
Catalogue de la vente qui aura lieu par suite du décès de M. [Léon] Riesener […] vente Hôtel Drouot, […] les jeudi 10 et vendredi 11 avril 1879

Vente Sensier 1877
Catalogue de la vente qui aura lieu par suite du décès de M. Alfred Sensier, Hotel Drouot, [avec préface de Paul Mantz]. [Vente 10-16 décembre : Tableaux et dessins de l'école moderne ; tableaux et dessins des écoles anciennes; estampes, monnaies, objets d'art]

Vente Tetzen-Lund 1925
Katalog over franske og skandinaviske Billeder tilhørende Tetzen-Lunds Samlinger, der bortsælges ved Auktion i den frie Udstillings lokaler mandag den 18. maj […] og tirsdag den 19. maj [1925]. Préface de Sigurn Swane, Copenhague 1925

Vente Viau 1907
Catalogue des tableaux modernes, pastels et aquarelles. Œuvres de Boudin, Cals, Carrière, Mary Cassatt, Cézanne, Dagnan-Bouveret, Daumier, Degas, Delacroix, Gauguin, Guillaumin, Jongkind, Lebourg, Lépine, Manet, Monet, Berthe Morisot, Pissarro, Renoir, Sisley, composant la collection de M. George Viau, et dont la vente aura lieu à Paris, Galeries Durand-Ruel, […] le lundi 4 mars 1907

Vente Villot 1865
Catalogue de tableaux, aquarelles, dessins, croquis, études, planches gravées à l'eau forte par Eugène Delacroix: provenant du cabinet de M. F[rédéric] V[illot], dont la vente aura lieu Hôtel [Drouot], le samedi 11 février 1865, Francis Petit, expert

Venturi
Lionello Venturi, *Cézanne, son art – son œuvre*, 2 t., Paris 1936, réimpression San Francisco 1989

Vollard 1914
Ambroise Vollard, *Paul Cézanne*, Paris 1914

Vollard 1918
Ambroise Vollard, *Tableaux, pastels et dessins de Pierre-Auguste Renoir*, 2 t., Paris 1918

Vollard 1919
Ambroise Vollard, *La vie et l'œuvre de Pierre-Auguste Renoir*, Paris 1919

Warman 2011
Jayne S. Warman, « Cézanne, peintre des peintres » et « Œuvres de Cézanne ayant appartenu à des artistes », in *Cézanne et Paris*, cat. expo. Paris 2011, p. 164-173 et 207-209

White 1984
Barbara Ehrlich White, *Renoir, his life, art and letters*, New York 1984

White 1985
Édition française de White 1984 : *Renoir*, trad. de l'américain par Anne Krief, Paris 1985

Wildenstein, Wildenstein P
(P pour les pastels en t. V)
Daniel Wildenstein, *Claude Monet. Biographie et catalogue raisonné*, 5 t., Lausanne 1974-1991
T. I, *Peintures 1840-1881*, 1974
T. II, *Peintures 1882-1886*, 1979
T. III, *Peintures 1887-1898*, 1979
T. IV, *Peintures 1899-1926*, 1985
T. V, *Supplément aux peintures, dessins, pastels, index*, 1991

Wildenstein 1996
Daniel Wildenstein, *Monet*. 4 t., Cologne 1996
T. I: *Monet ou le triomphe de l'impressionisme*
T. II-IV: *Catalogue raisonné = Werkverzeichnis*
Cette édition en quatre tomes est parue en trois langues. T. I avec la biographie est paru simultanément en français, allemand et anglais ; les tomes II-IV contient le catalogue raisonné en trois langues. Les numéros du catalogue sont les mêmes de l'édition de 1974-1985. Toutefois, le volume supplémentaire V de 1991 avec les dessins et pastels n'est pas inclus ici.

Williamson 1900
« Collection Chocquet. Tableaux modernes, aquarelles, dessins et objets d'art » [résultats de la vente Chocquet Petit], in Édouard-Thomas Williamson, *La curiosité en 1899. Revue des ventes publiques de tableaux, aquarelles, pastels, dessins, gravures, sculptures, livres, meubles, tapisseries et tous objets d'art ou de curiosité, faites en France et à l'étranger*, Paris 1900, p. 237-243

Wilson-Bareau/Degener 2003
Juliet Wilson-Bareau et David Degener, « Manet and the Sea », in cat. expo. Chicago/Philadelphie/Amsterdam 2003, p. 54-157

Zola 1886
Emile Zola, *L'œuvre*, Paris 1886 (Les Rougon-Macquart, [14])

Zola 1987
Emile Zola, *Carnets d'enquêtes. Une ethnographie inédite de la France*, éd. par Henri Mitterand, Paris 1987

Crédits photographiques

Les crédits photographiques sont classés selon le lieu de conservation des œuvres.

Bâle
© Kunstmuseum Basel, photo : Martin P. Bühler (cat. 7, 30, 31, fig. 3)

Brême
© Kunsthalle Bremen, photo : Lars Lohrisch (fig. 67)

Cambridge, Massachusetts
© President and Fellows of Harvard College, photo : Imaging Department (fig. 48, 68, 114)

Cardiff
© National Museum of Wales (fig. 71)

Columbus, Ohio
© Columbus Museum of Art, Howald Fund Purchase (cat. 17, fig. 9, 16, 62, 126)

Copenhague
© Ny Carlsberg Glyptotek, Copenhague, photo : Ole Haupt (fig. 43, 143)
© Ordrupgaard, Copenhague, photo : Anders Sunne Berg (fig. 157)
© Ordrupgaard, Copenhague, photo : Pernille Klemp (cat. 6, fig. 145a)

Essen
© Museum Folkwang, Essen (fig. 80)

Francfort-sur-le-Main
© U. Edelmann – Städel Museum / ARTOTHEK (cat. 29, fig. 154)

Genève
© Musée d'art et d'histoire, Ville de Genève, photo : Bettina Jacot-Descombes (cat. 14)

Houston
© The Museum of Fine Arts, Houston, Museum Purchase funded by the Agnes Cullen Arnold Endowment Fund (cat. 2, fig. 159)

Karlsruhe
© Staatliche Kunsthalle Karlsruhe 2014, photo : A. Fischer / H. Kohler (cat. 12, fig. 120)

Londres
© Collection particulière, comme prêt durable à The Courtauld Gallery, Londres (cat. 25)
© The National Gallery, Londres (fig. 31, 134)
© Trustees of the British Museum (fig. 82, 161)

Moscou
© Musée d'État des beaux-arts Pouchkine, Moscou (cat. 28, fig. 22b, 39, 128, 133)

Munich
© bpk / Bayerische Staatsgemäldesammlungen (fig. 33, 138)

New York
© Thaw Collection, The Morgan Library & Museum, New York (cat. 4)
© The Museum of Modern Art, New York / Scala, Florence (cat. 22)
© bpk / The Metropolitan Museum of Art (cat. 10, fig. 5, 36, 129, 131)

Paris
© Les Arts décoratifs, Paris Archives du Musée Nissim de Camondo (fig. 44)
© Musée d'Orsay, Dist. RMN-Grand Palais / Patrice Schmidt (fig. 56)
© Musée Marmottan Monet, Paris / Bridgeman Images (fig. 21)
© RMN-Grand Palais (Musée du Louvre) / Michèle Bellot (fig. 53, 54, 79, 150,152)
© RMN-Grand Palais (Musée du Louvre) / Jean-Gilles Berizzi (fig. 51, 69, 156)
© RMN-Grand Palais (Musée du Louvre) / Gérard Blot (fig. 50, 158)
© RMN-Grand Palais (Musée du Louvre) / Thierry Le Mage (fig. 55, 149)
© RMN Grand Palais (Musée du Louvre) / Franck Raux (cat. 2, 5, fig. 151)
© RMN-Grand Palais (Musée du Louvre) / Michel Urtado (fig. 49)
© RMN-Grand Palais (Musée de l'Orangerie) / Hervé Lewandowski (cat. 27)
© RMN-Grand Palais (Musée d'Orsay)/Gérard Blot (fig. 124)
© RMN-Grand Palais (Musée d'Orsay) / Hervé Lewandowski (cat. 13, 23, fig. 35, 41, 57, 81b, 121, 139,147)
© RMN-Grand Palais (Musée d'Orsay) / René-Gabriel Ojéda (fig. 81a)

Philadelphie
© 2014 The Barnes Foundation (fig. 72)
© 2014 Philadelphia Museum of Art, The Mr. and Mrs. Carroll S. Tyson, Jr., Collection, 1963 (fig. 63)

Prague
© National Gallery in Prague 2014 (fig. 41, 117)

Remagen
© Arp Museum Bahnhof Rolandseck, Sammlung Rau für UNICEF, Photo : Peter Schälchli, Zurich (fig. 58)

Richmond
© Virginia Museum of Fine Arts, Richmond, photo : Katherine Wetzel (cat. 16, fig. 61)

Saint-Pétersbourg
© Musée d'État de l'Ermitage, Saint-Pétersbourg, photo : © Musée d'Etat de l'Ermitage / Vladimir Terebenin (cat. 18, fig. 66b)

Stuttgart
© Staatsgalerie Stuttgart (cat. 8, fig. 47, 115)

Valence
© Musée de Valence, photo : Eric Caillet (cat. 1, fig. 119)

Valence-sur-Baïse
© Conservation Départementale du Patrimoine et des Musées 32 – Conseil Général du Gers, Abbaye de Flaran, Collection Simonow (cat. 20)

Vienne
© Albertina, Vienne (fig. 64)

Washington
© Courtesy National Gallery of Art, Washington, D.C. (cat. 32)
© John Rewald Archive, Department of Image Collections, National Gallery of Art Library, Washington, D.C. (fig. 77)

Winterthour

© Collection Oskar Reinhart « Am Römerholz », Winterthour (cat. 9, fig. 2, 6, 13, 15, 34,137)

© Collection Oskar Reinhart « Am Römerholz », Winterthour, Archives (fig. 12, 14)

© Collection Oskar Reinhart « Am Römerholz », Winterthour, Archives, photo : Jérôme Conquy, Paris (fig. 18, 19, 20, 25, 26, 27)

© Collection Oskar Reinhart « Am Römerholz », Winterthour, Archives, photo : Philipp Hitz, SIK Zurich (fig. 8)

© Collection Oskar Reinhart « Am Römerholz », Winterthour, Archives, photo : Hermann Linck, Winterthour, (fig. 10)

© Winterthurer Bibliotheken, Studienbibliothek (fig. 4, 7)

Collections particulières

© Archives Maître Perinne, Paris (fig. 30)

© Archives Durand Ruel, Durand Ruel & Cie (cat. 19)

© Collection Jasper Johns (fig. 75)

© Christie's Images Limited (2005) (fig. 74)

© Photograph Courtesy of Sotheby's Inc. © 2006 (fig. 42, 146)

© Collection particulière (cat. 15, fig. 65, 160)

© Collection particulière (cat. 24)

© Collection particulière (fig. 17)

© Collection particulière (fig. 24)

© Collection particulière, Courtesy Galerie B. Weil Ltd (cat. 21)

© Collection particulière, Courtesy Galerie Hopkins, Paris (fig. 37, 141b)

© Collection particulière, Courtesy Nathan Fine Art Potsdam/Zurich (cat. 11, fig. 142)

© Collection particulière, photograph Courtesy Galerie Malingue, Paris (fig. 132b)

© Thyssen-Bornemisza Collections (cat. 26)

Reproductions provenant de publications et d'autres sources

Andersen 1967, fig. 5 (fig. 1, 76a)

Bailey 1997, fig. 33 (fig. 23, 136)

Bibliothèque nationale de France, Paris (fig. 28, 52)

Cat. expo. Kansas City 2007, p. 35 (fig. 141a)

Chappuis, p. 393, n° 394 (fig. 73)

Distel 1989, p. 133, fig. 114 (fig. 29, 132a)

C. Mauclair : *Claude Monet*, Paris 1927, p. 62, pl. 28 (fig. 70)

Near 1985, p. 67 (fig. 148)

G. Néret : *Renoir. Maler des Glücks*, Cologne 2001, p. 98 (fig. 22a, 125)

Rewald 1985, p. 169 (fig. 45)

Vente Chocquet Petit (fig. 11, 32, 38, 83-113)

Wilson-Bareau 2000, p. 228, fig. 179 (fig. 46, 135)

Autres sources publiques (internet)

(fig. 59, 60, 66a, 76b, 78, 116, 118, 122, 123, 127, 130, 140, 144, 145b, 153, 155)

Dans certains cas, les droits d'auteur et d'impression n'ont pu être déterminés. Pour de tels crédits, les prétentions justifiées pourront être honorées conformément aux honoraires habituels.

Collection Oskar Reinhart « Am Römerholz », Winterthour

Publications sur la Collection

Collection Oskar Reinhart « Am Römerholz », Winterthour. Catalogue complet
Publié par Mariantonia Reinhard-Felice, Collection Oskar Reinhart « Am Römerholz », pour l'Office fédéral de la culture et en collaboration avec l'Institut suisse pour l'étude de l'art, Zurich.
Édition allemande, 2003 :
Bâle, Schwabe, ISBN 3-7965-1952-9
Édition anglaise, 2005 :
Bâle, Schwabe, ISBN 3-7965-2132-0 ;
Londres, Paul Holberton Publishing,
ISBN 1-903470-38-1
712 p., 237 ill. en couleurs et 251 ill. en noir

100 Chefs-d'œuvre de la Collection Oskar Reinhart « Am Römerholz », Winterthour. Catalogue abrégé
Publié par Mariantonia Reinhard-Felice, Collection Oskar Reinhart « Am Römerholz », pour l'Office fédéral de la culture
Édition allemande, française, anglaise et italienne, 2008 :
Bâle, Schwabe, ISBN 978-3-7965-2244-4
258 p., 120 ill., dont 107 en couleurs

Collection Oskar Reinhart am Römerholz. Rénovation 2007-2010
Publié par l'Office fédéral des constructions et de la logistique, Berne, Bundespublikationen, 2010
ISBN 978-3-905782-13-4

Catalogues d'expositions

Venite, adoremus. Geertgen tot Sint Jans und die Anbetung der Könige
Venite, adoremus. Geertgen tot Sint Jans and the Adoration of the Kings
Publié par Mariantonia Reinhard-Felice, Collection Oskar Reinhart « Am Römerholz », pour l'Office fédéral de la culture, avec textes de Stephan Kemperdick et Jochen Sander, Heike Stege et Patrick Dietemann ainsi que Bruno Heimberg et Mariantonia Reinhard-Felice.
Édition allemande, 2007 :
Munich, Hirmer, ISBN 978-3-7774-3815-3
Édition anglaise, 2007 :
Munich, Hirmer, ISBN 978-3-7774-4025-5

Eugène Delacroix. Spiegelungen. Tasso im Irrenhaus
Eugène Delacroix. Reflections. Tasso in the Madhouse
Publié par Mariantonia Reinhard-Felice, Collection Oskar Reinhart « Am Römerholz », pour l'Office fédéral de la culture. Textes de Margret Stuffmann, Norbert Miller et Karlheinz Stierle.
Édition allemande, 2008 :
Munich, Hirmer, ISBN 978-3-7774-4515-1
Édition anglaise, 2008 :
Munich, Hirmer, ISBN 978-3-7774-4525-0

Manet trifft Manet. Geteilt, wiedervereint
Division and Redivision. Manet's *Reichshoffen* Revealed
Publié par Mariantonia Reinhard-Felice, Collection Oskar Reinhart « Am Römerholz », pour l'Office fédéral de la culture. Textes de Juliet Wilson-Bareau et Malcom Park.
Édition allemande, 2005 : Bâle, Schwabe,
ISBN 978-3-7965-2202-4
Édition anglaise revue et augmentée, 2008 :
Londres, Paul Holberton Publishing,
ISBN 978-1-903470-77-0

Corot. L'Armoire secrète.
Eine Lesende im Kontext
The secret armoire.
Corot's figure paintings and the world of reading
Publié par Mariantonia Reinhard-Felice,
Collection Oskar Reinhart « Am Römerholz », pour
l'Office fédéral de la culture, avec textes
d'Oskar Bätschmann, Gabriel Katzenstein,
Vincent Pomarède, Mariantonia Reinhard-Felice et
Kerstin Richter.
Édition allemande, 2011 :
Munich, Hirmer, ISBN 978-3-7774-3421-6
Édition anglaise revue et augmentée, 2012 :
Munich, Hirmer, ISBN 978-3-7774-3841-2

Symposium

Kunst ohne Geschichte. Ästhetisch motiviertes Sammeln in Europa und Amerika
Actes du symposium international dans la Collection Oskar Reinhart « Am Römerholz » les 7 et 8 septembre 2012.
Publié par Mariantonia Reinhard-Felice,
Collection Oskar Reinhart « Am Römerholz », pour
l'Office fédéral de la culture.
Munich : Hirmer, 2014, ISBN 978-3-7774-2184-1
(= Scripta manent ; vol. I)

Soirées littéraires

Lautmalerei und Wortbilder. Autoren schreiben über Kunstwerke aus dem Römerholz
Publié par Mariantonia Reinhard-Felice,
Collection Oskar Reinhart « Am Römerholz », pour
l'Office fédéral de la culture. Zurich, Limmat Verlag

Vol. I, 2007 : Jörg Amann – Arent de Gelder, Ivan Farron – Edouard Manet, Friederike Kretzen – Vincent van Gogh, Hugo Loetscher – Eugène Delacroix, Pierre Michon – Edouard Manet, Fabio Pusterla – Francisco de Goya, Peter Stamm – Camille Corot, Christian Uetz – Nicolas Poussin, Peter Weber – Edouard Manet, Urs Widmer – Camille Corot.
Avec un essai de Stefan Zweifel
ISBN 978-3-85791-523-9

Vol. II, 2010 : Zsuzsanna Gahse – Jean-Siméon Chardin, Felix Philipp Ingold – Claude Monet, Klaus Merz – Gustave Courbet, Michel Mettler – Vincent van Gogh, Sabina Naef – Lukas Cranach d. Ä., Erica Pedretti – Lukas Cranach d. Ä., Gerhard Roth – Vincent van Gogh, SAID – Jan Provost, Ingo Schulze – Eugène Delacroix, Matthias Zschokke – Gustave Courbet
ISBN 978-3-85791-606-9

Vol. III, 2012 : Dorothee Elmiger – Gustave Courbet, Wilhelm Genazino – Honoré Daumier, Ernst Wilhelm Händler – Gustave Courbet, Rolf Lappert – Honoré Daumier, Ilma Rakusa – Pieter Bruegel d. Ä., Wolf Wondratschek – Pierre-Auguste Renoir. Avec un essai de Wolfgang Drost
ISBN 978-3-85791-703-5

Impressum

Cette publication de l'Office fédéral de la culture paraît à l'occasion de l'exposition

Victor Chocquet, ami et collectionneur des impressionnistes : Renoir, Cézanne, Monet, Manet

Collection Oskar Reinhart « Am Römerholz », Winterthour (SOR)
21 février – 7 juin 2015

Collection Oskar Reinhart « Am Römerholz »
Haldenstrasse 95
CH-8400 Winterthour, Suisse
Tél. 0041 (0)58 466 77 40
sor@bak.admin.ch
www.roemerholz.ch

Hirmer Verlag
Nymphenburger Strasse 84
D-80636 Munich
Tél. 0049 (0)89 121516-0
info@hirmerverlag.de
www.hirmerverlag.de
ISBN 978-3-7774-2562-7
Printed in Germany

Catalogue

Édition
Mariantonia Reinhard-Felice pour l'Office fédéral de la culture

Auteurs et auteures des entrées du catalogue
AD Anne Distel
IF Inken Freudenberg
CM Christian Müller
MRF Mariantonia Reinhard-Felice
KR Kerstin Richter
AS Arlette Sérullaz
JW Jayne Warman

Rédaction et lectorat
Harry Joelson, Winterthour, et Mariantonia Reinhard-Felice, SOR, avec la collaboration d'Anne Distel

Traduction d'allemand et d'anglais en français
Françoise Senger, Genève

Conception graphique et mise en page
Neeser & Müller Visuelle Gestaltung, Bâle

Lithographies
Repromayer Medienproduktion Reutlingen, Allemagne

Papier
LuxoArt Samt, 150g

Police
Sabon Next

Impression et brochage
Offsetdruckerei Grammlich Karl GmbH, Pliezhausen, Allemagne

Exposition

Commissaire
Mariantonia Reinhard-Felice, directrice SOR

Collaboratrice scientifique
Kerstin Richter, SOR

Régie
Verena Schmid, SOR

Presse et communication
Maria Larsson, SOR

Construction de l'exposition et services techniques
Bertalan Bozsanyi
Myles Metzer
Ulrich Weilenmann

Conseil en architecture
Pool Architekten, Zurich, Andreas Sonderegger

Concept couleur
Harald Müller, Singen

Conception graphique
Neeser & Müller, Visuelle Gestaltung, Bâle

Cadrage
Thomas Knoell, Antike Rahmen, Bâle

Suivi de restauration
Hanspeter Marty, Zurich (peinture)
Olivier Masson, Zurich (papier)

Département fédéral de l'intérieur Office fédéral de la culture

La Collection Oskar Reinhart « Am Römerholz » est une institution de l'Office fédéral de la culture, Berne

Directrice
Isabelle Chassot

Vice-directeur
Yves Fischer

Directeur de la Section musées et collections
Benno Widmer ad interim

Directrice SOR
Mariantonia Reinhard-Felice